Repostería y Pastelería

Las recetas más fáciles

Repostería y Pastelería

Las recetas más fáciles

Isabel Maestre

Prólogo de Rafael Ansón

Diseño de interiores: Víctor Parra
Diseño de cubierta: Tasmanias
Imagen de cubierta: Photo Disc
Ilustraciones de interior: Angelika Steiner

Depósito legal: M. 2.252-2003
ISBN: 84-670-0125-9

Espasa, en su deseo de mejorar sus publicaciones, agradecerá cualquier sugerencia que los lectores hagan al departamento editorial por correo electrónico: sugerencias@espasa.es

Impreso en España / Printed in Spain
Impresión:UNIGRAF, S. L.

Editorial Espasa Calpe, S. A.
Carretera de Irún, km 12,200. 28049 Madrid

A Pablo, que en todo me apoya;
a mis hijas, Isabel, Carmen y Marta,
exigentísimas catadoras;
a mi madre, que como buena donostiarra
me acostumbró a no admitir más que lo mejor.

ÍNDICE

PRÓLOGO

Hay quien ha llegado a considerar como uno de los símbolos más característicos de la modernidad la pasión por lo dulce. No faltan, incluso, quienes consideran la sustitución de los sabores salados por otros en los que adquiere cada vez mayor preeminencia el azúcar, como un rasgo de progreso para las sociedades. Por eso, el fenómeno tiende a extenderse por doquier y, si antaño tenía su sede fundamental en el mundo rural, hoy ha llegado a inundar de forma declarada los *paraísos urbanos.*

A causa de este *boom* contemporáneo y después de muchos años moviéndose con suficiencia entre los fogones, Isabel Maestre ha decidido internarse en el mundo de la pastelería y la repostería porque, entre tanto advenedizo, ella tiene muchos secretos que desvelar. Isabel, donostiarra en Madrid, se trasmutó en cocinera exclusivamente por afición (como siempre nacen las grandes pasiones). Tuvo unos comienzos *amateurs,* para asumir tiempo después una vía enteramente profesional. Por ello perfeccionó un estilo innato en la compañía de grandes maestros como Lenôtre, en París, o Girardet, en Suiza, para integrarse finalmente en el profesorado de la Escuela de Cocina Juan Altamiras, de Alambique. Fue en aquellos años cuando publicó su libro *Cocine hoy para mañana,* que alcanzó una excelente acogida y que puede servir de punto de referencia para comprender más cabalmente este libro que ahora les presento.

REPOSTERÍA Y PASTELERÍA nos abre un amplísimo y sugestivo abanico de posibilidades en un mundo que a todos nos resulta cada vez más cercano, y nos ayuda además a conocer las técnicas y operaciones más habituales, que se convierten así en accesibles para cualquier ciudadano que disponga de unos pocos minutos, el instrumental necesario y grandes dosis de curiosidad.

Hay que destacar, también, que con este libro se inicia una nueva colección, Cocinas Espasa, un conjunto de libros de bolsillo sobre gastronomía que vienen a cubrir una importante laguna que existía en el panorama bibliográfico español. Espasa-Calpe demuestra así, una vez más, su sensibilidad por aquellas cuestiones que interesan de manera destacada a la sociedad española.

La gastronomía está de moda. Las parejas jóvenes disfrutan cocinando ellas mismas; proliferan los restaurantes de calidad y las boutiques gastronómicas. Y todo ello necesita del apoyo, del concurso y del recurso a los libros, que proporcionan al arte gastronómico un poso científico indudable.

Esta nueva colección de bolsillo, Cocinas Espasa, será asequible a todos los públicos y permitirá que los españoles mejoremos nuestra cultura gastronómica y disfrutemos más de este aspecto esencial de la vida humana que es la alimentación. La gastronomía es arte, ciencia y cultura. Y todo ello se verá reflejado en la nueva colección que hoy nace de la mejor manera posible entre las imaginables.

Celebramos, pues, como se merece, la publicación de esta obra como inicio de una colección sobre la que mantengo grandes esperanzas.

Pongámonos todos el mandil, preparemos los pucheros, dispongamos los ingredientes e internémonos sin vacilación en el maravilloso mundo de los postres. Y, si todo va bien, que nadie se corte a la hora de chuparse los dedos.

RAFAEL ANSÓN
Presidente de la Academia Internacional de Gastronomía

ADVERTENCIA AL LECTOR

No sé si me propongo una tarea demasiado ambiciosa: hacer un compendio completo de la repostería y pastelería básicas que, hoy en día, gracias a los medios que nos ha proporcionado la técnica, se encuentran al alcance de cualquier persona suficientemente entusiasta, tenaz y, sobre todo, golosa.

Para muchos cocineros, la pastelería es como la hermana finolis de la cocina, y no la consideran digna de atención. Demasiado cercana a la química y a las ciencias exactas, su resultado depende casi más de la perfección y exactitud de la ejecución que del olfato y del punto. Sin embargo, los mejores cocineros de la historia provienen de la pastelería, que imprime un cierto estilo de pulcritud, limpieza y buen hacer en el tratamiento de la cocina, que ésta siempre agradece.

Para el aficionado, la repostería presenta muchos alicientes: en general, las recetas no exigen demasiado tiempo de preparación; la cocina huele bien cuando se preparan postres; el resultado, si se sigue bien la receta, se usan buenas materias primas y el producto se consume pronto, es pura golosina; siendo cierto que a diario debemos consumir fruta, y precisamente por eso, el postre de dulce es algo consustancial a los días de fiesta, y nuestro esfuerzo contribuirá a aumentar el ambiente festivo. Para los niños, como introducción al arte de la cocina, también es un paso imprescindible.

Determinadas operaciones típicas de la pastelería, como montar nata, o claras, o los baños María, que durante mucho tiempo echaban al aficionado un poco para atrás por lo fatigosas, hoy en día se han hecho fáciles con la introducción de las batidoras, hornos de microondas, etc.

El horno, elemento de manejo otrora delicado, hoy no plantea los problemas de antaño, sobre todo si es eléctrico y de convección. El frío, tan necesario en muchas preparaciones, se ha puesto también al alcance de todos. El papel film, el de aluminio, el sulfurizado, el acero inoxidable, el tefal, son otros tantos elementos que actualmente hacen fácil y agradable la tarea del pastelero.

En general, los textos clásicos de repostería y pastelería en España son ya bastante antiguos, y no tienen en cuenta todos estos adelantos; yo me propongo explicar su funcionamiento y cómo obtener de ellos el mejor rendimiento.

Hablo al principio de la pastelería y de la repostería básicas. Realmente, la pastelería está construida sobre unas pocas recetas de base (menos de una docena), todas ellas muy antiguas. De hecho, desde el perfeccionamiento del hojaldre por el gran maestro Carême, a principios del siglo pasado, no se ha introducido en la pastelería nada nuevo. Hoy los dulces se han refinado, aligerado, se han introducido sabores exóticos, la disponibilidad de materias primas es muchísimo mayor, pero las recetas de base siguen siendo las mismas.

El aprendizaje de estas recetas básicas, que, como digo, no son muchas, nos dará la posibilidad de realizar luego los más variados dulces y pasteles. Su ejecución nos hará descubrir de nuevo la verdadera pastelería, frente a la pastelería industrial que nos invade, que aun siendo honesta no puede ofrecer más que gustos y sabores completamente uniformizados.

Sólo los cocineros mediocres mantienen en secreto sus recetas. Ocultarlas es igual de absurdo que un compositor que no publique la partitura de sus composiciones. Todo el mundo puede tocarla, y muy pocos pueden tocarla bien. La cocina y la repostería son más fáciles de interpretar, pero necesitan un ingrediente muy especial, que es el cariño. Porque la cocina y, aún más, la repostería, es una forma de expresión hacia las personas queridas. En eso nadie puede rivalizar con una abuela preparando el pastel de cumpleaños de un nieto.

Habrá que practicar, pues las cosas no suelen salir perfectas a la primera, pero merece la pena. Muchos hemos vivido nuestras más gratas experiencias después de un buen postre [1].

Y, por qué no, pienso que el conocimiento de estas recetas debe formar parte de la cultura general de cualquiera, con el mismo derecho que el de los autores clásicos o de los principios de las ciencias.

[1] Se indica mediante asteriscos el grado de dificultad de la receta: * fácil
** normal
*** difícil

Este es un libro de cocina doméstica, y no recoge las recetas peculiares de la confitería artesanal, como son chocolatinas, caramelos, mazapanes o turrones.

Es posible que alguien eche de menos alguna receta importante. Como es natural, yo tengo mis gustos y preferencias y sólo sé hacer bien lo que me gusta. El resto lo he omitido.

ISABEL MAESTRE

LÉXICO

La terminología culinaria no es la misma en todos los países de lengua española, por lo que, a menudo, los libros de cocina españoles tienen dificultad para ser entendidos en América. Con el fin de paliar este inconveniente, he incluido un léxico de repostería, que espero sea de utilidad al lector ultramarino. En este léxico no vienen, en general, definidos aquellos términos que corresponden a las recetas, porque obviamente quedan en éstas mejor explicados.

Acanalar: Hacer surcos en la superficie de una fruta para hacer más decorativas las rodajas.
Almendra fileteada: Almendras cortadas en láminas finas.
Almíbar: Cocción de agua y azúcar que al enfriarse a la temperatura ambiente no solidifica. Su consistencia depende de la proporción de agua y de la temperatura alcanzada durante la cocción.
Aparato: Mezcla de varias sustancias antes de cocer o de cuajar.
Bañar: Napar, recubrir un sólido con una masa viscosa.
Baño María: Forma de calentar un líquido en un recipiente sumergido en otro de agua hirviendo.
Batido 1: Refresco de leche y crema muy frío y batido.
Batido 2: Aparato del bizcocho o del soufflé antes de cocer.
Batir: Trabajar vigorosamente con las varillas la nata, las claras, etc.
Blanquear 1: Se dice de la acción de batir fuertemente yemas hasta que quedan como una espuma blanca.
Blanquear 2: Se dice de la acción de hervir ligeramente las verduras.
Caerse: Se dice de la preparación que, después de horneada, no mantiene el volumen.
Caramelizar 1: Recubrir el fondo de un molde de caramelo para evitar que el aparato se pegue al cocer.

Caramelizar 2: Recubrir, por inmersión, frutas o almendras en caramelo líquido.
Caramelizar 3: Tostar la superficie recubierta de azúcar de un preparado.
Clarificar: Eliminar las impurezas de un líquido.
Cobertura: Preparación de chocolate rica en manteca de cacao especialmente apto para recubrir.
Colar: Acción de hacer pasar un líquido por el tamiz o la estameña para eliminar impurezas.
Correa: Se dice del exceso de cuerpo de una masa, que la hace elástica y difícil de trabajar.
Cortarse: Se dice de una emulsión cuyos componentes se han separado.
Coulis: Puré de frutas, pasado por el tamiz, adicionado de azúcar glas o de almíbar.
Cuajar: Solidificarse un líquido por acción del calor, del frío o de sus componentes gelificantes.
Cuerpo: Se dice de la cualidad de una masa elástica.
Desbarbar: Eliminar los hilos de caramelo o de chocolate.
Desmoldar: Hacer salir una preparación de su molde.
Dorar: Aparte de la acción de adquirir color dorado, pintar de huevo una masa para que al cocer se dore.
Embeber: Mojar una preparación con un jarabe hasta saturación.
Emborrachar: Embeber de líquido (normalmente un almíbar aromatizado) una materia esponjosa.
Empanar: Recubrir de pan rallado una masa antes de freírla.
Emulsión: Mezcla en suspensión de un líquido en otro, por ejemplo la leche o la mayonesa.
Escaldar: Introducir, durante unos momentos, un producto en agua hirviendo.
Espantar: Acción de interrumpir la cocción de un bizcocho por enfriamiento repentino del horno.
Espumar: Eliminar la espuma, natas e impurezas de la superficie de un líquido durante la cocción.
Estofar: Hacer cocer suavemente en olla semitapada, con muy poco líquido.
Estremecerse: Se dice de un líquido que apenas llega a hervir.
Filetear: Cortar las almendras o frutos secos en láminas finas.
Flambear: Regar un preparado con un licor caliente y en llamas.
Fonsear: Tapizar un molde con masa laminada.
Fuente: Harina dispuesta en círculo para incorporar ingredientes líquidos.

Hornear: Hacer cocer al horno.
Incorporar: Mezclar, unir dos preparaciones.
Jalea: Materia gelatinosa obtenida por infusión de frutas ricas en pectina (corazones y mondas de membrillo, manzana, etc.) en un almíbar, o mediante cocimiento de pasta de frutas ricas en pectina con azúcar.
Jarabe: Almíbar aromatizado por infusión de frutas o condimentos o por adición de zumos o licores.
Laminar: Extender la masa con el rodillo.
Levar: Hinchazón de una masa por efecto de la levadura.
Macedonia: Frutas o verduras cortadas en dados de 1cm. de lado. Mezcla de frutas así cortadas.
Macerar: Ablandar por inmersión prolongada en un líquido.
Mantequilla avellana: Mantequilla fundida y calentada por encima de 100º, que toma color tostado.
Mantequilla clarificada: Mantequilla fundida de la que se elimina, por decantanción, la materia acuosa.
Mantequilla en pomada: Mantequilla blanda y batida, que toma la consistencia de pomada.
Migar: Hacer migas con mantequilla y harina, para confeccionar la pasta quebrada.
Mojar: Agregar líquido a una preparación.
Moldear: Dar forma a una masa plástica con un molde, con las manos o con la manga pastelera.
Mondar: Eliminar la monda de una fruta o verdura.
Montar: Dar consistencia espumosa a un líquido (nata, claras, etc.) batiéndolo vigorosamente.
Mousse: Del francés «mousse», espuma. Un puré muy ligero y tamizado.
Napar 1: Recubrir completamente con un aparato líquido o pastoso.
Napar 2: Bañar. Del francés «nappe», capa, mantel, se dice de la acción de los líquidos pastosos de quedarse adheridos a la superficie de un sólido sin escurrir. Napar es bañar por la parte superior.
Pasta fonsé (fonsear): Del verbo francés «foncer», poner fondo a algo, masa que se utiliza para forrar el fondo de un molde.
Pegarse: Se dice de la crema que se ha quemado en el fondo de la olla.
Perfumar: Agregar un aroma a una preparación.
Picar 1: Reducir un producto a trozos menudos.
Picar 2: Hacer pequeños agujeros en una masa laminada para que no forme ampollas al cocer.
Pinzar: Formar pequeños salientes en el borde de una masa para decorarla.

Planchar: Tostar la superficie recubierta de azúcar de un preparado, con una plancha.
Reducir: Hacer evaporar por ebullición el exceso de líquido.
Refrescar: Añadir agua fría a un líquido para cortar la ebullición.
Rehogar: Guisar un producto con poco aceite o manteca a fuego suave.
Rellenar: Introducir una preparación en otra.
Revenido: Se dice del caramelo que cristaliza al enfriarse, o del chocolate fundido quemado.
Romper la masa: Se dice de la acción de desmoronar la masa con las manos para eliminar el exceso de gas de fermentación.
Subir: Acción de hincharse un preparado o masa por efecto del calor o de la levadura.
Tamizar: Eliminar grumos e impurezas por medio del tamiz.
Tornear: Dar forma a una fruta o verdura con el cuchillo.
Vuelta: Se dice de cada doblez que se hace a una masa laminada.

FUNDAMENTOS

ÚTILES Y EQUIPO

Como cualquier lugar de trabajo, la cocina debe ser un sitio agradable. Al decidirse por una casa, la amplitud, disposición y equipamiento de la cocina han de ser un factor importante, pues en ella va a transcurrir una parte sustancial del tiempo no sólo del ama de casa, sino de toda la familia. Si la cocina es demasiado pequeña, y sólo permite un puesto de trabajo, es seguro que sólo uno de los miembros de la familia tendrá que asumir toda la carga de preparar las comidas; cualquier compañía estorbará. Como esa carga, tradicionalmente, la ha venido soportando la mujer, recomiendo a las mujeres que hagan sobre este punto su composición de lugar. Por el contrario, la preparación de un postre debe ser algo festivo, compartido, que se enseña a los hijos. La repostería, además, exige algún espacio, tanto para trabajar como para guardar los utensilios necesarios.

Con luz abundante, buena ventilación y una amplia superficie, a ser posible en mármol o granito, se podrá trabajar a gusto y obtener los mejores resultados.

Dentro de las artes culinarias, es en la pastelería donde los inventos de la técnica moderna más han facilitado la labor. Por eso conviene estar suficientemente equipado para que la preparación no resulte demasiado gravosa. A continuación iremos indicando cuáles son los útiles y aparatos que nos parecen más necesarios.

Pequeño material

Todos hemos visto, en el gran almacén, la demostración del aparatito maravilloso para pelar tomates. Extasiados, lo compramos, lo llevamos a casa, destrozamos unos cuantos tomates y desesperados lo tiramos al fondo del cajón donde queda olvidado junto al aparatito de picar cebolla, al de cortar huevos duros, al de despipar uvas y otros varios trastos igual de inútiles. No hemos caído en que el demostrador del supermercado es un habilidoso pelador de tomates que, además, estaba utilizando un aparato para facilitar su trabajo.

La repostería requiere el uso de una serie de útiles que sirven para facilitar el trabajo y con los que hay que practicar para obtener el resultado deseado. Pero no se trata de llenar la cocina de cacharros inservibles. A continuación aparecen dibujados y con su nombre los útiles de uso más frecuente. Prácticamente todas las recetas que aparecen en este libro, salvo que se especifique otra cosa, pueden realizarse con ellos.

Cazos y pucheros

El acero inoxidable es el mejor material disponible hoy día. Al adquirir los pucheros hay que fijarse que sean de fondo grueso, con sandwich de cobre, lo que evita normalmente que el preparado se queme y se pegue.

Para la realización de la repostería doméstica y las recetas que aparecen en este libro, que son para ocho personas, recomiendo los siguientes:

Un cazo de medio litro.
Un cazo hondo de dos litros.
Una cazuela de tres litros.
Una olla a presión de cinco litros.
Una sartén de 15 cm., recubierta de tefal.
Una sartén de 25 cm., recubierta de tefal.

Pequeño electrodoméstico. Batidoras y trituradoras

La aparición del pequeño electrodoméstico ha revolucionado la repostería. Antes, las operaciones de batido y triturado, tan corrientes, exigían no sólo tiempo y habilidad, sino vigor físico, lo que las hacía muy fatigosas y echaba para atrás a más de un ama de casa, a pesar de su afición y mejores deseos. La repostería se ha beneficiado de estas novedades mucho más que la cocina.

La batidora mecánica es un instrumento imprescindible en todas las labores relacionadas con la repostería. Las hay de dos tipos básicos:

Varillas
Rodillo
Cuchillo de torno
Cuchillo de office
Espátula larga
Espátula triangular

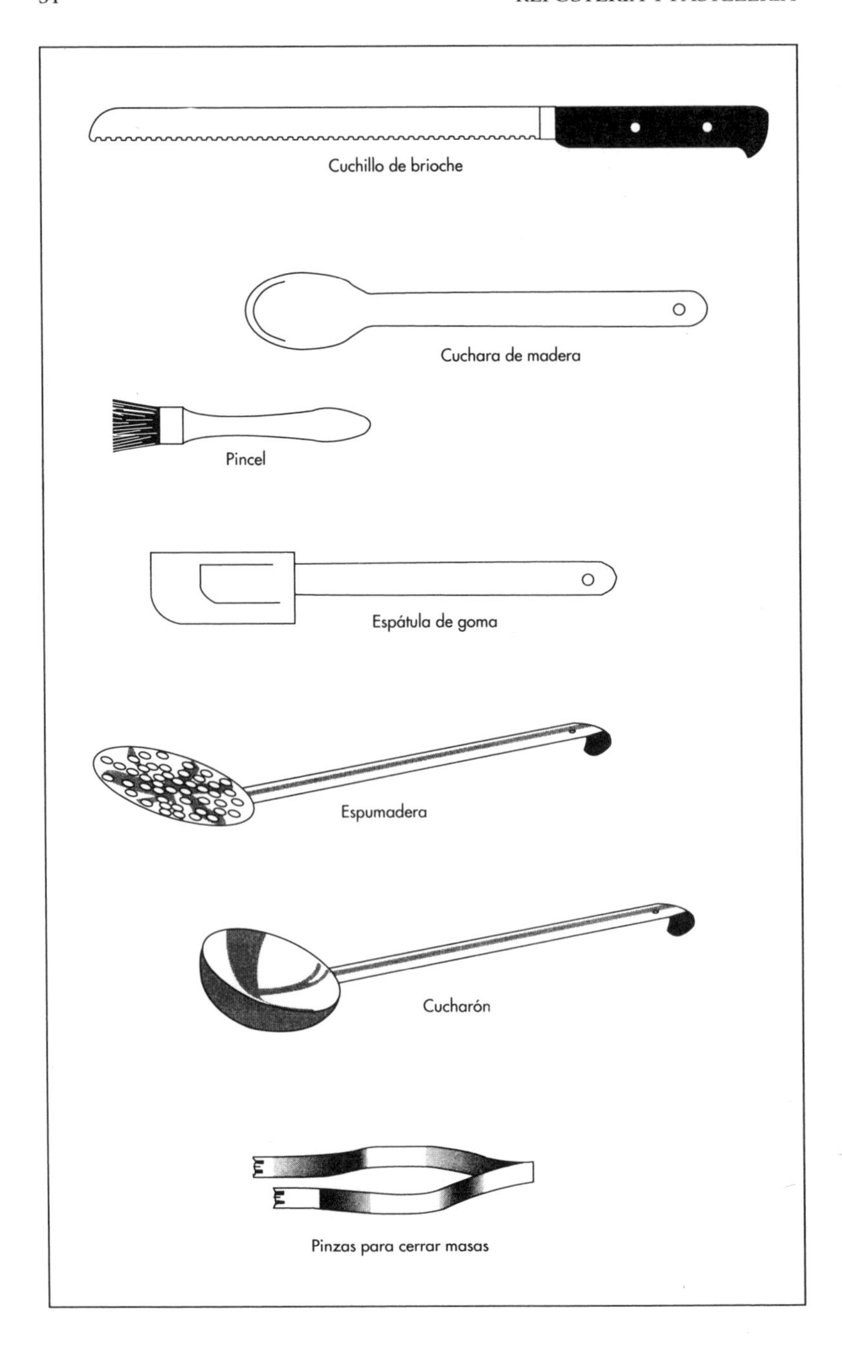
Cuchillo de brioche
Cuchara de madera
Pincel
Espátula de goma
Espumadera
Cucharón
Pinzas para cerrar masas

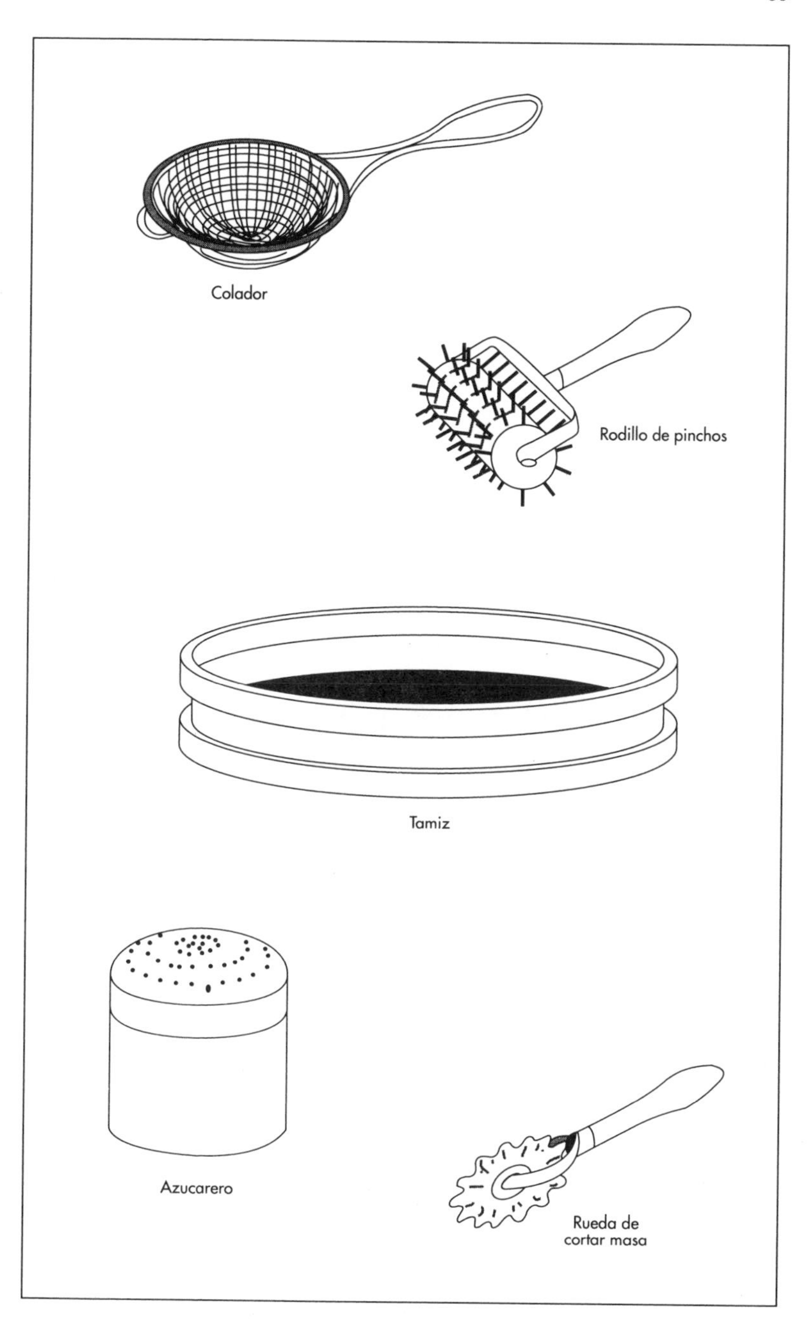
Colador
Rodillo de pinchos
Tamiz
Azucarero
Rueda de
cortar masa

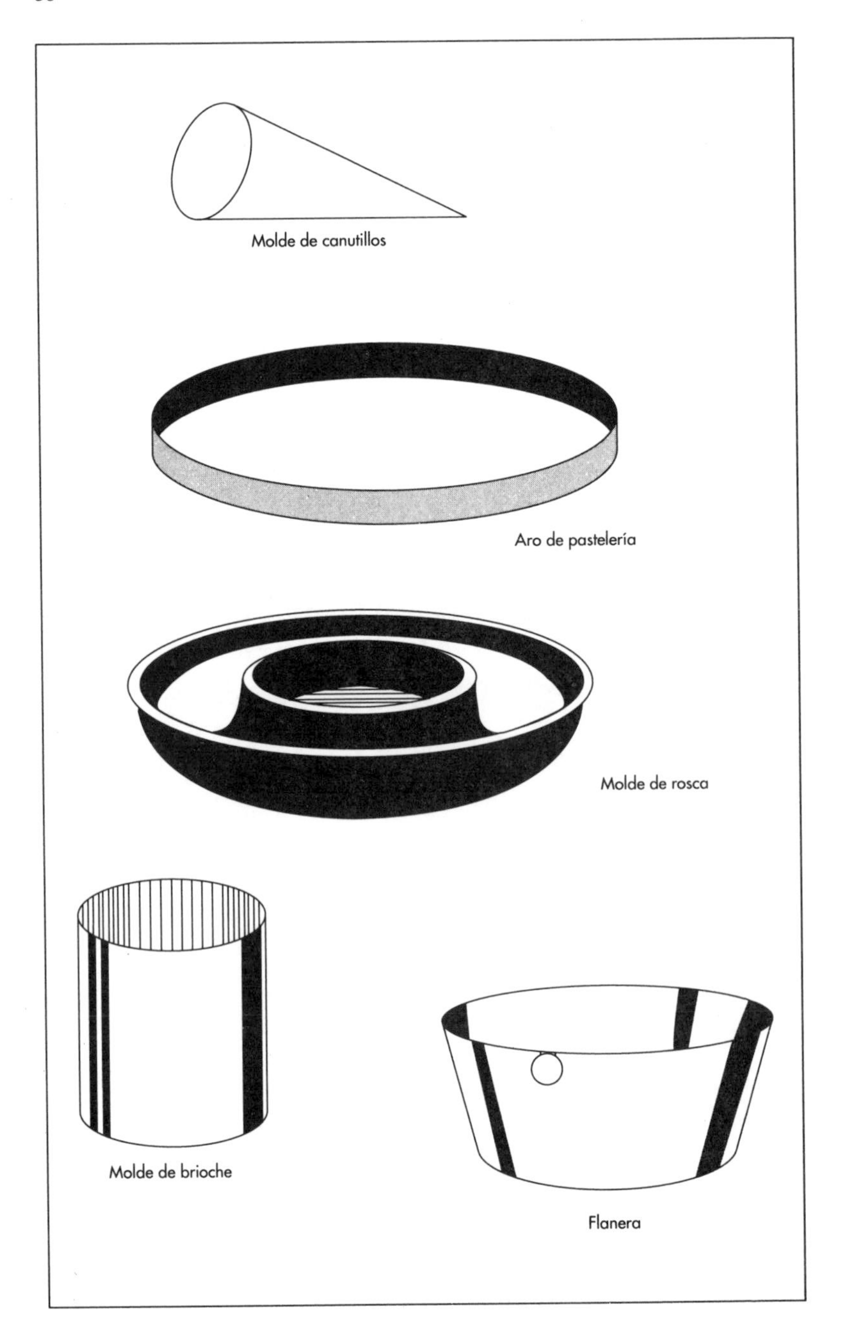
Molde de canutillos
Aro de pastelería
Molde de rosca
Molde de brioche
Flanera

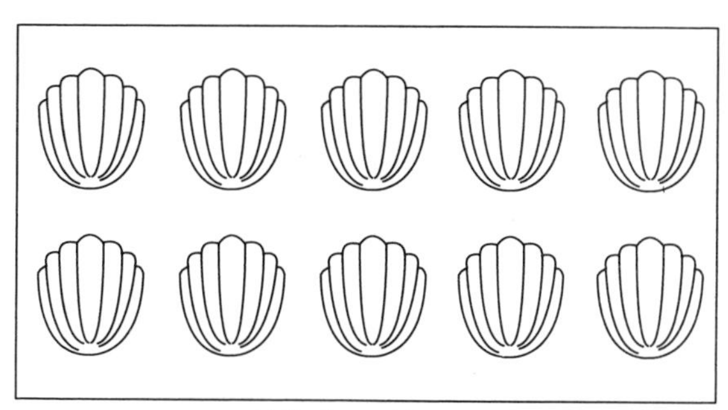

Molde de magdalenas

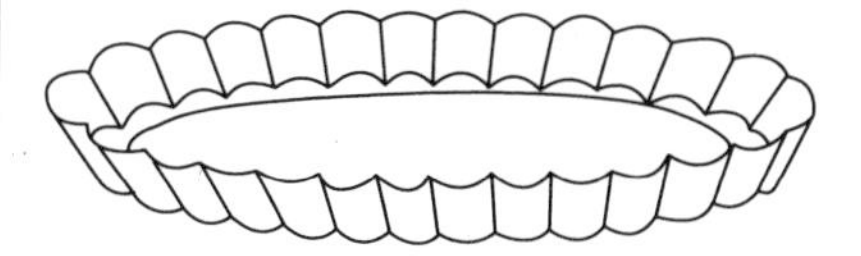

Molde de tarteletas

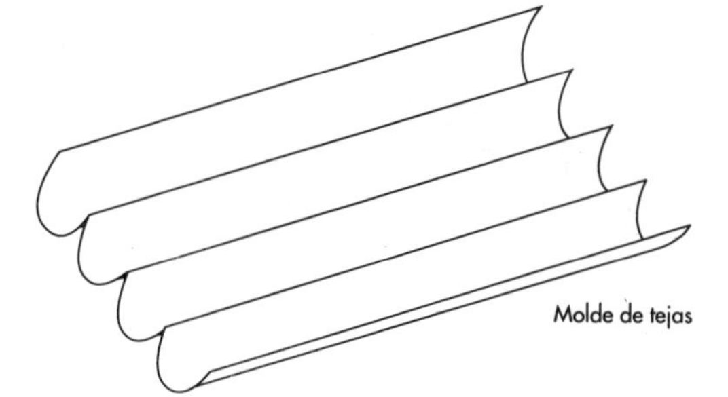

Molde de tejas

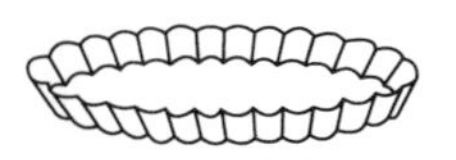

Tarteleta individual

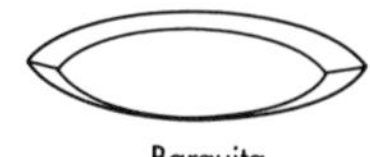

Barquita

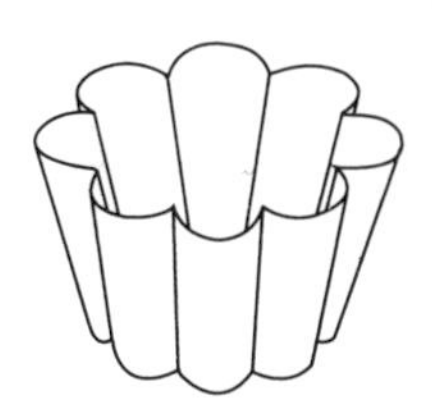

Molde de brioche

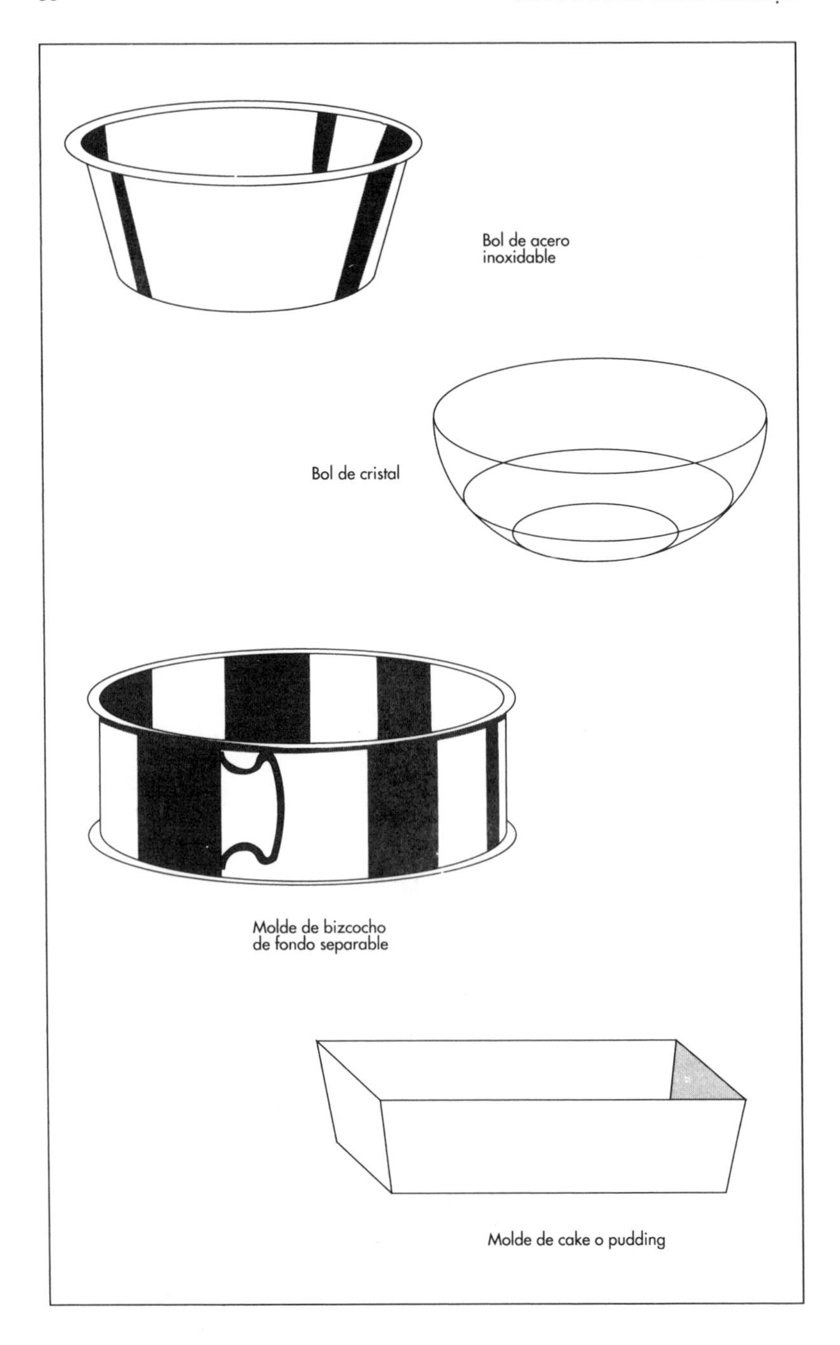
Bol de acero
inoxidable
Bol de cristal
Molde de bizcocho
de fondo separable
Molde de cake o pudding

Molde de biscuit

Molde Kugelhoff

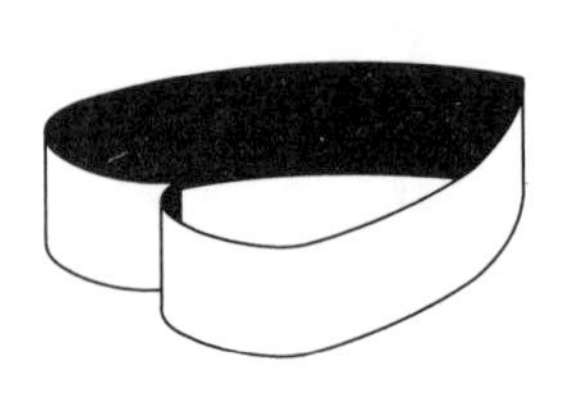

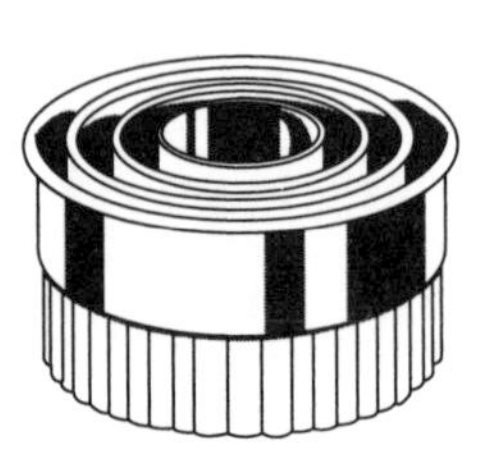

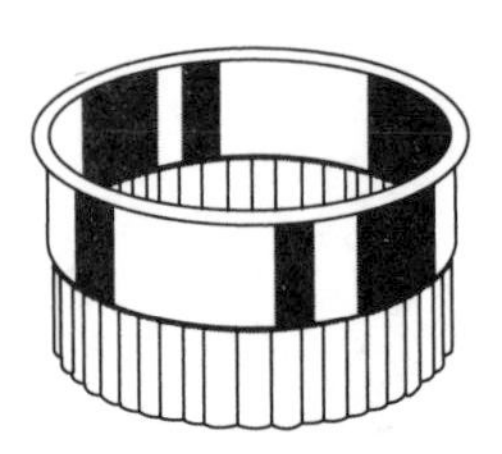

Corta pastas

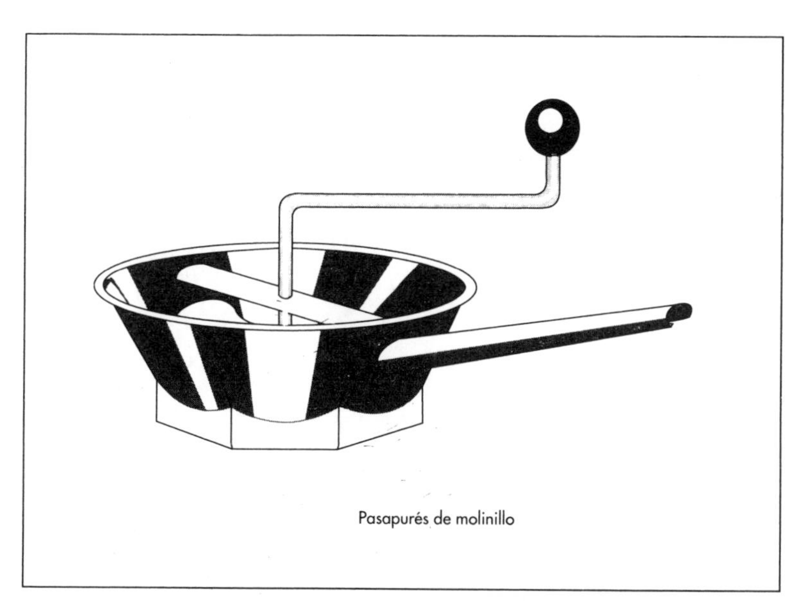

Pasapurés de molinillo

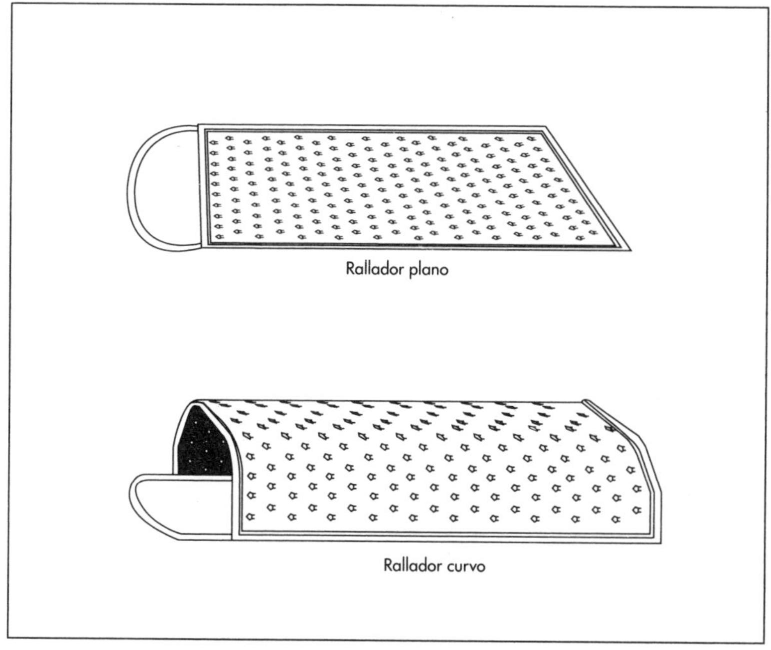

Rallador plano

Rallador curvo

Las varillas fijas con bol incorporado

Son fundamentales para montar nata, blanquear yemas o poner claras a punto de nieve. Las hay de muchas marcas en el mercado, y todas ellas, con sus ventajas o inconvenientes, son comparables. Es importante que tengan distintas velocidades, sobre todo para las claras, que deben ser batidas a velocidad lenta durante un rato para que suban bien. La mayor parte de estas máquinas incluyen un gancho para amasar, que es un instrumento muy útil.

Las varillas manuales

Más económicas, en general, suelen tener menor potencia y rendimiento. Sin embargo, son muy útiles para batir preparados sobre el fuego o al baño maría, cuando lo requiere la receta.

Trituradoras

Las trituradoras son otro de los aparatos que han revolucionado la cocina y la repostería. De la misma forma que las batidoras, las hay fijas y manuales.

Trituradoras fijas

Suelen consistir en un vaso, de vidrio templado o de acero inoxidable, con una hélice trituradora en el fondo. Se necesitan para hacer purés. Algunas marcas incorporan una resistencia para calentar el preparado mientras lo bate y lo tritura. A mí esta última aplicación no me parece necesaria.

Trituradoras manuales

Este es otro aparato imprescindible, más económico y versátil que la trituradora mecánica, a la que puede sustituir en la mayoría de los casos.

Otros aparatos. Conclusiones

El mercado ofrece muchos otros aparatos, como picadoras, amasadoras, licuadoras, exprimidoras, etc. Sin negar su utilidad, dependiendo de las aficiones de cada cual, creo que ninguno de ellos es necesario para realizar las recetas que aparecen en este libro, y mi experiencia personal es que se puede prescindir de ellos sin problema.

También se presentan los denominados robots de aplicaciones múltiples o combinadas; según mi experiencia, en cada caso uno de los elementos es mejor que los demás, de manera que creo que más vale tener un aparato por aplicación.

En conclusión, para trabajar con comodidad se necesita una batidora fija (con útil de amasado), otra manual, una trituradora fija y otra manual. Y el mínimo imprescindible sería una batidora fija, con gancho de amasar, y una trituradora manual.

Hornos

Un buen horno es un elemento imprescindible para realizar con éxito cualquier receta de pastelería, porque el control de la temperatura es absolutamente necesario. Sólo el horno eléctrico de convección garantiza dicho control. Es cierto que existe una pequeña diferencia de precio con el horno eléctrico corriente, pero la diferencia de precio no merece la pena en absoluto. Para algunas recetas también es necesario usar el gratinador, que deberá ser amplio. Dentro de las dimensiones exteriores estándar (60 por 60), los hay con capacidad interior mayor o menor. Yo recomiendo el de 43 cm. de ancho por 37 cm. de fondo y, de nuevo, la diferencia de precio no representa nada en la vida útil de un horno.

Quiero hacer una recomendación en relación con las placas de horno: en general, no son fáciles de limpiar perfectamente, y acaban teniendo incrustaciones de grasa que se rancian y, sobre todo en el caso de la repostería, comunican mal sabor a los preparados. Yo uso *siempre* papel de aluminio para tapizar las placas, y de esa manera es como usar cada vez una placa nueva. Esta práctica la considero imprescindible para la preparación de merengue, bizcocho, tejas y pastas. Cuanto más delicado sea el sabor del pastel, más necesario es el papel de aluminio: es como usar, cada vez, una placa nueva (el papel de aluminio estándar tiene una anchura de 32 cm.).

La utilización de papel de aluminio tiene una ventaja adicional, que consiste en que evita que se queme el fondo de los pasteles. Esto también suele evitarse, a falta de papel de aluminio, colocando dos bandejas de horno juntas.

Las recetas de masa de levadura requieren que la fermentación se realice a una cierta temperatura, entre 24° y 30°. Los hornos comerciales suelen tener una temperatura mínima de 50°, que es excesiva. Existen en el mercado hornos especiales para esto, pero no puedo recomendar a mis lectores que se hagan con uno, porque no merecen la pena. En verano, en España no es problema, y en invierno se puede poner la masa en un lugar cercano al radiador o a la estufa.

Microondas

El microondas es una novedad relativamente reciente. Poco a poco ha conquistado la mayoría de los hogares, porque es realmente muy útil. Sin embargo, hay que tener en cuenta que no sustituye a ningún otro horno, porque su principal utilidad es la de calentar, no la de cocinar. Por eso, aunque yo uso el microondas continuamente, lo hago para sustituir el baño maría, para ablandar o fundir la mantequilla, fundir el chocolate o preparar rápidamente almíbar o caramelo. Como cada modelo de microondas tiene potencia y características distintas, no encuentro posible establecer tiempos de calentamiento o de cocción, y en cada caso hay que seguir las instrucciones que aparecen en el mismo aparato y lo que se ha ido observando por propia experiencia. La elaboración de las recetas contenidas en este libro no requiere del microondas, aunque, repito, quien lo tenga y lo sepa manejar verá su labor muy aliviada.

Frigoríficos, congeladores, sorbeteras

La mayoría de las amas de casa saben que cuanto mayor sea el frigorífico, mayor es la comodidad de su trabajo. Hay muchas recetas, sobre todo las de hojaldre y el suflé, que requieren que la masa se encuentre muy fría en el momento de introducirla en el horno. Para eso será conveniente que, al adquirir el frigorífico o el congelador, se tenga en cuenta el tamaño de las bandejas del horno, o viceversa, porque el mercado ofrece esa posibilidad.

Las masas de harina se conservan muy bien en el congelador; el hojaldre puede cortarse y congelarse después de recibir su forma definitiva. Si se hornea cuando está congelado subirá mucho mejor y quedará más hueco. Las gelatinas y los preparados que contengan huevo cuajado, salvo, por supuesto, los helados, no se deben congelar, porque se cortan.

Normalmente los congeladores son de tres estrellas (-18°) o de cuatro estrellas (-24°). Si el helado se ha guardado en el congelador estará demasiado duro, pues su temperatura ideal es de -12°.

Hay que tener en cuenta, tanto en el caso de los frigoríficos como en el de los congeladores, que su tamaño o la temperatura mínima a veces no está en consonancia con su potencia; es decir, que no son capaces de enfriar más de una cierta cantidad de producto al día. Los frigoríficos y congeladores comerciales de uso doméstico están diseñados para enfriar o congelar del orden de 4 kilogramos diarios desde temperatura ambiente (unos 20°) a la de congelación (-24°) o conservación en frigorífico (2° a 3°). Como con las instrucciones de los frigoríficos siempre se recomienda no introducir en ellos preparados calientes, muchas personas piensan que ello es malo para el producto. Este es un grave error; es malo para el frigorífico, porque se calienta por dentro y tendrá que trabajar en condiciones adversas para enfriar el producto, y puede ser malo para el resto de los productos que están en el frigorífico, pues elevará su temperatura y les perjudicará en consecuencia. Por el contrario, cualquier producto que haya que enfriar debe enfriarse a la mayor velocidad posible. A las bacterias les encantan (como a los seres humanos) las temperaturas tibias, y entre 5° y 40° se desarrollan a gusto. Por eso es muy importante enfriar las cremas nada más preparadas, porque así se mantendrán más tiempo estables. En invierno, el balcón o el poyo de la ventana son el lugar más adecuado, siempre que no les dé el sol. Sin embargo, en todo caso, previamente conviene enfriarlas introduciendo el cazo en agua fría, en la pila, y revolviendo durante unos pocos minutos (depende de la cantidad del preparado). Así se evita también la formación de natas. Una vez que estén a temperatura ambiente se deben guardar en el frigorífico.

Incluyo en este libro recetas de helados, sorbetes, biscuits y sabayones helados. Estas dos últimas variedades sólo precisan el uso del congelador; en cambio, la preparación de helados y sorbetes exige el uso de la sorbetera. Actualmente las hay mecánicas muy buenas, de un litro, con refrigeración incorporada. Hay otras más sencillas y baratas que, en vez de producir su propio frío, han de introducirse en el congelador. El resultado es satisfactorio, y si se dispone de un congelador suficientemente capaz, de cuatro estrellas (-24°), creo que basta para el ama de casa, con la advertencia de que lo ideal es tomarlo recién hecho, pues la temperatura del congelador es excesivamente baja y el helado se endurece en exceso.

Pesos y medidas

No es que la repostería sea una ciencia exacta ni pura química, pero, en general, las proporciones de los ingredientes son importantes, y deben ser respetadas si se quiere tener éxito. Esto es particularmente aplicable al trabajo del azúcar y la confección de masas, bizcochos y mermeladas.

Ya hemos dicho que se deben escoger huevos de 50 gramos, y eso no debe plantear grandes dificultades, puesto que el mercado los ofrece por pesos de una manera razonablemente precisa. Pero para el resto de los ingredientes conviene contar con un buen peso, con capacidad máxima para 1 kilogramo, pues ninguna receta de las contenidas en este libro, excepto las mermeladas, va más allá. Al tener menos capacidad tendrá también una escala más precisa.

También hay que contar con un medidor de líquidos, que no ofrece mayor dificultad. Algunos medidores de líquidos incluyen niveles de capacidad equivalentes a sólidos, como harinas o azúcar. En general son fiables, pero es mejor utilizar el peso.

Para trabajar el azúcar yo uso el termómetro especial, con temperaturas desde los 70° a los 180°, que, después de varias pruebas, me parece el instrumento más cómodo, mejor que los densímetros, que son más delicados. Cuando se usa el termómetro en la preparación de almíbar y caramelo, conviene tenerlo sumergido en un vaso de agua *caliente*. Así se disminuye el riesgo de fractura y el termómetro permanece limpio. El termómetro también sirve para controlar la cocción de la crema inglesa y de los preparados de yemas y sabayones, que no deben pasar de los 82°.

MATERIAS PRIMAS

Hace años la repostería era cara, porque caras eran sus materias primas. La mantequilla se ranciaba fácilmente, los huevos sólo eran frescos durante la primavera y el verano, así como muchas frutas. Hoy esto ha cambiado, y, de hecho, los postres dulces hoy son más baratos que la misma fruta.

Soy partidaria de utilizar materias primas de la mejor calidad, porque el postre de dulce no forma parte de la cocina de diario, en la que lógicamente el condicionamiento económico juega con mayor fuerza, y para un día de fiesta no tiene sentido echar a perder el resultado del esfuerzo por un ahorro poco importante. Pero sobre todo, por favor, no usar sucedáneos. Para eso es mejor bajar al supermercado de la esquina y comprar un pastelito de esos que venden envueltos en papel de celofán y que tanto anuncian por la televisión: se ahorrará trabajo, dinero y encima le regalarán cromos.

Nadie niega que la repostería sea muchas veces enemiga de la línea; no en vano, los seres humanos sentimos, por instinto, especial apetencia hacia una serie de sabores ligados a las sustancias que mejor nos alimentan. El dulce, el huevo, la leche, la materia grasa, todos ellos son componentes básicos de la repostería: no somos herbívoros, como las vacas. Pero salvo en ciertos casos extremos y patológicos, todo es cuestión de variedad y de moderación, y creo que es mejor comer poco a gusto que mucho a disgusto.

Una advertencia sobre el colesterol. Esta sustancia debe ser un componente insustituible de la alimentación humana, si bien se ha descubierto que, por encima de ciertos niveles, y para determinadas personas, es peligrosa para la salud, porque puede depositarse en los vasos sanguíneos y perjudicar la circulación.

El colesterol es especialmente abundante en las grasas animales, en las grasas vegetales sólidas, en la yema de huevo y en la grasa de la leche. Los estudios que se han hecho, sobre todo en los Estados Unidos y en el norte de Europa, han alertado sobre los peligros de la dieta rica en colesterol; sin embargo, hay que tener en cuenta que en los citados países, tradicionalmente, se ha cocinado con grasa animal y se ha consumido gran cantidad de carne grasienta. En España, en general, el consumo medio de colesterol es más pequeño, por lo que no debemos asustarnos tanto; sin embargo, quien tenga dudas, deberá consultar con el médico y actuar en consecuencia.

Pero aun para las personas que tienen problemas existen muchos postres sin yema de huevo, y la mantequilla se puede sustituir, en la mayor parte de las recetas, por aceite refinado o margarina. Aun en este último caso hay que tener en cuenta que las margarinas fabricadas a base de aceite de coco o de palma, o grasa de ballena, tienen incluso mayor contenido de colesterol que la mantequilla. En particular, el aceite de palma, por su especial estabilidad y resistencia a ranciarse, entra como ingrediente en la mayor parte de la pastelería industrial, en la que no se le ha encontrado sustituto. No debemos, por lo tanto, si tenemos problemas con el colesterol, tranquilizarnos por ver en la etiqueta de ingredientes de un producto la indicación de que se ha usado «grasa vegetal», porque el aceite de palma es grasa vegetal y es al mismo tiempo rico en colesterol.

A continuación expongo una serie de comentarios y consejos que creo útiles en relación con las principales materias primas que se usan en pastelería, y que entran como ingredientes principales en las recetas de este libro. Esta relación no puede ser exhaustiva, y sólo se refiere a aquellos casos en que he juzgado necesaria alguna explicación útil.

Harina y otras féculas

La harina de trigo

El trigo es una gramínea originaria de las estepas del Oriente Medio que los primeros sumerios y egipcios, en tiempos prehistóricos, aprendieron a cultivar, a moler y a cocinar, siendo la base y razón de sus civilizaciones. Se han descubierto hogazas de pan en tumbas egipcias de hace más de cinco mil quinientos años. Hoy día forma la base de la alimentación de la mayor parte de los pueblos de Oriente Medio, norte de África, Europa y América del Norte.

La harina es el producto de la molturación del grano de trigo. Las harinas procedentes de otros cereales deben indicarlo, y en este libro sigo el mismo criterio.

En la composición de la harina entran la fécula (60 a 72 por 100) y el gluten (8 a 12 por 100), con otros ingredientes menores, como azúcares, sales minerales, materia grasa, vitamina B y agua. La proporción de gluten presta cuerpo y elasticidad (fuerza) a la masa de harina. Se llama harina de fuerza o harina de panadería a la que tiene mayor proporción de gluten; es la más apropiada para la confección de masas de levadura, y se puede encontrar en el comercio. Sin embargo, no es imprescindible.

Deben rechazarse las harinas granulentas, amargas o rancias. Al envejecer, la harina adquiere tonalidad rosada o azulada. Si se aprecian variaciones de color, ello suele ser debido a la mezcla de harinas nuevas y viejas. No deben aparecer restos de parásitos, ni sobre todo heces de roedores.

Normalmente, el ama de casa adquiere la harina envasada en sacos de papel de 1 kilogramo. Las marcas comerciales garantizan generalmente la calidad del producto.

Antes de usarse, la harina, que tiene tendencia a apelotonarse, debe pasarse siempre por el tamiz, tanto para eliminar los grumos como para aligerarla. Cuando se usa con levadura química, bicarbonato o sal, el tamizado conjunto sirve también para conseguir una mezcla homogénea.

Las féculas

Se denomina fécula al almidón extraído de semillas o vegetales feculentos, como el maíz, el trigo, el arroz, la patata, la tapioca, etc. La diferencia fundamental con la harina es la ausencia de gluten. Fécula y almidón son, por lo tanto, lo mismo. En España se denomina almidón al de trigo, y fécula al de otras procedencias. A la fécula de maíz se la llama vulgarmente maicena, según una marca comercial muy extendida (aunque ésta se escribe con z). En general, las féculas se usan en pastelería para producir masas sin cuerpo, o para espesar emulsiones.

Algunas personas tienen problemas con el metabolismo del gluten, y en estos casos las féculas son usadas en lugar de harina.

La sémola

Se obtiene, al igual que la harina, de la molturación del trigo duro. En el comercio se presenta clasificada según el grano, que puede ser fino, mediano o grueso. Tiene empleo en la preparación de puddings, claffoutis, etc.

Mantequilla, nata, aceite y materias grasas

La mantequilla

La denominación mantequilla está reservada para el producto resultante del batido y refinado de la nata de la leche, ligeramente fermentada. Salvo que se indique otra cosa en el envase, la mantequilla procede de la leche de vaca.

En su composición entran un mínimo de 82 por 100 de grasa de leche, un máximo de un 16 por 100 de agua y un máximo de un 2 por 100 de elementos y sales solubles en agua. La mantequilla es rica en vitaminas A y D. La calidad de la leche, pero sobre todo el grado y proceso de fermentación, determinan el sabor. La mantequilla francesa tiene fama por su gusto.

En cuanto al colesterol de la mantequilla, véase lo dicho más arriba al respecto.

En el mercado se presenta la mantequilla pasteurizada. Hoy día la mantequilla pasteurizada se conserva en frigorífico durante meses, y congelada durante años. Antes de utilizarla debe comprobarse su buena conservación, pues, sobre todo en pastelería, si está rancia, aunque sea ligeramente, comunica un sabor a queso que desmerece el resultado.

Para aumentar su capacidad de conservación se suele añadir sal a la mantequilla (nunca más de un 5 por 100). En general, en repostería no se usa mantequilla salada. Si no se dispone de otra, se puede eliminar la sal, parcialmente, lavando la mantequilla con agua templada, al tiempo que se amasa con la mano.

Al fundirse la mantequilla, se separa la materia grasa de la materia acuosa. A la materia grasa así separada se la denomina mantequilla clarificada, y entra en la composición de algunas de las recetas que aparecen en este libro. Si se aumenta la temperatura, parte de las materias disueltas se tuestan, haciendo variar ligeramente el sabor de la mantequilla. A esta mantequilla se la denomina mantequilla avellana, y también entra en la composición de algunas recetas. Si el calor es excesivo, la mantequilla se estropea y se hace más indigesta. Por eso, cuando se fríe con mantequilla debe moderarse el fuego, para evitar que la mantequilla se queme.

A veces, para preparar moldes, se utiliza mantequilla ablandada y mezclada con un poco de harina, que se extiende más fácilmente con el pincel. Esto no suele ser necesario en el uso doméstico, pues hay que preparar una cierta cantidad, lo que representa un gasto injustificado.

La nata

Se llama nata a la emulsión grasa que sobrenada la leche en reposo. Actualmente se obtiene por centrifugación. Debe contener un mínimo de 30 por 100 de materia grasa.

En el mercado se ofrece envasada y esterilizada, de larga duración, aunque también es posible encontrar la nata pasteurizada, que aventaja a aquélla en sabor, aunque es de duración más corta.

Al batir la nata, ésta toma aire y se hace más cremosa y hasta sólida. Sin embargo, su volumen no aumenta considerablemente.

En este libro, entre los ingredientes de algunas recetas aparece la nata agria. Debe utilizarse siempre nata agria preparada, que se vende en el mercado como *sour cream*, pues la nata que se agría en casa puede ser muy peligrosa. Cuando no se dispone de nata agria, puede acidularse con zumo de limón, aunque el resultado no es el mismo. También se puede obtener un resultado aproximadamente parecido mezclando la nata con yogur, en proporción de medio litro de nata por tarrito de yogur, aunque sólo en el caso de preparaciones que hayan de cocerse o consumirse inmediatamente.

En España las natas, de momento, no se comercializan, como en otros países, diferenciadas entre nata líquida y nata espesa, que en Francia llaman *fleurette* y *doble* respectivamente. El contenido en materia grasa es el mismo, y la diferencia de espesor proviene del procedimiento de obtención, de su acidez y del tipo de leche del que procede. En las recetas que aparecen en este libro, si no se indica otra cosa, se utilizará nata líquida. Si se recomienda nata «doble», se podrá utilizar la que haya disponible en el mercado, pues la diferencia no es muy grande.

Cuando la leche se vendía directamente del productor al consumidor, sin homogeneizar ni tratar, al cocerla se formaba una nata espesa en la superficie, que los nacidos antes del año 1950 recordarán perfectamente. La higienización de la leche es un avance importantísimo de la sanidad y la higiene, pero nos ha privado, quizá para siempre, de uno de los sabores más exquisitos en la repostería y pastelería, el de los bizcochos y pastas que se confeccionaban con nata. Hoy no tienen sustitutivo en el mercado, pero si el lector es de los pocos afortunados que pueden conseguirla de confianza, podrán mejorar el sabor de las recetas de cakes que aparecen en este libro sustituyendo 100 gramos de mantequilla y una clara por 150 gramos de nata de leche cocida.

La margarina

La margarina consiste en una emulsión de aproximadamente 85 por 100 de aceites vegetales refinados (maíz, colza, algodón, cacahuete) solidificados, grasas vegetales (coco o palma) o animales (ballena) y 15 por 100 de mezcla de agua y leche, a los que se agregan aromas, azúcar, almidón, emulsionantes y sal.

La margarina no entra en la composición de ninguna de las recetas que aparecen en este libro. Sin embargo, quien por motivos dietéticos o económicos desee utilizarla, podrá sustituir en las recetas las mismas cantidades de mantequilla por margarina. El sabor no será el mismo, y se deberá tener en cuenta que las masas de margarina y harina se rancian muy rápidamente, por lo que no conviene para la elaboración de pastas o dulces que se quiera conservar. Sólo deberán usarse en pastelería margarinas que fundan en la boca, y antes de decidirse por una determinada marca, convendrá hacer la prueba.

Los aceites

Los aceites son materias grasas líquidas que se obtienen por molturación de frutos (caso de la oliva) o de semillas (almendras, nueces, girasol, cacahuete, maíz, soja, etc.). La principal distinción que debe hacerse es entre aceites «vírgenes» y aceites refinados.

Los únicos aceites preparados en crudo, o «vírgenes», son los de oliva, nuez y almendras, que conservan totalmente el sabor del fruto de que provienen. El problema de los aceites de almendras y de nuez es que se rancian muy rápidamente, y se descomponen al hervir. El de oliva virgen tiene el sabor a fruto característico, tan de nuestro gusto. Ahora bien, en frío, la cantidad de aceite que se extrae de la aceituna es muy poca, por lo que se aplican procedimientos mecánicos y químicos para obtener todo el aceite que contiene el orujo, y que no puede ser consumido sin previo refinado.

Los demás aceites son refinados tras su obtención, para eliminarles todo el sabor de origen. Una vez refinados se aromatizan. Sin embargo, las características químicas de cada uno de estos aceites son diversas.

El más apropiado para la fritura es de oliva, virgen, refinado o mezcla, por su capacidad de alcanzar altas temperaturas sin evaporarse ni descomponerse. Normalmente el aceite de oliva refinado se comercializa aromatizado con aceite de oliva virgen, en mayor o menor proporción. Los defensores del aceite de oliva mantienen que, gracias a su estabilidad, el aceite de oliva es más económico que otros, pues a pesar de su mayor precio se consume en menor cantidad, y empapa menos los fritos.

El de cacahuete y el de girasol son, después del de oliva, los de mejor calidad. Como son prácticamente insípidos, en pastelería se deben usar estos aceites cuando entran en las recetas, o para recubrir superficies sobre las que se extiende un preparado (por ejemplo para hacer guirlache).

El aceite de maíz se ha puesto muy de moda entre gentes preocupadas por el colesterol (aunque últimamente sus virtudes respecto del de oliva se han puesto en duda).

Cualquiera de los anteriores aceites puede sustituir a la mantequilla fundida en las recetas en que ésta aparezca, utilizándose el de oliva, si gusta, o el de girasol, cacahuete o maíz si se prefiere una grasa neutra. Yo los prefiero, en cualquier caso, a la margarina.

Especialmente en pastelería, para la preparación de masas fritas, deberá tenderse a dar pocos usos a un mismo aceite. Después de cada uso, es imprescindible filtrarlo, pues las impurezas que quedan, si se vuelven a freír, contribuyen a su descomposición y lo hacen muy indigesto. Desaconsejo totalmente las antiguas marmitas freidoras con su rejilla, a las que se iba agregando aceite a medida que se consumía, y que iban formando, en su fondo, una madre de restos carbonizados (según algunos expertos, en estas partículas refritas se generan compuestos cancerígenos). Las modernas freidoras eléctricas tienen la ventaja de que, al controlar la temperatura del aceite, evitan en gran medida su descomposición, y la carbonización de los restos se evita, porque las resistencias no se encuentran en el fondo, y aquéllos quedan por debajo y no se queman. Sin embargo, no conviene exagerar y hay que cambiarles el aceite con frecuencia, limpiando bien el fondo.

Manteca de cerdo, otras materias grasas

La manteca de cerdo entra como ingrediente en algunas de las recetas que aparecen en este libro, especialmente las de tipo tradicional. La manteca de cerdo es muy sabrosa, pero al adquirirla hay que tener cuidado de que sea muy fresca y de aroma agradable, y mantenerla siempre en frigorífico, porque su sabor, fresco o rancio, se refleja íntegramente en el preparado.

La manteca de cerdo suele utilizarse en la preparación del hojaldre tradicional, y presenta algunas ventajas desde el punto de vista de la preparación, por lo que algunos pasteleros la prefieren; sin embargo, no funde en la boca, y por ese motivo las masas confeccionadas con exceso de manteca de cerdo, si se consumen frías, producen una sensación desagradable de pastosidad en el paladar.

El mismo inconveniente presentan otros tipos de sebos y preparados grasos, mezclas de aceites y mantecas animales y aceite de palma que se ofrecen en el mercado, especialmente para confección de hojaldre. Fuera de la pastelería industrial, su uso no está muy extendido en España, y no entran en las recetas de este libro.

Cuando se utilice aceite o sebo hay que tener en cuenta que estos productos no contienen agua (recuérdese que en la mantequilla y en la margarina hay como un 15 por 100 de agua, y en la manteca de cerdo como un 10 por 100), y por este motivo, el peso en mantequilla que se indica ha de ser de agua y de materia grasa en la misma proporción.

Azúcar, miel, glucosa y otros azúcares

El azúcar

La sacarosa es un hidrato de carbono de sabor dulce, compuesto por glucosa y fructosa, y el azúcar es sacarosa cristalizada pura al 99,7 por 100. Debe ser de un blanco brillante, inodoro (o inodora; según la Academia azúcar es palabra ambigua, es decir, masculino o femenino, a voluntad) y seco, de sabor dulce neutro, soluble en agua hasta la proporción de dos de azúcar por uno de agua, dando una solución límpida e incolora. Las referencias al azúcar en las recetas que siguen aluden al azúcar refinado, salvo indicación contraria, pues existen otras variedades de azúcar, a las que nos referiremos más adelante, que también entran en las recetas de este libro.

A veces el azúcar de alguna marca no es completamente blanco, sino más bien grisáceo, por contener ciertas impurezas. Esto no es inconveniente grave, salvo para la confección de *fondant,* que elaborado con este azúcar no adquiere la blancura esperada.

El azúcar de caña se ha producido en la India desde tiempos muy remotos. Los árabes lo introdujeron en el Mediterráneo, y la caña prosperó muy bien en la costa de Andalucía. En la Baja Edad Media se llegaba a pagar por él en Europa el peso en plata, por lo que, sin duda, para los moros del Reino de Granada debió de ser como el petróleo para los árabes modernos. Los españoles lo plantaron en Canarias primero, y luego lo llevaron a las Antillas, donde prosperó admirablemente. Por las mismas fechas los portugueses lo empezaron a importar de la India, de manera que, a principios del siglo XVII, se abarató de tal forma que llegó a popularizarse su consumo, antes reservado a las mesas de los reyes. Precisamente, la caída del precio del azúcar a partir de la segunda mitad del siglo XVI fue un elemento determinante en la ruina económica de los países del extremo sur de Europa, y en particular de Andalucía, que era el principal productor, donde, conjuntamente con el fenómeno paralelo de la caída del precio de la seda (por entonces ya importada directamente de la India en barcos portugueses y holandeses), dio origen a la crisis agrícola que produjo las revueltas y, en último término, expulsión de los moriscos en 1609.

Durante las guerras napoleónicas, los ingleses, que tenían el dominio del mar, impidieron la llegada del azúcar a Europa, lo que fue un gran disgusto para los franceses, tan golosos ellos de toda la vida. Puestos a exprimirse el ingenio, descubrieron la forma de extraer azúcar de la remolacha, cuyo cultivo se extendió por toda Europa. Hoy en día la producción de azúcar se divide prácticamente por mitades entre remolacha y caña. También se produce en menor cantidad por concentración de la savia de arce, rica en sacarosa (el arce es el árbol nacional del Canadá, que adorna su bandera con una hoja de este árbol). En España no se ofrece en el mercado azúcar de arce.

Actualmente el azúcar es el alimento energético más barato que existe por la relación entre calorías y precio. En los países pobres productores de azúcar de caña, la torta de azúcar es uno de los componentes básicos de la dieta.

De la primera molturación de la caña de azúcar se extraen los denominados azúcares crudos, entre los que destacan:

a) Azúcar blanquilla, cristalizado, de color blanco o ligeramente amarillento.

b) Azúcar moreno, pegajoso por los restos de melaza.

c) Azúcar pilé, que forma terrones de grano muy fino.

Estos azúcares crudos conservan un cierto sabor a caña, y se utilizan para la confección de algunas recetas que aparecen en este libro, especialmente el azúcar moreno.

De la segunda molturación en caliente del azúcar de caña, y de la remolacha, se extraen unos jarabes que no se pueden consumir directamente, sino que sirven para fabricar el azúcar refinado. No existe diferencia de sabor entre los azúcares refinados de caña o de remolacha. En el mercado se expende el azúcar refinado con la denominación genérica de azúcar. Las referencias al azúcar en este libro se hacen normalmente al azúcar refinado.

En el mercado también se ofrecen otras presentaciones del azúcar refinado, entre las que el azúcar cortadillo o cuadradillo, en terrones, y el azúcar glas o en polvo tienen especial aplicación en repostería. Hay quien prefiere el azúcar cuadradillo en terrones para preparar el almíbar; a mí el refinado me da buenos resultados. A falta de azúcar glas se puede pasar el azúcar corriente por la trituradora hasta que quede muy fino, aunque no se consigue el mismo grano que el del azúcar glas.

La miel

Probablemente fue la miel el primero de los dulces que probó el ser humano. Los monos, en la selva, la degustan con placer y están dispuestos a afrontar el martirio de las picaduras de las abejas a cambio de unos tragos. El hombre debió aprender ya en tiempos prehistóricos a manejar las abejas y aprovecharse de ellas, que no sólo le daban delicioso manjar, sino que propiciaban la fructificación de las cosechas (ellos no lo sabían, pero hoy conocemos su insustituible función en la polinización de las flores).

La miel fue durante siglos el único endulzante utilizado por el hombre, y en Europa no fue sustituida por el azúcar hasta el siglo XVII.

En la composición de la miel entran la glucosa, la levulosa, la sacarosa (distintos azúcares), elementos minerales y gomas y como un 22 por 100 de agua.

El color y el aroma de la miel dependen de la región de donde procede y del tipo de flora que han libado las abejas. Por eso se suele comercializar como miel de brezo, de azahar, de romero, etc. Las parameras de la Alcarria, ricas en plantas aromáticas, producen una de las mieles más perfumadas del mundo. La miel de abejas que se crían en zonas de adelfas es tóxica, a causa del veneno contenido en el néctar de las flores de esta planta.

La miel se presta con facilidad a las adulteraciones, mediante la adición de jarabes de azúcar. El ama de casa no dispone de medios para analizarla, por lo que debe adquirirla siempre envasada y de marca acreditada.

En el momento de su recolección, la miel es líquida y límpida. Al cabo de algunos meses de conservación cristaliza, pero esto no le quita ni sabor ni calidad. Para devolverla a su estado primitivo, basta calentarla al baño maría o en el microondas.

La glucosa y la dextrosa

La glucosa y la dextrosa son en realidad el mismo compuesto químico, sólo que en el comercio se denomina glucosa al jarabe y dextrosa al cristalizado.

Se trata de un azúcar elaborado a partir del almidón, de composición parecida a la de la sacarosa, aunque de menos poder endulzante.

En repostería se utiliza principalmente para evitar que el caramelo cristalice o para encerar el *fondant* y otros preparados similares, pues impide que el azúcar, al evaporarse el agua sobrante, se seque. (El zumo de limón, el ácido cítrico, el cremor tártaro, y algunos otros productos pueden sustituir a la glucosa para encerar el azúcar.)

La glucosa es más estable que el azúcar y dificulta su fermentación, por lo que la pastelería industrial (que siempre se consume menos fresca que la doméstica) suele utilizarla abundantemente.

Antes de terminar, un comentario sobre la fructosa o levulosa, que, como ya se ha mencionado más arriba, es otro azúcar que entra, con la glucosa, en la composición de la sacarosa. La fructosa es un azúcar que se encuentra en las frutas. Tiene una gran importancia en dietética, porque, al parecer, los diabéticos la asimilan mejor que la sacarosa. En cambio no es tan conveniente (en contra de lo que algunos creen) desde el punto de vista adelgazante, porque aunque tiene menos poder calórico que el azúcar, como tiene menos poder endulzante hace falta mayor cantidad, y el resultado es el mismo.

La leche

Las referencias que se hacen a la leche en este libro se entienden a la leche de vaca, salvo que se diga otra cosa.

La leche es una emulsión de grasas, proteínas, azúcares y sales minerales, un alimento prácticamente completo. Igual que es un alimento muy apetecible para los seres humanos —el primer alimento del hombre— lo es para los gérmenes, y por ello es fácil que éstos invadan la leche y la descompongan. La leche deberá guardarse siempre en frío.

En el comercio adquirimos la leche una vez tratada e higienizada, con un contenido mínimo del 3 por 100 de grasa. Para realizar las recetas de este libro se puede utilizar, indistintamente, leche simplemente higienizada (pasteurizada) o esterilizada de larga duración, salvo que se diga otra cosa.

En alguna receta aparece como ingrediente la leche condensada, que es leche parcialmente evaporada con adición de azúcar (aproximadamente el 15 por 100 del peso).

El huevo

El huevo formaba parte importante de la dieta de los homínidos antes de bajar de los árboles, e igualmente forma parte de la alimentación de los monos. Por eso es difícil encontrar una cultura en todo el mundo en que no se consuma el huevo, y es tan difícil encontrar alguien a quien no le guste su sabor. De una u otra forma, el huevo entra en la composición de la mayor parte de los postres y golosinas.

El huevo de gallina (en este libro se hace siempre referencia a huevos de gallina) contiene proteínas (14 por 100) principalmente en la clara, grasas (12 por 100) principalmente en la yema y sales minerales (0,3 por 100), y el resto es agua. La yema de huevo es rica en vitaminas A, B y D.

La yema de huevo tiene una proporción importante de colesterol. En este caso no existe sustituto fácil para las personas que tengan problemas con esta sustancia.

La frescura del huevo se aprecia al cascarlo: cuanto más líquido esté, menos fresco. Esto se aprecia, sobre todo, al freírlos: si el huevo no está fresco, la clara se extiende por todo el fondo de la sartén, se pega a la espumadera, la yema se rompe y el aceite salta por los aires.

También se aprecia la frescura de un huevo al cocerlo, por el desplazamiento de la yema hacia el exterior y por el agrandamiento de la cámara de aire. Otro medio para reconocer la frescura del huevo es introduciéndolo en agua; si flota y queda tumbado en el agua es que no es fresco. Hoy día, la frescura de los huevos no es gran problema, pues en frío se conservan bastante bien durante varias semanas.

Hace no muchos años, la temporada de puesta no empezaba hasta la primavera. De ahí la tradición de los huevos de Pascua, que eran los primeros del año.

Hoy, la mejora de las especies ponedoras y de las explotaciones ha hecho que se produzcan huevos durante todo el año, incluso durante el invierno, por lo que todo el año hay huevos frescos.

Antes, los huevos eran muy caros. En muchas familias estaban reservados a los hombres: «Cuando seas padre, comerás huevo, ahora que eres niño te chupas el dedo.» La frustración de muchos hombres es que una vez que han llegado a ser padres, con eso del colesterol los tienen racionados, uno a la semana o dos a lo más... ¡cosas de la vida!

De acuerdo con la normativa vigente, los envases en que se comercializan los huevos deben llevar el siguiente etiquetado:

— Nombre, señas y registro de sanidad del envasador.

— Categoría de calidad (A, frescos; B, refrigerados; C, conservados, etc.) Todos los huevos que no sean frescos (categoría A) deben llevar la categoría marcada sobre la cáscara.

— Categoría de peso.

— 1.ª 70 gramos o más.

— 2.ª 65 a 70 gramos.

— 3.ª 60 a 65 gramos.

— 4.ª 55 a 60 gramos.
— 5.ª 50 a 55 gramos.
— 6.ª 45 a 50 gramos.
— 7.ª menos de 45 gramos.
— Número de huevos del envase.
— Fecha de embalaje (o número de la semana del año).

Los pesos indicados se entienden con cáscara. Las recetas que se contienen en este libro consideran huevos cuyo peso neto (sin cáscara) sea de 50 gramos, por lo que se deberán usar huevos de categoría 4.

No existen diferencias de sabor entre los huevos de cáscara blanca o cáscara tostada. Normalmente la coloración de la yema sí se corresponde con la de la cáscara, siendo más pálida en los blancos. El color se debe sobre todo al tipo de alimentación de la gallina.

Los dulces de yema son típicos de las regiones vinateras, por el gran consumo que en éstas se ha solido hacer tradicionalmente de las claras de huevo para clarificar el vino. Para confeccionarlos hay que usar huevos superfrescos.

En pastelería industrial y artesanal se utilizan productos procedentes del huevo, tales como clara desecada en polvo, yema desecada, huevo desecado en polvo, yema pasteurizada. Este libro va dirigido a uso doméstico y no he incluido estos productos en ninguna de las recetas.

Para levantar a punto de nieve las claras en la batidora mecánica es preciso empezar por la velocidad más baja durante un par de minutos, para que las claras se desbaraten y se mezclen bien, e ir aumentando la velocidad progresivamente hasta la máxima. Si no se sigue este procedimiento no se montarán correctamente.

ADVERTENCIA.—Una palabra en cuanto a ciertas condiciones sanitarias de la yema de huevo: recientes investigaciones indican que no es infrecuente la contaminación de las yemas de huevo, aun las más frescas, por gérmenes patógenos, en particular de la denominada *salmonella*. Consumidas inmediatamente después de romper el huevo fresco parece que no presentan graves problemas sanitarios, salvo infrecuentes indisposiciones ligeras; sin embargo, al cabo de unas horas, los gérmenes pueden multiplicarse en una crema, que es un verdadero caldo de cultivo alimenticio para ellos, sobre todo si ésta ha estado a una temperatura de entre 5º y 40º. Los gérmenes de *salmonella* quedan destruidos a la temperatura de 80º, que es más o menos la de la coagulación de la propia proteína de la yema de huevo. Este es el motivo de que, en cuanto sea posible, prefiramos las alternativas de las recetas en que las yemas queden sometidas a un calentamiento suficiente, como es el caso de la crema pastelera, crema inglesa, o las cremas que usan como ingrediente almíbar que se bate en caliente con las yemas de huevo, como la crema de mantequilla. Y en todo caso, recomendamos que, cuando se usen yemas crudas, el preparado deberá consumirse inmediatamente.

Este problema parece que no afecta de la misma manera a la clara de huevo.

De todas formas, la *salmonella* es un peligro que acecha a cualquier preparado que incluya la yema de huevo, y el contagio puede venir de la cáscara del huevo o de cualquier otra procedencia. Por eso, estos preparados deberán enfriarse a la mayor velocidad, y mantenerse fríos en la nevera (unos dos grados) desde que se preparen hasta que se consuman.

Especias, condimentos, colorantes, gelificantes, aditivos, levaduras

Las especias

No me cansaré de repetir que nunca merece la pena ahorrar en los condimentos, aún con más motivo que con las materias primas de base. Esto es especialmente importante con la vainilla, que no se puede sustituir por los sucedáneos que se ofrecen en el mercado. Su precio, proporcionalmente, es pequeñísimo en comparación con el del resto de la preparación.

Es muy importante renovar la provisión de especias de vez en cuando. La cocina española es muy poco especiada: nos suele bastar con el ajo y el laurel. Por eso no es raro que el botecito de pimienta o de canela dure en el armario años antes de terminarse. Por supuesto que, al cabo del tiempo, por bien guardada que esté, la especia habrá perdido su aroma. Después de abierto el bote, la especia no mantiene sus condiciones de aroma más allá de seis o siete meses, aunque depende de que esté en grano o en polvo, de las condiciones de humedad, calor, etc.

En repostería se utilizan principalmente tres especias, a saber: la vainilla, la canela y el jengibre.

La vainilla la usaban los aztecas, cuando Cortés desembarcó en México, para aromatizar, entre otros manjares, el chocolate. Con éste llegó a España, y de aquí al resto de Europa en el siglo XVI. Es de las pocas especias de origen americano.

La planta de la vainilla es una liana que crece salvaje en las zonas tropicales del Caribe. Hoy en día la mayor parte de la producción proviene de Madagascar. Lo que se usa es el fruto en forma de vaina, desecado en estufas y secado al sol. Una vez preparado para el consumo tiene color marrón oscuro.

Comercialmente se presenta en fruto entero, en extracto líquido por infusión en alcohol o en jarabe y molida. (Cuando se usa molida, los polvitos marrón oscuro se pueden ver en la crema. Éste suele ser un síntoma de la calidad del producto, aunque no todos los consumidores lo saben apreciar.)

También se comercializa azúcar aromatizado con vainilla, o azúcar avainillado.

El jarabe de vainilla, que para mí es la presentación más cómoda, tiene la ventaja de que no pierde aroma aunque esté algún tiempo en el armario, bastando tres o cuatro gotas por litro de preparado. La vainilla en polvo da, sin embargo, un sabor más fino, pero no dura más de cinco o seis meses, pues pierde aroma.

De la vainillina no diré más que es un sucedáneo sintético, y con esto y con lo comentado al respecto más arriba creo que basta.

El uso de *la canela* es mucho más antiguo: era conocida por los egipcios, y los romanos la utilizaban para aromatizar el vino (aún hoy entre nosotros la canela entra como ingrediente de la sangría). La traían las caravanas a Europa desde China, que entonces era el principal productor. También crecían salvajes los árboles del canelo, o cinamomo, en Ceilán. Con tan largo camino se puede entender que su precio hasta la Edad Moderna fuese astronómico. La canela fue una de las especias que Colón buscaba en sus viajes a América. A raíz de la conquista de Ceilán por los holandeses, y del comienzo del cultivo del árbol —que hasta entonces crecía salvaje—, esta isla se convirtió, y sigue siendo, en el principal productor del mundo.

Para recolectarla, se cortan las ramitas a modo de sarmientos que aparecen cada año en el tronco en palos de unos 30 centímetros; se raspa la parte exterior de la corteza y se separa de la madera la parte interior, que es blanca, formando como canutos, que, una vez secos, y cuando han adquirido el color pardo con que los conocemos, se introducen unos en otros, y así llegan al mercado.

Comercialmente se presenta en rama o molida. Estas presentaciones convienen a usos distintos, pues en rama se usa para aromatizar por infusión, y molida para espolvorear. La canela da a la pastelería un sabor más tradicional, y conviene más a los dulces y postres de tipo popular (torrijas, arroz con leche), frente a la vainilla, que es más fina y cortesana.

El jengibre es el rizoma de una planta liliácea que crece salvaje en Indonesia. Se utiliza muy extensamente en perfumería. Fresco, puede encontrarse en las buenas fruterías, procedente del Brasil; es como una chufa del tamaño de un boniato, con carne blanca amarillenta, de un perfume penetrante y un sabor picante que embriaga, como de agua de colonia. Merece la pena comprar una de estas «chufas» sólo por olerla. Se utiliza como condimento, rallada. Después de rallarla hay que limpiar bien el rallador, para eliminar el perfume. Como se usa en muy poca cantidad, y si es al final del invierno, el resto se puede plantar en una maceta, que, bien regada, se colocará encima de un radiador. En seguida germinará, y para el mes de julio se habrá convertido, si hace calor, en una preciosa planta de más de un metro de altura, que dará un racimo de flores rojas de olor maravilloso.

En el mercado, aparte de fresco, se puede adquirir en polvo o confitado. Los bombones rellenos de jengibre confitado, muy poco conocidos en España, son una de las golosinas más originales que existen, dulces, picantes y aromáticas a la vez.

Los condimentos y aromas

Un somero comentario sobre los condimentos más utilizados en repostería.

El café presta su aroma a múltiples preparados. Todos conocemos la historia de su descubrimiento por el pastor beduíno a quien el sueño impedía hacer oración. Observó que sus cabras no dormían cuando comían los frutos de un arbusto, y descubrió el poder estimulante de sus semillas. Hoy en día, esta planta, originaria de Arabia, prospera en muchos países tropicales. Brasil es el principal productor; el café de Colombia es el más prestigiado.

Para aromatizar postres y dulces se hará una infusión muy cargada, utilizando aproximadamente el doble de café que para preparar la bebida. El café instantáneo de buena calidad, disuelto en unas gotas de agua, puede suplir con ventaja a la infusión.

La menta es una planta herbácea que crece salvaje en Europa, y que, cultivada, recibe el nombre de hierbabuena.

En el mercado se ofrece en fresco en las buenas fruterías. También se puede adquirir desecada, pero no es lo mismo.

Realmente, la hierbabuena tiene un uso limitado en repostería y en pastelería, aunque aparece en algunas de las recetas de este libro. Sin embargo, se verá que con frecuencia recomiendo su acompañamiento como decoración de postres. Este acompañamiento no es sólo con objeto de mejorar la vista, sino que la menta, sobre el plato, y sin que haya que comerla, hace llegar su aroma penetrante hasta el olfato del comensal, y acompaña los sabores de una manera muy sutil y agradable. La recomiendo sobre todo en postres de frutas y de chocolate.

En alguna receta aparece como ingrediente el aroma de menta. Éste se presenta en el mercado en solución alcohólica. Bastan unas pocas gotas. También se puede utilizar licor de peppermint.

El aroma de almendra amarga se presenta en el mercado bien en solución alcohólica bien como aceite aromático. Conviene usar esencia en lugar de almendra amarga o almendras de los huesos de los albaricoques, porque el producto natural contiene cianuro y es tóxico. La primera presentación conviene para ser disuelta en líquidos acuosos, y la segunda en preparados grasos o masas de harina. El sabor de la almendra amarga es muy agradable, pero es peligroso abusar, pues domina a todos los demás. Es el aroma principal del franchipán. Este nombre viene del marqués de Frangipani, que era un noble de la corte de Luis XIII, famoso por su elegancia, que disimulaba su olor corporal (en aquella época los buenos cristianos se bañaban al nacer, la víspera de la boda y antes de su entierro) con un perfume inventado por él, en el que, según se decía, entraban más de doscientos aromas. La denominación de los pasteles de hojaldre rellenos y aromatizados con esencia de almendra amarga, franchipanes, no viene de algo así como de «pan» y «francés», sino de aquel marqués presumido.

El agua de azahar se encuentra en las farmacias, generalmente comercializada en el famoso frasco azul cobalto, y es ingrediente característico del pan de Reyes y de algunas otras recetas de bollería.

En el mercado se ofrecen *esencias* de otros sabores: fresa, frambuesa, pistacho, marrasquino, etc. El vehículo de estas esencias suele ser graso o alcohólico, según su utilización se haga en productos acuosos o grasos.

A este respecto, quiero hacer una advertencia. A veces a los niños les gusta aromatizar sus postres (en particular el yogur) con estas esencias. Hay que cerciorarse de que no son esencias alcohólicas, sino acuosas, antes de permitírselo. Yo prefiero, en general, los zumos naturales y las infusiones a estos perfumes.

Merecen mención especial *los licores*; recomiendo usar siempre los de buena calidad, que realzarán el producto sin incrementar mucho su coste.

En cuanto a *los vinos*, tanto blancos como tintos y generosos, hay que usar lo mejor, y además quiero advertir expresamente:

— Hay que usar vinos tintos de poca acidez.

— Los blancos dulces sólo aportan la ebullición si son de primerísima calidad.

Colorantes

El mercado ofrece para uso culinario una serie de colorantes para realzar la vista de los productos. Todos ellos deben estar autorizados, condición que reúnen los que se ofrecen al ama de casa en el comercio. Son totalmente inodoros e insípidos. Yo no estoy en contra de su uso, siempre que sea moderado y para suplir la falta de coloración de algún ingrediente, y sin llegar a los excesos de los anglosajones, que todo lo colorean. En cualquier caso, debe evitarse usar colores que no tengan nada que ver con los sabores propios del preparado: no se puede colorear de rosa un dulce de limón, ni de verde uno de fresa.

Una observación: no existe ningún manjar, ni fruta, de color azul. Ello debe atribuirse a algún tipo de repugnancia instintiva del hombre y de los animales hacia este color, por lo que creo que nunca se debe teñir de azul algo que se vaya a comer. Parece, en cambio, que el color rojo estimula el apetito, y por ejemplo, la sazón de las frutas suele ir acompañada de pigmentación roja (se piensa que el motivo de que las plantas hagan crecer frutos gustosos alrededor de sus semillas es que, de esta manera, estimulan a los animales a su ingestión, y las semillas que, protegidas por su cápsula, resisten la digestión se diseminan mejor con las deyecciones de los animales).

Gelificantes

Gelatina alimentaria. Se obtiene del cocimiento prolongado de los huesos y cartílagos animales. Se vende en hojas o en polvo. En hojas recibe vulgarmente el nombre de cola de pescado, y se presentan en sobres de 10 gramos.

Cada hoja suele pesar 2 gramos. Para usarlas primero se hacen macerar unos minutos en agua fría, y una vez blandas y bien embebidas de agua se hacen fundir, ya en el microondas, ya en un cacito a fuego suave (no conviene que hiervan), o bien se agregan directamente al preparado si está caliente, vigilando que se fundan bien y se mezclen, y colando después el preparado.

Cada 10 gramos (en colas o en polvo) sirven para gelificar medio litro de agua. Si se pretende una mayor consistencia, se aumenta la proporción hasta el doble, aunque hay que tener en cuenta que siempre tienen algo de sabor.

En repostería se utilizan para la confección de charlotas, y bavarois, glasas y crema St. Honoré.

La pectina. Se extrae del orujo de manzana. En estado natural se encuentra en gran cantidad en las manzanas, membrillos, limones, grosellas. Se vende en polvo fino, de color cremoso o amarillento. Se utiliza principalmente para dar cuerpo a las confituras y pastas de frutas que contengan una cantidad insuficiente de esta sustancia. Está prohibida, en la elaboración industrial, la adición de pectina por encima del 5 por 100 del peso, pero en esta proporción es siempre más que suficiente. En vez de usar pectina, se puede utilizar una infusión de corazones y mondas de manzana.

Las levaduras

La levadura biológica. La fermentación es un proceso biológico, no sólo químico, y se produce por la acción de un fermento u hongo microscópico. (Fue estudiando estos fermentos como Pasteur descubrió la existencia de los microbios.) La levadura que se utiliza en las masas de harina contiene fermentos de cerveza. En las recetas de masas de levadura (pan y bollería) de este libro se utiliza levadura biológica fresca.

La levadura fresca se presenta como una masa de consistencia mantecosa, de olor característico agradable (debe rechazarse si tiene olor a vinagre o a amoniaco), de color crema (cuanto más claro mejor). Debe conservarse en el refrigerador un máximo de treinta y seis horas.

Para el ama de casa se plantea el problema de que no se vende al detalle, ni en las cantidades que normalmente se necesitan para uso doméstico, por lo que habrá que agenciársela convenciendo a algún panadero o pastelero de confianza.

Normalmente, se utiliza una dosis de 20 a 50 gramos por kilo de harina, según la receta y la estación.

En el mercado es fácil encontrar levadura biológica seca, comercializada como levadura de cerveza. Para usarla hay que dejarla a remojo en agua fresca como un cuarto de hora; sin embargo el resultado es más comprometido y hay que tener bastante experiencia para acertar la receta. En las recetas de este libro, la palabra levadura está siempre referida a esta levadura biológica fresca.

Levadura química o gasificante. La levadura en polvo o levadura química (polvo royal) actúa desprendiendo gas carbónico durante la cocción. Se emplea en los productos que han de levar sin fermentación.

Normalmente se componen de un ácido (tartárico, cremor tártaro, sódico, cálcico), un alcalino (carbonato o bicarbonato cálcico) y un diluyente (almidón).

El polvo debe quedar bien diluido en la harina, para evitar concentraciones. No debe sobrepasarse la dosis indicada, y el preparado debe cocerse antes de una hora: el álcali podría descomponer la grasa del preparado y saponificarla.

Se comercializa normalmente en botes de 150 gramos.

En las recetas de este libro, las referencias a la levadura química se hacen con la denominación de levadura en polvo o polvo royal (por una antigua marca, muy conocida).

Chocolate

Muchas veces me he dicho lo limitado que era el mundo de los sabores antes del descubrimiento de América. ¡Pensar que los romanos no conocían las patatas, los tomates, los pimientos, las judías! ¿Cómo se puede hacer un banquete sin ninguno de estos ingredientes? ¡Pero lo más grave era que nunca pudieron probar el chocolate!

El cacao lo conocían los aztecas, que lo tomaban molido con vainilla en infusión. También aromatizaban con él las papas de harina de maíz. De todos modos era una bebida en extremo amarga y astringente.

Los españoles lo trajeron a España en la primera mitad del siglo XVI. Al principio se le recibió como medicina, pero muy pronto se le descubrió una utilidad muy curiosa, que despertó no pocas polémicas doctrinales: siendo una bebida, no cortaba el ayuno, lo que unido a su alto poder energético y anoréxico (cualidad de quitar el apetito) lo convertía en colación ideal para los días de precepto, tan importantes para los españoles del siglo XVI y XVII. Fueron algunos frailes, que soportaban mal los durísimos ayunos que les imponían las reglas, recién restauradas por la Contrarreforma, quienes recibieron la nueva bebida con más entusiasmo, y en la botica de cierto convento se inventó, después de algunos experimentos, la mezcla de chocolate y azúcar para formar pastillas sólidas, añadiéndole canela y vainilla, es decir, el chocolate tal como lo conocemos hoy.

Ana de Austria (hermana de nuestro Felipe IV, la de los Mosqueteros y el duque de Buckigham) casó en 1615 con Luis XIII, y lo presentó en París. El éxito fue inmediato, y se convirtió en la bebida de moda en toda Europa.

A finales del siglo XVIII y principios del XIX, con la introducción de las máquinas, se empezó a practicar en Suiza en «conchado», es decir la operación de amasar durante horas y días en caliente la masa de chocolate, para darle finura y lustre, así como la adición de leche evaporada, para hacer el chocolate con leche.

El árbol del cacao crece en las regiones tropicales, y no soporta temperaturas inferiores a 15 grados ni el sol excesivo. Hoy día el cacao de mejor calidad procede de África, en los países del golfo de Guinea. El fruto es como un melón, cuya carne se dice que es una de las frutas más deliciosas, pero que tiene el inconveniente de corromperse a poco de separada del árbol. Inmediatamente se separan las semillas (llamadas habas), y se las deja fermentar una semana en cajones. Después de fermentadas se lavan y se dejan secar al sol (o en secaderos artificiales). A continuación las habas se tuestan, se descortezan, se separa el germen y se machacan. Se obtiene así una pasta líquida, rica en grasa (manteca de cacao). A esta pasta se le añaden aromas (vainilla principalmente, pero también licores, naranja, café, etc.), leche, cuando se va a fabricar chocolate con leche, y azúcar pulverizado, y se mezcla y se machaca, hasta que la pasta se hace muy fina. A continuación se calienta y se amasa en caliente (conchado) hasta setenta y dos horas para fabricar chocolate extrafino. Luego se moldea, y ya frío está preparado para su consumo. La temperatura ideal para conservar el chocolate está entre 5° y 15°.

En las recetas de este libro se utiliza normalmente chocolate *fondant* o fundente. Éste es un tipo de chocolate fino que contiene por encima del 32 por 100 de manteca de cacao y 14 por 100 de extracto seco de cacao, siendo el resto azúcar y aromas.

En la elaboración artesana de dulces de chocolate se utiliza el llamado chocolate de cobertura, que tiene el mismo contenido de manteca, pero más cantidad de cacao y menos azúcar. En el comercio al por menor no es fácil encontrar chocolate de cobertura, pero es indis pensable para elaborar bombones y cualquier tipo de figuras de chocolate, pues al solidificarse después de fundido recupera totalmente su consistencia, cosa que no le ocurre totalmente al *fondant*.

De la pasta de cacao se extrae, por presión, la manteca de cacao; después de la extracción queda una torta que, triturada, constituye el cacao en polvo.

El chocolate «fondant» funde a los 55º, al baño maría o en el microondas. En este último caso, se coloca en un bol partido en trozos u onzas, y se vigila mientras se calienta, retirándolo cuando se aprecia que las onzas empiezan a tomar brillo y perder consistencia. Se saca y se prueba a aplastarlo con el tenedor, y si aún no está fundido se introduce unos segundos más. Normalmente los grumos se funden totalmente al remover. Para trabajarlo conviene que la temperatura haya disminuido hasta 32º (es decir, templado en la boca) si se quieren obtener los mejores resultados. Si se calienta en exceso se quema y se estropea. Como cada microondas tiene potencia distinta, no puedo dar tiempo exacto, y cada uno deberá experimentar para dominar la operación.

El chocolate blanco está compuesto exclusivamente de manteca de cacao con azúcar y aromas, con o sin adición de leche en polvo. El tratamiento es el mismo que el del chocolate *fondant*, aunque la temperatura de fusión es algo más baja.

Frutas y frutos secos

La fruta es el postre diario de los españoles, que en esto estamos más avanzados que los anglosajones. Tenemos la suerte de ser un país gran productor de fruta, y uno de los mayores consumidores del mundo por habitante. Por eso nos parece la fruta como algo vulgar y corriente. Sin embargo, con frutas, crudas o cocidas, se hacen algunos de los postres más exquisitos, que además tienen la particularidad de ser muy digestivos y bajos en calorías.

En el cuadro que se acompaña se hace una descripción de las frutas y frutos secos de empleo más frecuente en repostería y pastelería, indicando variedades, temporadas y características.

FRUTAS

FRUTA	VARIEDAD DENOMINACIÓN USUAL	PESO MEDIO (g.)	TEMPORADA	AL COCER SE DESHACE	APLICACIONES	OBSERVACIONES
MANZANA	Golden	200/250	Todo el año	No	Compotas/Asada/Tartas	Tiene que tener la piel brillante
	Starking	200/250	Sept.	Sí	Macedonias	Muy jugosa cuando está en sazón
	Granny Smith	200/250	Sept./Abril	Sí	Macedonias	Sabor agridulce
	Verde doncella	200	Otoño	No	Macedonias	Muy dulce
	Reineta	200	Todo el año	Sí	Compotas/Asada/Tartas	Sólo para purés o asada
PERA	De agua	150/200	Todo el año	No	Compotas/Macedonias/Tartas	Es la variedad más común
	Decana	200/250	Sept./Marzo	No	Compotas/Macedonias/Tartas	La más apropiada para cocer
	Ercolina	125	Sept./Oct.	No	Macedonias	Muy aromática
NARANJA	Navel	200/300	Nov./Marzo	No	Macedonias/Confitada	Tiene como un ombliguillo
	Salustiana de zumo	150/200	Todo el año	*	Zumos/Bavarois/Cremas	
	Sevillana amarga	150/200	Dic./Marzo	No	Mermeladas/Confitada	
FRESA	De Aranjuez	10	Mayo/Julio	No	En crudo/Mermeladas	Sabrosa y bonita
	Del bosque	5	Mayo/Julio	No	En crudo	Muy aromática
	Fresón	15/20	Todo el año	No	En crudo/Salsas/Mermeladas	
MELOCOTÓN	Agostino	200/300	Ago./Oct.	No	Macedonias/Asado/Tartas	Hueso y piel muy pegados a la pulpa
	Cardinal	200/300	Jul./Oct.	Algo	Macedonias/Mermeladas	El hueso y la piel se separan de la pulpa
	Fresquilla	200/300	Jun./Oct.	Algo	Macedonias/Mermeladas	De carne blanda y anaranjada
	Bruñón o nectarina	150/250	Jun./Oct.	Algo	Macedonias/Mermeladas	Tiene la piel sin pelusa
CIRUELA	Claudia	100/150	Jul./Sept.	Sí	Mermeladas/Compotas/Tartas	Pierde dulzor al cocer
	China/Amarilla	150/200	Jun./Ago.	Sí	Mermeladas/Compotas	Pierde dulzor al cocer
	Negra	150/200	Jun./Ago.	Sí	Mermeladas/Compotas	Pierde dulzor al cocer
ALBARICOQUE	Moniqui	150/200	Jun./Jul.	Sí	Crudo/Mermeladas	Carne blanca muy dulce
	Antón	70/100	Jun./Jul.	Poco	Tartas/Compotas/Mermeladas	Piel rosada, carne firme
MANDARINA	Mandarina	80/100	Nov./Marzo	No	Tartas/Bavarois	Tiene pipas, muy aromática
	Clementina	60/100	Nov./Marzo	No	Macedonias/Bavarois	Sin pipas
MELÓN	Español	1.000/2.000	Junio/Dic.	*	Macedonias/Sorbetes	Muy dulce
	Cantaloup o francés	800/1.000	Julio/Sept.	*	Macedonias/Sorbetes	Muy aromático/Poco azucarado/Carne rosa
	Galia	800/1.000	Abril/Junio	*	Macedonias/Sorbetes	Parecido al Cantaloup/Carne verdosa

TRABAJO DEL AZÚCAR

Creo de utilidad unas someras explicaciones de orden técnico para quien tenga la curiosidad de entender en qué consiste el proceso de caramelización del azúcar.

El azúcar se encuentra en la naturaleza en forma líquida. Sólo gracias a una serie de operaciones se consigue su cristalización. Por la simple acción del agua, o por el calor, el azúcar recupera su condición de líquido (almíbar) o de sólido vítreo (caramelo). Esta característica no hay que confundirla con la disolución del azúcar en agua: es posible disolver casi hasta dos partes de azúcar en una parte de agua, quedando un líquido transparente y fluido, pero al cabo de unas horas el líquido se espesa, se vuelve pringoso y se convierte en almíbar, es decir, azúcar líquido con agua en disolución. Este proceso es acelerado por la acción del calor.

Si se sigue aplicando calor, la mezcla de agua en azúcar sigue calentándose por encima de la temperatura de ebullición del agua. La proporción de agua determina el calentamiento máximo, como se puede apreciar en el cuadro que se acompaña. Mientras quede agua en la mezcla (el agua se va evaporando por acción del calor), la temperatura no puede subir por encima de 125°. A esta temperatura, si se vuelve a la temperatura ambiente, el caramelo solidifica, pero la presencia de agua en el sólido hace que al morderlo se quede pegado en los dientes.

Una vez eliminada, por evaporación, el agua en disolución (o si se ha partido de azúcar solo) la temperatura puede seguir subiendo.

A partir de 147°, el azúcar comienza a oxidarse y a adquirir el color de caramelo y su sabor característico. Cuanto más se calienta, más parte de azúcar se oxida, haciéndose más oscuro el caramelo.

A partir de los 190° el azúcar se oxida completamente y puede llegar a arder, desprendiendo un humo acre. Cuando se hace caramelo hay que vigilar que no se queme.

En este proceso pueden concurrir dos factores perturbadores que tienen, ambos, su localización en las paredes del recipiente, que normalmente son el punto más caliente.

Por una parte, el almíbar que baña las paredes, en la parte más superficial, puede perder el agua totalmente por evaporación, precipitando cristales de azúcar que, luego, pueden provocar la cristalización no deseada del almíbar. Por eso, mientras se confecciona éste, hay que bañar las paredes del recipiente con agua fría, lo que evita el fenómeno. El problema también puede tener su causa en que los propios granos de azúcar sin disolver se depositen en las paredes o en la espumadera. Por eso, cuando se prepara caramelo, es decir, usando muy poca agua, suele utilizarse azúcar de cortadillo en terrones o azúcar de pilón, que no se desgrana.

No basta con esto para evitar que el almíbar, al enfriar, cristalice. Para evitarlo se añade al almíbar una cantidad pequeña (una cucharada mediana por litro) de vinagre o de zumo de limón.

Por otro lado, si no se revuelve suficientemente el preparado, el azúcar, junto a las paredes o sobre el fondo del recipiente, se calienta en exceso y empieza a oxidarse antes de que el resto de la masa alcance la temperatura deseada. Esto no es un problema cuando el objetivo es obtener caramelo oxidado (caramelo rubio o caramelo propiamente dicho), pero sí lo es si lo que se pretende es caramelo sólido incoloro (lámina quebradiza o gran cassé) y en este caso conviene revolver bien el azúcar para que no se queme, pero, ¡ojo!, sin salpicar mucho las paredes del recipiente.

En adelante llamaremos almíbar a la preparación que a la temperatura ambiente permanece fluido, aunque sea pastoso, y caramelo a la preparación que, a la temperatura ordinaria, aún sin cristalizar, se convierte en sólido, más o menos coloreado.

Comentarios prácticos

Para obtener almíbar no hace falta calentar la mezcla de azúcar y agua. Para obtener el espesor deseado basta graduar *exactamente* la dosis de azúcar y de agua. Esto es especialmente útil para preparar jarabes de frutas (en particular para confeccionar granizados y sorbetes) porque no hace falta hervir la fruta, y el sabor es más natural. Presenta el inconveniente de que el proceso es lento y tarda unas 24 horas en completarse; debe llevarse a cabo en el frigorífico, para que no fermente.

Para prepararlo en caliente no basta controlar la dosificación, porque durante el proceso de calentamiento la mezcla está constantemente perdiendo agua por evaporación, haciéndose más densa, de manera que cuanto más hierva mayor será la temperatura alcanzada y más viscoso el almíbar. Estos factores se miden mediante un termómetro especial, mediante el densímetro Baumé o a mano, con los dedos.

ALMÍBAR Y CARAMELO

Se le llama	Agua (litros)	Azúcar (kg.)	Temp.	Baumé	Al dedo, después de enfriar	Aplicaciones
ALMÍBAR						
Sirope........................	2	1	100°	18°		Granizados
Hebra floja...............	1	1	101°	30°	Entre índice y pulgar apenas hace un hilillo	Sirope de bava o savarina Sirope de sorbete
Hebra gruesa...........	0,4	1	105°	33°	Se forma hebra entre pulgar e índice, pero se rompe	Frutas escarchadas
Gran perla................	0,22	1	104°	35°	Se forma hebra entre pulgar e índice y no se rompe	Glasear frutas
Pluma	0,18	1	111°	38°	Jarabe espeso en los dedos	Glaseados, almíbar para torrijas
Bola blanda..............	0,12	1	115°	40°	Pequeña bola muy blanda en el agua fría	Crema de mantequilla, fondant Merengue italiano
Bola	0,1	1	117°		Bola más consistente en el agua fría	Caramelos blandos
CARAMELO						
Bola dura	0,08	1	120°		Bola dura	Fondant duro, merengue italiano duro
Lámina	0,05	1	125°		Caramelo incoloro rígido que se pega en los dientes	No debe usarse
Lámina quebradiza.	0	1	145°		Caramelo incoloro rígido, no se pega en los dientes	Napado de eclairs, St. Honoré
Caramelo rubio.......	0	1	150°		Caramelo rubio	Napado eclaires
Caramelo	0	1	165°		Caramelo	Flanes y puddings, caramelo líquido Toffee, salsa toffee
Caramelo oscuro	0	1	190°		Empieza a echar humo, se hace amargo	Colorear salsas saladas

ALMÍBAR Y CARAMELO

Ingredientes

- *Agua*
- *Azúcar*

(Ver cantidades en cuadro de almíbar y caramelo.)

Preparación

Para elaborar almíbar o caramelo se precisa un buen recipiente, de fondo grueso de sandwich, de cobre o de acero inoxidable.

Al lado del recipiente principal conviene disponer otros dos recipientes uno con agua fría y un pincel o hisopo, para humedecer las paredes del recipiente, y otro más pequeño, con agua caliente, para depositar el termómetro o el densímetro (según cuál de ellos se prefiera), que así estarán siempre limpios. Para revolver se utilizará una espumadera de acero inoxidable o una cuchara de palo bien limpia que sólo se utilice para pastelería.

Almíbar

Se vierte en el recipiente el azúcar con la dosis de agua calculada exactamente o con un ligero exceso, y se comienza el proceso a fuego vivo, pero no excesivo, hasta que todo el azúcar esté fundido y comience la ebullición.

Si la dosis es exacta, en el momento de romper la ebullición la densidad será la perfecta; sin embargo, hay que comprobarlo con el termómetro, con el densímetro o a mano, según la tabla que se acompaña. Si es inferior, se continuará la cocción, y si es superior, se añadirá un poco de agua.

Para verificar la viscosidad con los dedos, se sumergen éstos en agua fría y se introducen las puntas en el almíbar caliente. Sorprendentemente no se quema uno, aunque para hacerlo por encima de los 107º (punto de hebra) hay que tener mucha experiencia (lo que en realidad quiere decir haberse quemado muchas veces). Si uno se quema los dedos, sumergirlos en agua, *¡no llevárselos a la boca!*

Volviendo, pues, al proceso, cuando rompe la ebullición se atenúa el fuego, se comprueba el punto, se limpian bien las paredes del recipiente con agua fría, y se añade el vinagre o zumo de limón (una cucharada mediana por litro).

Una vez alcanzado y comprobado el punto deseado debe sumergirse el recipiente en agua fría, para evitar que espese.

Caramelo

El caramelo no debe contener nada de agua, de manera que, en principio, debe cocerse el azúcar solo. Como los primeros momentos de la transformación del azúcar en caramelo en seco son muy delicados, conviene siempre agregar un poco de agua, aunque se quiera llegar a obtener un caramelo sólido. Esta agua se acaba perdiendo por evaporación, prolongando la cocción, y el proceso se termina sin problema.

El resultado, sin embargo, es más seguro si se utiliza glucosa, a razón de un 10 por 100 del total de azúcar: primero se comienza por la glucosa sola, fundiéndola totalmente, y se va agregando poco a poco el azúcar, removiendo todo el rato con la espumadera, regulando el fuego dependiendo de que se quiera obtener caramelo incoloro o rubio. Según se va fundiendo el azúcar, se agrega más, hasta la totalidad.

Sea cual sea el procedimiento seguido, al terminar se raspan los bordes para que no quede nada de azúcar cristalizado y se funda totalmente. Cuidar de que tampoco quede nada de azúcar cristalizado en la espumadera. Cuando se haya alcanzado el punto deseado, se retira del fuego y, sin dejar de remover, se agrega el zumo de limón y se enfría, sumergiendo el cazo en agua fría.

Para hacer pequeñas cantidades de almíbar en el microondas *

Este es un procedimiento comodísimo, aunque algo «chapucero».

Para una cantidad de 1,5 dl.

1. Poner en una *taza con asa* 40 gramos de agua (dos cucharadas) y 150 gramos de azúcar. Mezclar bien para que todo el azúcar se humedezca. La superficie quedará lisa, sin granos de azúcar. (Se puede hacer en un vaso de vidrio templado o en un bol, pero se calienta mucho y luego es más difícil de manejar que la taza con asa.)

2. Calentar en el microondas, en la potencia máxima, durante 2 minutos. (El tiempo varía de un microondas a otro, según la potencia; el tiempo indicado es para la dosis mencionada y un microondas de 800 vatios, que es una potencia bastante usual para estos aparatos.) Estará hecho cuando se oiga hervir a través de la puerta del microondas.

3. Agregar unas gotas de limón y mezclar sin remover el fondo. Queda un almíbar a punto de bola blanda. Utilizar inmediatamente.

La lástima es que el almíbar no queda perfecto, porque no se disuelven bien los granos, y el almíbar cristaliza con facilidad; sirve para hacer crema de mantequilla, o merengue italiano que se incorpore como ingrediente en otra preparación, no para confeccionar merengues (para la dosis indicada corresponden 300 gramos de mantequilla y 3 yemas, o merengue italiano de tres claras).

También sirve para preparar *fondant* (ver más adelante).

FONDANT ***

Cuando se perturba el proceso de enfriado de un almíbar suficientemente rico en azúcar, parte de éste cristaliza repentinamente. Al batir un almíbar a punto de bola mientras se enfría rápidamente, los cristales de azúcar que se forman son muy pequeños y quedan flotando en un almíbar espeso, de manera que se convierte en una masa blanca y espesa, que al poco tiempo se hace sólida. Esto es el fondant.

Ingredientes

- *1/2 kg. de azúcar*
- *0,8 dl. de agua*
- *50 gr. de glucosa (optativo, mejora el fondant), zumo de medio limón*

Preparación

1. Fundir el azúcar con el agua, agregar la glucosa y el zumo de limón, cocer hasta 115° (bola blanda) o si se quiere hacer un fondant duro, hasta 120° (bola dura). Retirar del fuego y sumergir el cazo en agua fría.

2. Tener preparada la mesa de trabajo muy limpia. Verter el almíbar en el centro, y ayudándose de dos espátulas, mover el jarabe vigorosamente, recogiéndolo de los bordes hacia el centro, para que no se salga de la mesa. El almíbar empezará nublándose, y al final se convertirá en una masa espesa y blanca. Para entonces estará suficientemente frío como para trabajarlo directamente con las manos, mojadas en agua fría, y se amasa bien durante un rato. Así queda preparado el fondant.

Se puede usar inmediatamente o reservarlo en el frigorífico. Como al enfriarse se endurece, para utilizarlo de nuevo se calienta al baño maría hasta que adquiera la fluidez deseada, como de una crema. Mientras se utiliza, evitar que cuaje; se pueden añadir unas gotas de agua caliente cuando se note que espesa en exceso.

El fondant se puede aromatizar con esencias (de limón, naranja, fresa, café, etc.) y teñir para darle un color acorde.

Para que el fondant se adhiera bien a los bizcochos, pastas, pasteles, etc., conviene preparar éstos mediante un glaseado de albaricoque.

Un golpe de horno dará brillo de terminación al fondant, aunque hay que tener cuidado de que no se funda.

Para hacer pequeñas cantidades de fondant en el microondas *

Para una cantidad de 1,5 dl.

1. Poner en una *taza con asa* 40 gramos de agua (dos cucharadas) y 150 gramos de azúcar. Mezclar bien para que todo el azúcar se humedezca. La superficie quedará lisa, sin granos de azúcar. (Se puede hacer en un vaso de vidrio templado o en un bol, pero se calienta mucho y luego es más difícil de manejar que la taza con asa.)

2. Calentar en el microondas en la potencia máxima, durante dos minutos. (El tiempo varía de un microondas a otro, según la potencia; el tiempo indicado es para la dosis indicada y un microondas de 800 vatios, que es una potencia bastante usual para estos aparatos.) Estará hecho cuando se oiga hervir el almíbar a través de la puerta del microondas.

3. Agregar unas gotas de zumo de limón y mezclar sin tocar el fondo con la cuchara. Dejar decantar cinco minutos. Verter sin rebañar el fondo en un plato de loza hondo que esté frío.

4. Revolver con un tenedor. En seguida se blanqueará y se formará el fondant.

NOTA: Como la cantidad es pequeña, endurece en cuanto se deja de revolver, de manera que hay que utilizarlo inmediatamente.

GUIRLACHE * * *

El guirlache es una combinación de caramelo rubio con almendras. Normalmente se distingue entre el guirlache, que tiene las almendras enteras, y la nougatine, que lleva almendras y/o avellanas picadas. Se elabora de la siguiente forma:

Ingredientes

- *1 kg. de azúcar*
- *100 gr. de glucosa o dextrosa*
- *500 gr. de almendras (enteras para el guirlache y picadas para la nougatine); optativo sustituir la mitad de las almendras por avellanas y aceite refinado para untar el mármol*

Preparación

1. Confeccionar un caramelo rubio con la glucosa y el azúcar.
2. Templar las almendras en el horno, sin que se tuesten. Incorporarlas al caramelo y mezclar bien. Bajo el efecto del calor las almendras se tuestan suficientemente.
3. Verter el guirlache sobre un mármol untado de aceite refinado; alisar la superficie, para conseguir una placa fina. Cortar en caliente con un cuchillo aceitado.

Mientras está caliente, se puede dar forma a la nougatine, para hacer cestitos, flores, etc. Para ello es necesario tener una lámpara de infrarrojos, que mantenga la masa caliente, pero éste es un trabajo más bien de confitero.

PRALINÉ * * *

Se denomina praliné al guirlache confeccionado según la receta anterior, con almendras y avellanas, que, una vez frío, se pulveriza en la trituradora y sirve para aromatizar cremas y pasteles. Se conserva muy bien en una lata cerrada en el frigorífico.

CREMAS, RELLENOS, SALSAS Y GLASAS

Es imposible hacer una relación de todas las posibilidades de cremas, rellenos, salsas y glasas que existen. A continuación he expuesto las que me parecen más importantes y las que a mí más me gustan.

Incluir cada una de estas recetas en cada receta principal que las contengan haría este libro en exceso voluminoso y no sería práctico, de manera que no tengo más remedio que agrupar todos estos elementos en este capítulo y referirme a ellos en cada caso.

Como hay que calcular que a cada persona (no digo un adolescente) le suele corresponer del orden de 60 a 100 gramos de crema de relleno, un postre para ocho personas suele llevar entre 5 y 8 dl., y estas son las cantidades que normalmente figuran en las recetas que siguen.

En algunas ocasiones, la cantidad de crema que resulta tiene relación con las proporciones entre unos y otros ingredientes que no pueden subdividirse, como por ejemplo los huevos. Puede ocurrir que las cantidades y dosis que se indican en este apartado no correspondan exactamente con las que se requieren para la elaboración de alguna receta; en cada caso se indica la cantidad, y se elaborará aumentando o reduciendo las dosis proporcionalmente, teniendo en cuenta que 1/2 huevo se sustituirá por una yema.

ALMENDRAS ESCARCHADAS * * *

Ingredientes (para 350 gr.)

- *200 gr. de almendras fileteadas*
- *2 claras de huevo sin batir*
- *100 gr. de azúcar*

Preparación

1. Poner en la placa de horno las almendras fileteadas, el azúcar y las dos claras y mezclarlo todo muy bien con las manos.
2. Tostar a horno precalentado a 180º grados y dejar que se doren bien, dándoles vueltas con una espátula. Deben quedar sueltas.
3. Dejar enfriar y utilizarlas. Se conservan bien unos días en un bote hermético.

Aplicaciones

Tarteletas de chocolate y almendras, acompañamiento de natillas, helados y numerosos postres.

BAÑO DE CHOCOLATE AMARGO *

Ingredientes (para 2 dl.)

- *125 gr. de chocolate fondant*
- *50 gr. de mantequilla blanda*
- *2 cucharadas de aceite de girasol*

Preparación

Fundir el chocolate en el microondas, mezclar y amasar con el tenedor hasta que esté fino y haya templado. Incorporar la mantequilla a cucharadas y el aceite, sin dejar de remover.

Aplicaciones

Esta crema sirve para bañar frutas, pastas y para cubrir tartas. No endurece del todo.

BAÑO DE CHOCOLATE BLANCO *

Ingredientes (para 2 dl.)

Exactamente igual que el baño de chocolate amargo, pero sustituyendo el chocolate fondant por chocolate blanco.

CLARAS A PUNTO DE NIEVE *

En realidad, este no es propiamente un relleno o una crema, pero es la base para muchos preparados, y el montado de las claras es algo que tiene su técnica.

Se pueden montar a mano (operación algo fatigosa, pero accesible), con las varillas mecánicas manuales o con la batidora fija.

Ingredientes
- *Claras de huevo (las que sean)*
- *1 pizca de sal*

Preparación

1. Empezar batiendo muy despacio, casi mezclando: antes de empezar a batir, las claras deben perder su estructura interna y homogeneizarse. Al cabo de medio minuto, ir aumentando progresivamente la velocidad del batido hasta el máximo. Si se utilizan varillas manuales de una sola velocidad, la primera mezcla hay que hacerla a mano.

2. Seguir batiendo enérgicamente, hasta que el batido no quede pegado a las varillas y, al volcar el bol, las claras no caigan. Incorporar la pizca de sal.

NOTA: Las claras al montarse aumentan su volumen entre 7 y 8 veces.

COULIS DE FRUTAS *

Ingredientes (para 1/2 dl.)

1/2 kg. de frutas (fresas, frambuesas, fresitas, grosellas, albaricoques, piña, melocotón, kiwi, etc.)
- *limón*
- *1,5 dl. de sirope de sorbete (ver receta)*

Preparación

1. Lavar, limpiar y, en su caso, mondar y trocear la fruta. Triturar bien e incorporar el sirope y el zumo de limón.

2. Pasar por el chino y guardar en la nevera hasta su empleo.

Advertencia

Antes de servir batir fuertemente. Como se trata de fruta fresca, sin cocer, no es muy estable, y debe utilizarse inmediatamente o a las pocas horas de confeccionarse. Aun dentro del mismo día, debe guardarse en el frigorífico para que no fermente. Puede guardarse unos días en el congelador.

Aplicaciones

Acompañamiento de helados, tartas, macedonias, etc.

CREMA DE ALMENDRAS * *

Esta crema de relleno se cuece simultáneamente con el pastel.

Ingredientes (para 6 dl.)

- *125 gr. de azúcar glasé*
- *1 huevo*
- *125 gr. de almendras tostadas en polvo*
- *125 gr. de mantequilla*
- *25 gr. de harina*
- *1 cucharada de ron (facultativo)*
- *1 dl. de crema pastelera (ver receta de crema pastelera)*

Preparación

1. Trabajar la mantequilla en pomada en la máquina. Ir añadiendo poco a poco el azúcar y las almendras, después la harina y el huevo.
2. Incorporar la crema pastelera y el ron.

Aplicaciones

Se emplea en la confección de pithiviers y de algunas tartas.
Se conserva en la nevera tapada varios días.

CREMA CHANTILLY *

Ingredientes (para 7 dl.)

- *1/2 litro de nata muy fría*
- *50 a 80 gr. de azúcar glace, según el gusto*
- *vainilla en polvo*

Preparación

Poner en la batidora la nata muy fría y batir con las varillas. Cuando empiece a tomar cuerpo añadir el azúcar y la vainilla y dejar hasta que espese. Hay que tener cuidado de no batir demasiado, pues se corre el riesgo de que la nata se convierta en mantequilla y se corte.

CREMA DE CHANTILLY AL CAFÉ *

Ingredientes (para 7 dl.)

- *1/2 litro de crema de chantilly*
- *1/2 cucharada de café instantáneo disuelto en una pizca de agua*

Preparación

Hacer lo mismo que en la preparación anterior, añadiendo a medio montar el café instantáneo.

CREMA CHIBOUST O SAINT HONORÉ * *

Ingredientes (para 1,2 l.)

- *7 dl. de crema pastelera (ver receta)*
- *8 dl. de merengue italiano (ver receta)*
- *3 hojas de gelatina (6 gr.)*
- *Grand Marnier o ron (facultativo, cantidad al gusto)*

Preparación

1. Hacer la crema pastelera según la receta y dejar enfriar.
2. Montar un merengue italiano según la receta.
3. Poner las hojas de gelatina a remojo en agua fría. Escurrirlas y deshacerlas en un poco de agua hirviendo o en el microondas, incorporarlas al merengue antes de terminar de batirlo.
4. Incorporar, mezclando suavemente con las varillas el merengue italiano a la crema pastelera. Añadir el ron o el Grand Marnier.

Aplicaciones

Relleno del Saint Honoré, petits choux, pasteles, tartaletas.

NOTA: La cantidad resultante corresponde al relleno de un St. Honoré.

CREMA DE CHOCOLATE (para rellenar tarteletas) *

Ingredientes (para 8 dl.)

- *275 gr. de chocolate negro*
- *70 gr. de azúcar*
- *4 dl. de nata líquida*

Preparación

1. Fundir el chocolate en el microondas con la nata y el azúcar.
2. Revolver bien y guardar en la nevera 24 horas.

Aplicaciones

Esta crema sirve para rellenar tarteletas de chocolate. Quedan muy buenas con unas almendras tostadas por encima.

CREMA DE CHOCOLATE *

Ingredientes (para 6 dl.)

- *1 dl. de nata*
- *75 gr. de azúcar*
- *200 gr. de chocolate fondant rallado*
- *150 gr. de mantequilla a la temperatura de ambiente*

Preparación

1. Calentar hasta ebullición la nata y el azúcar a fuego fuerte. Dejar cocer 2 minutos y añadir, fuera del fuego, el chocolate rallado y la mitad de la mantequilla a cucharadas, batiendo bien.
2. Dejar enfriar batiendo de vez en cuando, para que no se forme nata.
3. Batir el resto de la mantequilla durante 3 minutos hasta que esté blanca y añadir poco a poco, y siempre batiendo, la crema de chocolate fría. Seguir batiendo durante 5 minutos más hasta obtener una crema homogénea y ligera como si fuera una mousse.

Aplicaciones

Esta crema sirve para rellenar bizcochos, genovesas, etc.

CREMA DE MANTEQUILLA * *

Ingredientes (para 1/2 l.)

- *150 gr. de azúcar*
- *1 cucharada de agua*
- *3 yemas*
- *300 gr. de mantequilla*
- *Una pizca de vainilla en polvo*

Preparación

1. Con el azúcar y el agua confeccionar un almíbar a punto de bola (115º). (Si no se dispone de termómetro, poner un poco de almíbar en una cuchara y dejar caer en un bol de agua fría: debe formar una bola.)
2. Mientras tanto, batir las yemas en un bol a media velocidad. Cuando el azúcar está cocido, verterlo, hirviendo, en chorrito sobre las yemas sin dejar de batir. Dejar enfriar a velocidad media durante 10 minutos.
3. Batir la mantequilla con la vainilla durante unos minutos, hasta que esté esponjosa. Sin parar de batir, ir incorporando la mezcla anterior, tibia, y seguir batiendo unos minutos más.
4. Esta crema puede aligerarse con merengue italiano (ver receta), aprovechando 2 claras y haciendo el almíbar con 100 g. de azúcar

y un poco más de agua. El merengue se incorporará al final, mezclando con cuidado.

Aplicaciones

Para rellenar genovesas, brazos de gitano, rusos. Es exquisita, pero conviene utilizarla con discreción.

CREMA DE MANTEQUILLA BLANCA * *

Ingredientes (para 1 l.)

- *8 dl. de merengue italiano (ver receta)*
- *1/2 kg. de mantequilla en pomada*

Preparación

1. Con el azúcar, el agua y las claras, confeccionar un merengue italiano como se explica en la receta.
2. En la batidora, y a poca velocidad, se incorpora la mantequilla a cucharadas en el merengue italiano, que estará todavía tibio, batiendo la mezcla unos 5 minutos hasta obtener una crema perfectamente lisa.

Aplicaciones

La crema de mantequilla a base de merengue italiano se utiliza para rellenar bizcochos, genovesas, etc. Se conserva muy bien una semana en un bote hermético o en un bol cubierto de papel film, en frío. Antes de utilizarlo, sacarlo de la nevera a fin de devolverle la consistencia deseada.

CREMA DE MOKA * *

(para 1 l.)

Exactamente igual que la crema de mantequilla (ver receta), pero adicionando al final una cucharada mediana de café instantáneo disuelta en unas gotas de agua.

Aplicaciones

Relleno de genovesas y bizcochos, principalmente de la conocidísima tarta de moka.

CREMA INGLESA *

Ingredientes (para 8 dl.)

- *1/2 litro de leche*
- *125 gr. de azúcar*
- *6 yemas de huevo*
- *una rama de vainilla*

Preparación

1. Calentar hasta ebullición la leche con la rama de vainilla partida por la mitad. Apartar del calor y dejar la vainilla unos 10 minutos para que la leche adquiera bien el sabor.

2. Batir las yemas de huevo y el azúcar con la batidora unos minutos, hasta que se forme una crema esponjosa y casi blanca. Verter la leche sobre las yemas removiendo y volver a poner al fuego suave; seguir removiendo con una espátula de madera. Cuando la crema nape la espátula, verterla a un bol, o poner la cacerola caliente al baño maría de agua fría para cortar la cocción, y mantener hasta que se temple. Guardar tapado en la nevera. (Si se deja destapado se formará nata.)

Advertencia

Si la temperatura de la crema excede de 80º (antes de llegar a hervir), la crema se corta. En este caso, puede arreglarse en la batidora. Esta crema tiene la consistencia de unas natillas ligeras.

Esta crema forma nata con mucha facilidad. Para evitarlo, lo mejor es enfriarla inmediatamente, sumergiendo el cazo en agua fría y revolviendo hasta que se haya enfriado. Otro sistema es cubrir la superficie totalmente con un papel film, que hace las veces de nata e impide que ésta se forme.

Aplicaciones

Para acompañar compotas, frutas cocidas, bavarois, postres de chocolate o café, etc.; es la base para preparar helados, charlotas y otras cremas ligeras.

CREMA DE LIMÓN CUAJADO DE ANITA BENSADON * *

Ingredientes (para 8 dl.)

- *60 gr. de maizena*
- *200 gr. de azúcar*
- *3 yemas de huevo*
- *zumo de dos limones*
- *ralladura de un limón*
- *1 vaso de agua fría*
- *1 vaso de agua hirviendo*

Preparación

1. Poner en un cazo al fuego los ingredientes en frío con el vaso de agua fría, revolver bien, agregar el vaso de agua hirviendo.

2. Calentar a fuego suave, removiendo con una cuchara de madera, hasta que espese.

Advertencia

Esta crema queda bastante espesa.

Aplicaciones

Para rellenar tarteletas, genovesas, bizcochos.

CREMA MUSELINA * *

Ingredientes (para 7 dl.)

- *1/2 l. crema pastelera, (ver receta)*
- *150 gr. de mantequilla a la temperatura de ambiente*
- *vainilla (u otro sabor que se desee: café, Grand Marnier, chocolate, praliné)*

Preparación

1. Hacer una crema pastelera, según la receta.

2. Cuando la crema pastelera está aún caliente, incorporarle, batiendo, la mitad de la mantequilla en pomada a cucharadas. Dejar enfriar, cubierta con papel film.

3. Batir el resto de la mantequilla 5 minutos hasta que esté blanca y espumosa. Añadir la crema poco a poco hasta que esté bien incorporada. Batir 5 minutos. Debe quedar una crema ligera.

Esta crema es menos consistente que la crema de mantequilla, pero es perfecta para rellenar genovesas, petits choux, etc.

CREMA DE LIMÓN (LEMON CURD)*

Ingredientes (para 4 dl.)

- *9 yemas de huevo*
- *300 gr. de azúcar*
- *1,5 dl. zumo de limón*
- *175 gr. de mantequilla*
- *ralladura de 2 limones*
- *vainilla*

Preparación

1. Batir las yemas y colarlas a una cazuela de fondo espeso. Añadir el azúcar y el zumo de limón. Mezclar.
2. Calentar a fuego suave, removiendo con la cuchara de madera sin parar, hasta que espese la crema y nape la cuchara (unos 10 minutos).
3. Retirar del fuego, pasar la crema a un bol y añadir la mantequilla en trocitos y la ralladura de limón. Dejar enfriar completamente.

NOTA: Se puede sustituir el zumo de limón y la ralladura por zumo de lima y ralladura, zumo de naranja y ralladura o zumo de fruta de la Pasión.

Aplicaciones

Para rellenar genovesas o tarteletas. Esta proporción sirve para una tarta grande o 25 tarteletas pequeñas.

CREMA DE NARANJA CUAJADA DE ANITA BENSADON **

Ingredientes (para 4 dl.)

- *60 gr. de maizena*
- *200 gr. de azúcar*
- *3 yemas*
- *zumo de dos naranjas*
- *ralladura de dos naranjas*
- *1 vaso de agua fría*
- *1 vaso de agua hirviendo*

Preparación

1. Poner en un cazo al fuego los ingredientes en frío con el vaso de agua fría, revolver bien, agregar el vaso de agua hirviendo.
2. Calentar a fuego suave, removiendo con una cuchara de madera, hasta que espese.

Advertencia

Esta crema queda bastante espesa.

Aplicaciones

Para acompañar tarteletas.

CREMA PASTELERA *

Ingredientes (para 7 dl.)

- *1/2 l. de leche*
- *6 yemas de huevo*
- *125 gr. de azúcar*
- *1 rama de vainilla abierta por la mitad*
- *50 gr. de harina tamizada*

Preparación

1. Calentar hasta ebullición la leche con la vainilla partida por la mitad.
2. Batir las yemas y el azúcar hasta obtener una crema blanca. Incorporar la harina, usando las varillas, mezclando suavemente.
3. Verter la leche hirviendo sobre la mezcla anterior, removiendo suavemente y poner otra vez todo al fuego. Dejar hervir la crema unos minutos, removiendo bien el fondo con la cuchara de madera para que no se pegue.
4. Verter la crema en un bol, y frotar la superficie con un poco de mantequilla para evitar que se forme costra. Enfriar rápidamente, tapado.

Advertencia

Esta crema forma en seguida una nata gruesa y desagradable, que no se puede colar, debido al espesor de la crema. Para evitarlo, lo mejor es enfriarla inmediatamente, sumergiendo el cazo en agua fría y revolviendo hasta que se haya enfriado. Otro sistema es cubrir la superficie totalmente con un papel film, que hace las veces de nata e impide que ésta se forme. Con el mismo objeto, también se puede pintar la superficie con mantequilla fundida.

Esta crema se puede aromatizar con café, chocolate, ron, etc.

Aplicaciones

Para rellenar pasteles, tartas, buñuelos, etc.

CREMA PRALINÉ * *

Ingredientes (para 6 dl.)

- *1/2 l. de crema de mantequilla (ver receta)*
- *100 gr. de praliné (ver receta)*

Preparación

1. Antes de terminar la crema de mantequilla, incorporar, batiendo, el praliné.

Aplicaciones

Relleno de genovesas, bizcochos, hojaldres, pasteles, rusos.

NOTA: Se puede aligerar esta crema con merengue italiano, a razón de merengue de dos claras por cada 1/2 kilogramo de crema de mantequilla, y aumentando proporcionalmente la cantidad de praliné.

GANACHE * *

Ingredientes (para 8 dl.)

- *225 gr. de chocolate amargo*
- *4,5 dl. de nata*
- *1/2 dl. de brandy (facultativo)*

Preparación

1. Partir el chocolate en trozos y fundirlo al baño María o microondar con la mitad de la nata.
2. Cuando se haya fundido remover bien y dejar enfriar.
3. Batir el resto de la nata hasta que esté espumosa y mezclar con el chocolate.

Aplicaciones

Relleno de genovesas y bizcochos, hojaldres, acompañamiento de helados de crema.

GLASA DE ALBARICOQUE *

Ingredientes (para 2,5 dl.)

- *1/4 kg. mermelada de albaricoque*
- *4 gr. de gelatina*

Preparación

1. Calentar la mermelada, sin que llegue a hervir.
2. Pasarla por el tamiz e incorporar la gelatina fundida.

Debe utilizarse en caliente.

Aplicaciones

Glaseado en bizcochos, savarinas, tartas de frutas, etc.

NOTA: Con distintas mermeladas de frutas se pueden confeccionar distintas glasas, de la misma manera que la de albaricoque.

Partiendo de la fruta fresca, se puede confeccionar también la glasa triturando la fruta, pasándola por el tamiz y cociéndola con el mismo peso de azúcar y zumo de limón, a razón de un limón por kilogramo de fruta, dependiendo también de la acidez de la fruta utilizada. Cuando esté cocida la mermelada, se le agrega la gelatina a razón de 10 gramos por medio litro.

GLASA REAL *

Ingredientes (para 3 dl.)

- *50 gr. de claras (2 claras)*
- *250 gr. de azúcar glace tamizada*
- *unas gotas de limón*

Preparación

1. Poner las claras en un bol y batir añadiendo poco a poco el azúcar glace tamizado y después el zumo de limón. Debe quedar esta masa de una consistencia firme. Estará lista cuando, cogiendo un poco de masa con un tenedor, forme una punta bien derecha que se sostenga hacia arriba y hacia abajo. Si quedara más ligera, añadir más azúcar glas.

Se conserva bien en un bote hermético en la nevera.

Aplicaciones

Para bañar pastas, rosquillas, etc.

GLASEADO FÁCIL DE NARANJA, LIMÓN, FRESAS O FRAMBUESAS *

Ingredientes

- *zumo de frutas*
- *azúcar glas*

Preparación

Extraer el zumo de la fruta deseada y añadir azúcar glas hasta que se forme una crema que se pueda extender. La proporción aproximada será de tres veces el peso en azúcar respecto del líquido.

Aplicaciones

Glaseado de bizcochos.

HUEVO HILADO * * *

Ingredientes (para 2,4 kg.)

- *1 kg. de azúcar*
- *1 litro de agua*
- *14 yemas de huevo muy frescas*

Colador especial para hacer huevo hilado

Preparación

1. Calentar hasta ebullición, en un cazo de acero inoxidable con mango, el azúcar con el agua. Dejar hervir 10 minutos hasta que se forme un almíbar a punto de hebra flojo.
2. Añadir dos yemas batidas y dejar que hierva 1 minuto. Colar el almíbar quedándose las yemas cuajadas en el colador. Estas yemas no sirven. Es importante hacer esto, pues el almíbar nuevo nunca resulta bien.
3. Poner en un bol las 12 yemas, romperlas un poco y pasarlas por el colador, para que no tengan ningún resto de clara.
4. Poner el almíbar a fuego suave y cuando rompa el hervor ir echando las yemas por el colador especial de hacer huevo hilado, moviendo en sentido rotativo la mano para que se forme una madeja. Es importante que el almíbar esté siempre hirviendo. Dejar cocer 3 minutos y, cuando tenga consistencia, retirar, pasando esta madeja a un bol con agua fría. Dejar un momento y colocarlo sobre el tamiz o sobre una bandeja con un paño.

Advertencia

El huevo hilado congela muy bien. El almíbar se puede utilizar para una segunda tanda.

Aplicaciones

Acompañar dulces y fiambres.

MERENGUE ITALIANO * *

Ingredientes (para 8 dl.)
- *3 claras de huevo*
- *150 gr. de azúcar*
- *0,4 dl. de agua*

Preparación

1. Calentar hasta ebullición el azúcar y el agua en un cazo de acero inoxidable al fuego hasta obtener un almíbar a punto de bola blanda (ver cuadro de *Almíbar* y *caramelo).*
2. Poner las claras en la batidora mecánica. Iniciar en la velocidad mínima: antes de empezar a batir, las claras deben perder su estructura interna y homogeneizarse. Al cabo de medio minuto, ir aumentando progresivamente la velocidad de la batidora hasta la velocidad máxima, hasta que estén completamente montadas.
3. Sin dejar de batir, ir vertiendo despacio el almíbar hirviendo sobre las claras ya montadas y seguir batiendo hasta que esté fría la mezcla (un cuarto de hora más).

Aplicaciones

Confeccionar merengues, rellenar milhojas, cubrir tartas de tarteleta, adornar tartas y pasteles. Entra en la confección de otras cremas, bavarois, etc.

SABAYÓN AL CAVA * * *

Ingredientes (para 8 dl.)
- *150 gr. de azúcar*
- *1/4 l. de cava (benjamín)*
- *4 yemas*
- *merengue italiano de claras (facultativo) (ver receta de Merengue italiano)*

Preparación

1. Sumergir la botella de cava abierta en agua hirviendo, sin agitar, para calentar el cava todo lo posible sin que pierda gas.
2. Batir las yemas con las varillas diez minutos, hasta que doblen su volumen, al baño maría. Verter el cava y seguir batiendo, agregando el azúcar poco a poco para que se disuelva, hasta que la mezcla esté caliente. Trasladar el sabayón a la batidora fija y seguir batiendo hasta que esté frío.

Aplicaciones

Acompañar sorbetes.

SABAYÓN AL MADEIRA * * *

Ingredientes (para 8 dl.)

- *150 gr. de azúcar*
- *1 dl. vino de Madeira*
- *4 yemas*
- *8 dl. merengue italiano (ver receta)*

Preparación

1. Calentar hasta ebullición el vino y el azúcar, cocer hasta obtener un jarabe a punto de bola.
2. Batir las yemas con las varillas diez minutos hasta que doblen su volumen y estén calientes, al baño maría. Verter el jarabe hirviendo sin parar de batir. Trasladar el sabayón a la batidora fija y seguir batiendo hasta que esté frío.
3. Agregar merengue italiano de dos claras (facultativo).

Aplicaciones

Acompañar sorbetes, helados, compotas.

SABAYÓN AL SAUTERNES * * *

Ingredientes (para 8 dl.)

- *15 gr. de azúcar*
- *2 dl. de vino de Sauternes o blanco dulce afrutado (tiene que ser de muy buena calidad; si no, no merece la pena hacer esta crema)*
- *4 yemas*
- *8 dl. merengue italiano (ver receta)*

Preparación

1. Calentar hasta ebullición el vino y dejarlo cocer a borbotones cinco minutos.
2. Batir las yemas y el azúcar con las varillas diez minutos, hasta que doblen su volumen y estén calientes, al baño maría. Verter vino

hirviendo sin parar de batir. Trasladar el sabayón a la batidora fija y seguir batiendo hasta que esté frío.

3. Agregar merengue italiano de dos claras (facultativo).

Aplicaciones

Acompañar sorbetes, helados, compotas. También se sirve solo o acompañado de bizcochos de soletilla.

SALSA DE CARAMELO *

Ingredientes (para 5 dl.)
- *250 gr. de azúcar*
- *2,5 dl. de agua*
- *una pizca de vinagre*

Preparación

1. Confeccionar un caramelo rubio con el azúcar, un dl. de agua y el vinagre.
2. Retirar del fuego y añadir el agua fría, dar otro hervor y retirar.

Aplicaciones

Acompañamiento de tortitas, helados, cremas, etc.

NOTA: Se conserva bien en la nevera en un bote cerrado.

SALSA DE CHOCOLATE *

Ingredientes (para 5 dl.)
- *200 gr. de chocolate amargo*
- *2 dl. de leche*
- *2 cucharadas soperas de nata*
- *30 gr. de azúcar*
- *30 gr. de mantequilla*

Preparación

1. Fundir el chocolate al baño María o microondas.
2. Calentar hasta ebullición la leche, la nata y azúcar, revolviendo suavemente.
3. Verter la crema hirviendo sobre el chocolate fundido y remover bien. Poner otra vez al fuego y dar un hervor.

4. Retirar del fuego y cuando esté templado incorporar poco a poco la mantequilla en trozos hasta que se mezcle bien. Colar y reservar.

Aplicaciones

Acompañar helados, bavarois, postres en general.

SALSA DE NARANJA SUZETTE * *

Ingredientes (para 4 dl.)

- *zumo de dos naranjas y la ralladura de una*
- *1 cucharadita de maizena*
- *100 gr. de mantequilla en pomada*
- *1 cucharada de Grand Marnier o licor de naranja*

Presentación

1. Disolver, en frío, la maizena en el zumo de naranja.
2. En una sartén, calentar hasta ebullición el licor y prenderle fuego para quitarle un poco de alcohol. Agregar el zumo con la maizena y la ralladura. Calentar hasta ebullición y dejar hervir dos minutos. Adicionar la mantequilla a cucharadas, e ir incorporando batiendo con las varillas.

Aplicaciones

Esta crema hay que tomarla caliente, y a poder ser recién hecha. Si se prepara justo antes de la comida, guardarla hasta el postre al baño María.

SALSA TOFFEE * *

Ingredientes (para 5 dl.)

- *100 gr. de azúcar*
- *1 dl. de agua*
- *1/4 l. de nata*

Preparación

1. Confeccionar un caramelo a 160° de temperatura.
2. Retirar el cazo del fuego e incorporar la nata, removiendo bien.

3. Volver a poner al fuego, moviendo con unas varillas, y dejar hervir unos minutos.

4. Colar y dejar enfriar, batiendo de vez en cuando para que no se forme nata, y guardarlo en la nevera.

Aplicaciones
Acompañamiento de compotas, helados, cremas, etc.

NOTA: Se conserva 48 horas en la nevera tapado con un papel film.

VIRUTAS DE CHOCOLATE * *

Ingredientes (para 8 personas)
- *150 gr. de chocolate negro*

Preparación

1. Fundir el chocolate amargo al baño María o microondas. Cuando está fundido, y con la ayuda de un pincel, extenderlo finamente sobre unas placas de repostería. Dejar en la nevera hasta que esté frío.

2. Usando la espátula triangular, levantar, rascando, virutas de la capa de chocolate de la placa donde está extendida. La temperatura del chocolate a la salida de la nevera determinará en gran parte el éxito de las virutas. Si está muy frío, se romperán fácilmente. Si el chocolate está poco frío, saldrán unos cigarrillos. Hacer la prueba con el chocolate más o menos frío; normalmente debe estar a unos 20° para obtener el mejor resultado (temperatura ambiente fresca).

REPOSTERÍA

ADVERTENCIA

Cinco palabras pueden resumir una operación larga y agotadora: «bátase enérgicamente durante tres horas».

No se asuste el lector, no fallecerá de infarto varillas en ristre, no hay ninguna receta en este libro que contenga semejante prescripción; sólo lo he escrito para dar a entender que la dificultad, o incluso el tiempo de preparación, no tienen nada que ver con la longitud de la receta y que, en ocasiones, hay simples gestos que conviene explicar en detalle y pueden dar la clave del éxito en una receta.

Por eso me he extendido especialmente en la explicación de las recetas base y ruego al lector que acuda a ellas para empezar. Siempre que he podido he tratado de exponer tanto las operaciones como su porqué: de esta manera el lector sabrá interpretar mejor la receta.

No me resulta fácil indicar tiempos de preparación, porque la velocidad del cocinero suele depender de la prisa y, sobre todo, de los elementos con que cuente.

Existen dos tipos de dificultad: hay recetas trabajosas que salen seguro, y otras que dependen totalmente del punto. En general, las primeras se hacen fáciles si se dispone de una buena máquina, como puede ser el caso de la genovesa; en cambio, la pasta choux hay que ensayarla varias veces, hasta que se coja el punto exacto de la cocción de la masa de harina.

Las cantidades que se indican para los postres que vienen a continuación están calculadas sobre la base de 8 raciones, salvo que se diga otra cosa o sea para adolescentes, en cuyo caso habrá que calcular ración y media por cada uno de ellos.

POSTRES DE LECHE, POSTRES DE HUEVOS, SOUFFLÉS

Recuerdo en casa de mis padres la ilusión que nos producía, al sentarnos a la mesa, ver junto al plato, al lado del tenedor y cuchillo de fruta, la cuchara de postre: ¡Hoy hay postre de cucharilla! Bastaba esto para que la comida fuera una fiesta.

Los postres de leche y huevos son los más usuales para el ama de casa: todos ellos son fáciles de hacer, y sus materias primas, leche, huevo, mantequilla, azúcar, arroz, nata en algunos casos, están siempre disponibles. Son por lo tanto postres que gustan a todos y que se pueden improvisar en cualquier momento.

ARROZ CON LECHE *

Ingredientes (para 8 personas)

- *2 litros de leche entera pasteurizada (no conviene la leche esterilizada)*
- *300 gr. de azúcar*
- *200 gr. de arroz*
- *1 rama de canela*
- *canela en polvo para espolvorear*

Preparación

1. Poner todos los ingredientes en frío, en una olla, a fuego suave. Cuando empiece a hervir, bajar el fuego y dejarlo una hora hirviendo muy despacio y dando vueltas con la cuchara de madera.
2. Una vez terminado, verterlo en un bol y dejarlo enfriar.
3. En el momento de servir, espolvorearlo de canela.

ARROZ CON LECHE PLANCHADO *

El mismo arroz con leche que en la receta anterior, solamente que presentado en una fuente de poco fondo y, cuando se vaya a tomar, en vez de echarle canela se espolvorea de azúcar y se quema con la plancha de caramelizar, debiendo quedar una capa de caramelo dorado.

CREMA CATALANA *

Ingredientes (para 8 personas)

- *1,5 litro de leche*
- *10 yemas de huevo*
- *60 gr. de maizena*
- *cortezas de limón y de naranja*
- *1 rama de canela*
- *300 gr. de azúcar*
- *100 gr. de azúcar para espolvorear y quemar*

Preparación

1. Poner a hervir la leche junto con las cortezas de naranja y de limón, la rama de canela y el azúcar.
2. Una vez que rompa a hervir, retirar del fuego. Aparte batir las yemas y la maizena, mezclando bien para que no tenga grumos. Incorporar la leche y volver a poner al fuego muy lento sin dejar de remover hasta que espese la crema.
3. Pasar la crema por un colador y ponerla en cazuelitas individuales (también se puede presentar en fuente plana).
4. Antes de servir, espolvorear con azúcar y quemar con la plancha de caramelizar. Debe quedar de color caramelo.

CREMA DE AZÚCAR MORENO * *

Ingredientes (para 8 personas)

- *7 yemas de huevo*
- *3 ramas de vainilla*
- *150 gr. de azúcar refinado*
- *2,5 dl. de leche*
- *7 dl. de nata líquida*
- *azúcar moreno para espolvorear*

Preparación

1. Abrir las ramas de vainilla y, con la ayuda de un cuchillo, retirar los granos.

2. Batir las yemas con el azúcar refinado hasta obtener una crema blanca.

3. Añadir la leche y la nata, así como la vainilla, y mezclar bien.

4. Pasar por el chino. Dejar reposar la crema 1 hora para espumar.

5. Repartir la crema en platos individuales de porcelana refractaria, pintados de mantequilla o en una fuente de horno; no debe exceder de un dedo de profundidad.

6. Cocer al horno unos 25 minutos a 70º; la crema cuaja y debe estar temblorosa. Dejar enfriar en la nevera.

7. Espolvorear la superficie de azúcar moreno y pasar por el grill hasta que el azúcar comience a fundirse, o quemar con la plancha de caramelizar.

CREMA FRITA * *

Ingredientes (para 8 personas)

- *8 yemas de huevo*
- *200 gr. azúcar*
- *100 gr. harina*
- *1 l. de leche*
- *1 palito de canela en rama*
- *harina*
- *2 huevos batidos para rebozar*
- *aceite de oliva refinado para freír*
- *canela en polvo y azúcar glace*

Preparación

1. Batir las yemas con el azúcar y la harina hasta que estén espumosas.

2. Hervir la leche con la canela. Cuando esté hirviendo, incorporar a la mezcla de las yemas batidas, mezclar bien, pasar por el colador y poner al fuego suave, removiendo bien hasta que espese, sin llegar a hervir.

3. La crema se vierte sobre una fuente rectangular y plana, y se deja cuajar en sitio fresco.

4. Cuando la crema haya cuajado, se corta en 16 cuadrados, se reboza en harina y huevo y se fríe. Según se fríen los trozos, se van dejando sobre una servilleta o papel absorbente para eliminar el exceso de aceite.

Espolvorear de azúcar glace y canela.

NOTA: La crema frita se puede tomar caliente, recién frita, pero también está muy buena fría. Se puede acompañar con salsa de naranjas o coulis de albaricoque.

CUAJADA *

Ingredientes (para 8 personas)

- *1 litro de leche de oveja (si no se tiene, puede ser de vaca, adicionando una cucharada de nata)*
- *1 cucharadita de cuajo (lo venden en todas las farmacias)*

Preparación

1. Hervir la leche y dejarla templar.
2. Disolver el cuajo en media tacita de agua templada.
3. Retirar la nata de la leche y reservarla para devolverla a la leche después de mezclar el cuajo (ap. siguiente).
4. Mezclar el cuajo con la leche templada y revolver bien.
5. Verter en tarritos de 125 cm.^{3} (de yogur).
6. Guardar en la nevera, estará cuajada en media hora.

NOTA: Se toma fría, con azúcar o miel.

FLAN DE HUEVOS *

Ingredientes (para 8 personas)

- *3/4 l de leche*
- *vainilla o corteza de limón*
- *150 gr. de azúcar*
- *6 yemas de huevo*
- *3 huevos*

Caramelo

- *100 gr. de azúcar*
- *2 cucharadas de agua*
- *unas gotas de limón*

Preparación

1. Preparar el molde: confeccionar un caramelo rubio con el azúcar, el agua y el limón. Verter en la flanera, y con un movimiento circular hacer que el caramelo recubra todo el fondo y la parte inferior de las paredes y dejar enfriar.

2. Calentar hasta ebullición la leche con la vainilla o ralladura de limón.

3. Batir los huevos, yemas y azúcar. Añadir la leche hirviendo. Verterlo todo a la flanera caramelizada, pasándolo por el colador y cocer al baño María al horno durante 40 minutos a 200°.

4. Se sabe si está cuajado metiendo una aguja. Deberá salir limpia.

5. Dejar enfriar y desmoldarlo sobre una fuente redonda.

6. Se puede acompañar de una crema inglesa a la vainilla.

Variante

Se puede hacer este flan untando la flanera de mantequilla y espolvoreando de azúcar molido, y el caramelo, en vez de verterlo en la flanera, verterlo dentro de la leche hirviendo y mezclándolo bien. En este caso tiene que quedar bien coloreado.

HUEVOS A LA NIEVE CON CREMA INGLESA Y ALMENDRAS O ISLA FLOTANTE * *

Ingredientes (para 8 personas)

- *6 claras de huevo*
- *300 gr. de azúcar*
- *mantequilla para untar los moldes*
- *1/2 l. crema inglesa (ver receta)*
- *250 gr. de almendras escarchadas (ver receta)*

Preparación

1. Batir bien las claras a punto de nieve. Añadir el azúcar y batir un poco más hasta obtener un merengue.

2. Untar un molde de rosca o moldes redondos individuales con mantequilla. Rellenarlos de merengue ayudándose de la manga pastelera con boquilla rizada y cocerlos al horno al baño María durante 15 minutos a 160°. Desmoldarlos con cuidado a la salida del horno. (Se pueden dejar preparados con anticipación y desmoldarlos después.)

Presentación

Si se ha preparado en molde de rosca, se llama isla flotante, y se presenta en fuente redonda, con crema inglesa por dentro y alrededor, y se esparcen las almendras escarchadas por encima.

Si se ha preparado en moldes individuales, cubrir el fondo de los platos con la crema inglesa y colocar con cuidado el flan de merengue en el centro, esparciendo con cuidado las almendras escarchadas por encima.

HUEVOS MOL * * *

Ingredientes (para 8 personas)

- *350 gr. de azúcar*
- *2,5 dl. de agua*
- *12 yemas de huevo*
- *corteza de limón*

Preparación

1. Confeccionar un almíbar (ver receta de *Almíbar y caramelo)* a punto de hebra flojo con el azúcar, el agua y la corteza de limón.
2. Mezclar las yemas, pasarlas por el colador y batirlas hasta que quede una espuma blanca. Verter sobre ellas el almíbar caliente, batiendo bien para que no se corten.
3. Se pone otra vez al fuego, al baño María, y se deja que se vayan cuajando lentamente, removiendo con la cuchara de madera. Debe quedar una crema fina y espumosa.
4. Servir templado acompañado con bizcocho o con frutas o simplemente solo, pues es exquisito.

LECHE FRITA * *

Ingredientes (para 8 personas)

- *200 gr. de azúcar*
- *150 gr. de harina*
- *1 litro de leche*
- *canela en rama*
- *25 gr. de mantequilla*
- *harina, aceite y huevos para rebozar*

Preparación

1. Calentar hasta ebullición la leche con la canela. Dejar que hierva unos minutos.

2. Aparte, mezclar la harina con el azúcar. Verter la leche hirviendo y volver a poner al fuego suave hasta que espese, sin dejar de remover. Cuando la crema esté bien fina y cocida, se le añade la mantequilla, batiendo.

3. Verter a una fuente rectangular plana y dejarla enfriar, hasta que cuaje.

4. Partir la leche frita en 16 tajadas, pasar por harina y huevo y freír en abundante aceite caliente.

5. Servir tal cual, espolvoreando de azúcar y de canela en polvo.

NATILLAS *

Ingredientes (para 8 personas)

- *1 litro de leche*
- *8 yemas de huevo*
- *1 cucharada de maizena*
- *1 rama de vainilla o corteza de limón*
- *250 gr. de azúcar*

Preparación

1. Hervir la leche con la vainilla o la corteza de un limón.

2. Aparte, batir las yemas y el azúcar hasta que quede una crema blanca. Añadir la maizena y mezclar.

3. Verter la leche hirviendo, revolver y poner al fuego hasta que espese ligeramente, colar y verter en el recipiente donde se vaya a servir.

NOTA: Las claras que sobren se pueden montar a punto de nievè con una cucharada de azúcar por clara, y ponerlas encima de las natillas. Se pueden adornar con hilos de caramelo o con almendras caramelizadas.

NATILLAS CARAMELIZADAS *

Se hacen igual que las natillas, se dejan enfriar y en el momento de ir a servir se espolvorean de azúcar y se quema con la plancha de caramelizar. Debe quedar una costra de color caramelo.

PUDDING DE BRIOCHE * *

Ingredientes (para 8 personas)

- *6 brioches individuales, que se hayan quedado secos*
- *100 gr. de mantequilla*
- *4 huevos*
- *1/4 de kg. de azúcar*
- *3/4 de litro de leche caliente*
- *ralladura de un limón*
- *100 gr. de fruta escarchada picada*
- *3 dl. de crema chantilly para decorar (ver receta)*

Caramelo rubio

- *100 gr. de azúcar*
- *1 dl. de agua*

Preparación

1. Preparar el molde de pudding: confeccionar un caramelo rubio, bañar el fondo y las paredes del molde.
2. Partir los brioches en rebanadas de 1 centímetro. Disponer en el molde una capa de rebanadas de brioche, un poco de mantequilla en trocitos, y fruta escarchada. Así hasta terminar con todos los ingredientes.
3. Batir los huevos, azúcar y ralladura de limón. Añadir la leche caliente y revolver bien.
4. Verter en el molde hasta empapar bien y cocer a 180° durante 1 hora.
5. Dejar enfriar y desmoldar, decorándolo con la crema chantilly.

NOTA: Este pudding se puede hacer en el microondas, en flanera o molde de brioche de cristal. Unos 12 minutos.

Se puede acompañar de crema inglesa o de salsa de albaricoques.

POSTRE GOSHUA *

Ingredientes (para 8 personas)

- *1/2 l. de leche*
- *150 gr. de azúcar*
- *75 gr. de harina*
- *4 huevos*
- *vainilla en polvo*
- *mantequilla o caramelo para untar el molde*

Preparación

1. Batir los huevos con el azúcar, la harina y la vainilla. Agregar la leche caliente. Colar y verter a un molde bajo y redondo untado de mantequilla o caramelizado.

2. Cocer en horno precalentado a 180° durante 25 minutos.

3. Dejar enfriar, desmoldar.

Si se cuece en molde de pudding, se puede servir emplatado, cortándolo en porciones y acompañado de una salsa de frambuesas y kiwis.

PUDDING DE MANZANAS REINETAS *

Ingredientes (para 8 personas)

- *1,5 kg. de manzanas reinetas*
- *250 gr. de azúcar*
- *7 huevos*
- *100 gr. de mantequilla*
- *canela (facultativo)*

Caramelo rubio

- *100 gr. azúcar*
- *1 dl. agua*

Salsa al calvados

- *1/4 l. de crema inglesa (ver receta)*
- *1/2 dl. de calvados*

Preparación

1. Pelar las manzanas, quitarles el corazón y partirlas en trocitos.

2. Poner una cazuela al fuego con la mantequilla. Cuando se derrita añadir las manzanas y el azúcar y dejar que se hagan lentamente, hasta que estén tiernas.

3. Preparar el molde de cake: confeccionar un caramelo rubio y bañar el fondo y los lados del molde, dejar enfriar.

4. Aparte, batir bien los huevos. Añadir las manzanas y mezclar bien. Verter al molde. Cocer al baño María a 200° durante 45 minutos (al pinchar deberá salir la aguja limpia).

5. Dejar enfriar y desmoldar. Se sirve acompañado de la crema inglesa mezclada con el calvados.

PUDDING DE PAN Y MANTEQUILLA *
(BREAD AND BUTTER PUDDING)

Ingredientes (para 8 personas)

- *200 gr. de rebanadas de pan de molde*
- *1/2 l. de leche*
- *1 rama de vainilla*
- *125 gr. de azúcar*
- *2 yemas*
- *3 huevos*
- *70 gr. de mantequilla*

Preparación

1. Pintar de mantequilla las rebanadas de pan partidas en triángulo y dorarlas al grill.
2. Pintar de mantequilla una fuente de horno. Colocar las rebanadas de pan pegadas unas a otras con la parte dorada hacia arriba (acaballadas).
3. Hervir la leche con la vainilla. En un bol batir los huevos, las yemas y el azúcar. Añadir la leche caliente y mezclar bien.
4. Disponer las rebanadas en una fuente honda de porcelana resistente al calor, acaballadas con la parte tostada hacia arriba. Verter el líquido suavemente sobre las rebanadas de pan teniendo cuidado que no se muevan.
5. Cocer en el horno al baño María 30 minutos a 220°. Al principio de la cocción apretar con una espumadera, una o dos veces, las rebanadas de pan, que tienen tendencia a subir a la superficie mientras la crema está muy líquida.
6. Una vez cocido, meter en la nevera.
7. Servir en el mismo molde, acompañado de una crema inglesa (ver receta) o de un coulis de frambuesas (ver receta).

CHEESECAKE (de la comunidad judía de Nueva York) * *

Ingredientes (para 8 personas)

- *1/2 kg. de queso Philadelphia*
- *200 gr. de azúcar*
- *6 yemas de huevo*
- *zumo de un limón*
- *6 gr. de vainilla*
- *una pizca de sal*
- *700 gr. de* sour cream *(si no se tuviera, nata líquida a la que se le adicionará unas gotas de limón)*

Preparación

1. Batir el queso con el azúcar durante 3 minutos.
2. Añadir las yemas una a una hasta que estén bien incorporadas y seguir batiendo hasta que quede una crema suave y cremosa.
3. Añadir el zumo de limón, vainilla y sal y por último añadir el *sour cream.*
4. Verter en un molde de 22 centímetros pintado de mantequilla; disponerlo sobre la fuente de horno, al baño María, con el agua ya caliente. Cocer durante 45 minutos a horno a 180°. Comprobar la cocción con la aguja. Dejar enfriar dentro del horno.
5. Desmoldar. Cubrir una bandeja con papel film. Pasar el molde un momento por agua caliente, y separar los bordes con un cuchillo. Desmoldarlo y volver a dar la vuelta sobre otra bandeja, quitándole el plástico.

Alternativa

El cheesecake se suele confeccionar también en tarteleta de galletas (ver masas de tarteleta). En este caso, se cuece al horno sin baño María.

TARTA DE QUESO DE BURGOS *

Ingredientes (para 8 personas)

- *1 yogur natural*
- *1/2 kg. de queso de Burgos*
- *1 cucharada de harina*
- *ralladura de 1/2 limón*
- *150 gr. de azúcar*
- *4 huevos*

Preparación

1. Batir los huevos y el azúcar hasta obtener una crema blanca.
2. Añadir batiendo el queso de Burgos, el yogur y la ralladura de limón. Agregar la harina.
3. Verter a un molde redondo de 22 centímetros de diámetro y cocerlo al horno a 180° unos 30 minutos. Comprobar la cocción con la aguja: debe salir limpia.

QUESADA PASIEGA *

Ingredientes (para 8 personas)

- *1 kg. de requesón*
- *300 gr. de azúcar*
- *250 gr. de harina*
- *125 gr. de mantequilla*
- *2 huevos*
- *1/2 copa de brandy*
- *ralladura de un limón*
- *canela*
- *una pizca de sal*

Preparación

1. Mezclar el queso con el azúcar. Añadir los huevos batidos y la mantequilla derretida. Mezclar bien.
2. Añadir la ralladura de limón, canela, sal y el brandy. Mezclar bien y añadir la harina poco a poco hasta que esté la crema ligada.
3. Verter a un molde redondo untado de mantequilla y cocer 15 minutos a horno precalentado a 180°, hasta que esté cuajado. Comprobar con la aguja, que deberá salir seca.
4. Desmoldar y espolvorear de azúcar glace.

SOUFFLÉ DE VAINILLA * *

Ingredientes (para 8 personas)

- *9 huevos*
- *225 gr. de azúcar*
- *vainilla en polvo*
- *azúcar molido para espolvorear*
- *mantequilla para untar los moldes*

Preparación

1. Pintar de mantequilla un molde tipo soufflé. Meter 5 minutos en la nevera y volver a pintarlo, teniendo cuidado de que los bordes queden bien untados de mantequilla, pues si no, no sube bien el soufflé. Espolvorear de azúcar.
2. Separar la claras de las yemas.
3. Batir las yemas con el azúcar y la vainilla en polvo hasta obtener una crema blanca. Aparte, montar las claras a punto de nieve e incorporarlas a las yemas en dos veces.
4. Verter en el molde de porcelana de soufflé, y cocer 10 minutos a horno precalentado a 200°.

5. Una vez fuera del fuego espolvorear de azúcar molido y servir en seguida.

NOTA: El soufflé se puede dejar preparado en el molde, antes de cocer, 20 minutos en nevera.

Este soufflé se puede flambear. Para ello, mientras el soufflé se está terminando de cocer, se calienta en el cacillo, a fuego vivo, el licor (ron o brandy), hasta que empiece a arder. Se rocía el soufflé a la salida del horno, y se sirve todavía ardiendo. (Para hacer la entrada, apagar las luces.)

SOUFFLÉ CON COMPOTA * *

Ingredientes (para 8 personas)

- *compota de 5 manzanas o de 6 peras (ver receta de Compota de manzanas golden)*
- *5 huevos*
- *125 gr. de azúcar*
- *una pizca de vainilla en polvo*
- *azúcar para espolvorear*

Preparación

1. Preparar la compota, según la receta elegida, cortando la fruta en rebanadas finas.
2. Preparar el batido de soufflé con las cantidades indicadas, siguiendo el procedimiento de la receta anterior.
3. Verter la compota muy caliente en una fuente de horno no muy honda, pintada de mantequilla; verter encima el soufflé y hornear a 200° durante 5 minutos.
4. Servir inmediatamente.

SOUFFLÉ DE MANDARINAS * *

Ingredientes (para 8 personas)

- *1/4 l. de zumo de mandarinas y la ralladura de tres*
- *1/2 l. crema pastelera (ver receta)*
- *1 copita licor de*
- *mantequilla para untar los moldes*
- *1 copita, mitad de licor de mandarinas o Grand Marnier*

mandarinas o Grand Marnier
- *9 claras huevo*
- *vainilla en polvo*
- *azúcar molido para espolvorear*

y mitad de brandy para flambear.

Preparación

1. Pintar de mantequilla un molde tipo soufflé. Meter 5 minutos en la nevera y volver a pintarlo, teniendo cuidado de que los bordes queden bien untados de mantequilla, pues sino no sube bien el soufflé. Espolvorear de azúcar.
2. Preparar la crema pastelera, como se explica en la receta. Incorporarle, en caliente, el licor y la ralladura. Reservar en la nevera tapado y, ya en frío, justo antes de preparar el soufflé, añadir el zumo de las mandarinas.
3. Montar las claras a punto de nieve, incorporar un tercio a la crema de mandarinas, batir bien e incorporar el resto de las claras mezclando suavemente sin batir.
4. Verter en la fuente de soufflé, espolvorear de azúcar y cocer a horno precalentado a 200° durante 20 minutos.
5. Mientras el soufflé se está terminando de cocer, se calienta en el cacillo, a fuego vivo, el licor de mandarinas, hasta que empiece a arder. Se rocía el soufflé a la salida del horno, y se sirve todavía ardiendo. (Para hacer la entrada, apagar las luces.)

NOTA: El soufflé se puede dejar preparado en el molde sin cocer 20 minutos en la nevera.

SOUFFLÉ DE PERAS * *

Ingredientes (para 8 personas)

- *3 peras en almíbar*
- *150 gr. de azúcar*
- *1/2 dl. de agua*
- *1 cucharadita de fécula de patata*
- *6 claras de huevo*
- *mantequilla para untar los moldes*
- *azúcar para espolvorear*
- *hojitas de menta*
- *3 dl. de salsa de chocolate (ver receta)*
- *licor de peras (facultativo)*

Preparación

1. Triturar las peras y hacer un puré. Añadir la fécula de patata y mezclar bien.
2. Batir las claras a punto de nieve. Añadir el azúcar y formar un merengue.
3. Mezclar muy bien un tercio de las claras con el puré de peras y luego añadir el resto con cuidado.
4. Pintar de mantequilla moldes individuales de soufflé, con la precaución de que la mantequilla llegue hasta los bordes. Dejarlos 5 minutos en la nevera. Volver a pintarlos y espolvorear de azúcar.
5. Verter la mezcla y alisar la superficie.
6. Cocer 4 minutos a 200°.
7. Desmoldar en los platos y servir inmediatamente con la salsa de chocolate alrededor. Poner una hojita de menta encima de cada uno (facultativo).

NOTA: Siguiendo el mismo procedimiento se pueden hacer riquísimos soufflés de otras frutas crudas, como fresas, albaricoques, melocotones, chirimoyas, etc., siempre que al triturarlos la pulpa tenga consistencia de puré.

TARTA CAPUCHINA * *

Ingredientes (para 8 personas)

- *11 yemas*
- *1 huevo entero*
- *45 gr. de harina*

Baño de yemas

- *3 yemas*
- *125 gr. de azúcar*
- *1/2 dl. de agua*

Almíbar para emborrachar

- *300 gr. de azúcar*
- *2 dl. de agua*

Preparación

1. Batir muy bien con las varillas eléctricas las yemas y el huevo entero durante 10 minutos. Debe quedar una crema blanca y muy espesa.
2. Añadir la harina tamizada y mezclar con cuidado.

3. Verter en un molde untado de mantequilla y cubierta la base de papel de aluminio también untado de mantequilla.

4. Poner el molde al baño maría 5 minutos al fuego y luego meterlo a horno precalentado a 180° durante 20 minutos. Debe salir la aguja limpia.

5. *Confeccionar el almíbar para emborrachar.* Poner los ingredientes al fuego y cocer 5 minutos. Dejar templar y verter sobre la capuchina, pinchando con una aguja para que se impregne bien. Dejar reposar 4 horas en la nevera.

6. Desmoldar la tarta.

7. *Confeccionar el baño de yemas.* Confeccionar un almíbar fuerte con el azúcar y el agua. Batir las yemas, echar el almíbar y poner al fuego al baño María hasta que espese. Verterlo sobre la capuchina.

Presentación

Dejar enfriar, espolvorear de azúcar glace y quemar la tarta con una aguja. Decorarla con merengue italiano (ver receta) con una boquilla rizada de 1 centímetro todo alrededor.

TÉCULA MÉCULA * *

La técula es dulce típico de Badajoz, y una exquisita tarta de yemas y almendras.

Ingredientes (para 8 personas)

- *250 gr. de masa quebrada (ver receta)*
- *2,5 dl. de agua y unas gotas de limón (tres cucharadas)*
- *1 clara de huevo*
- *500 gr. de azúcar*
- *12 yemas de huevo*
- *30 gr. de tocino salado, descortezado y desalado en agua (24 horas)*
- *250 gr. de almendras peladas crudas*
- *75 gr. de harina*

Preparación

1. Preparar la masa quebrada como se indica en la receta base, extenderla sobre una mesa enharinada y tapizar un molde redondo de fondo separable de 22 centímetros por 6 de alto.

2. Confeccionar un almíbar a punto de hebra fuerte (ver receta de *Almíbar y caramelo)* con el azúcar, el agua y las gotas de limón. Dejar enfriar.

3. Triturar bien el tocino y volverlo a triturar con las almendras, mezclando bien. Batir a mano las yemas y la clara, añadir la harina e irle incorporando las almendras picadas con el tocino y el almíbar, hasta conseguir una masa homogénea.

4. Rellenar el molde y cocer a 175º. Antes de sacar, comprobar la cocción con la aguja, que deberá salir limpia. Desmoldar en frío.

TOCINO DE CIELO * *

Ingredientes (para 8 personas)

- *12 yemas de huevo*
- *350 gr. de azúcar*
- *1/4 l. de agua*

Preparación

1. Poner en un cazo al fuego el agua con el azúcar. Dejar que hierva 5 minutos.
2. Verter el almíbar al molde que se vaya a utilizar para que se caramelice.
3. Batir las yemas e incorporarles el almíbar, revolviendo para que no se corte.
4. Colar y verter al molde. Cocer al baño maría al fuego, tapado unos 25 minutos. Antes de sacarlo, debe salir la aguja limpia. Desmoldar cuando esté frío.

BAVAROIS

Los bavarois son purés de frutas o cremas cuajadas con gelatina. Son postres muy agradables, fáciles y que tienen muchos aficionados (no confundir con los babas, o kugelhof borrachos).

BAVAROIS AL CAVA *

Ingredientes (para 8 personas)

- *4 yemas*
- *150 gr. de azúcar*
- *125 gr. de almendras tostadas*
- *1 l. de crema chantilly (ver receta)*
- *1/4 l. de cava (1 benjamín, muy frío)*
- *10 gr. de gelatina de colas de pescado*

Preparación

1. Batir muy bien las yemas y el azúcar, hasta obtener una crema blanca.
2. Poner las colas de pescado a remojo, escurrirlas y fundirlas en el microondas o al fuego. Verter sobre la mezcla de yemas y mezclar bien.
3. Añadir el cava y dejar que empiece a espesar.
4. Añadir la mitad de la crema chantilly y 75 gramos de almendras fileteadas y tostadas.
5. Mezclar bien y verter a un molde de rosca.
6. Dejar cuajar dos horas en la nevera.

Presentación

Pasar el molde un momento por agua caliente y desmoldarlo a una fuente redonda.

Decorar el centro con el resto de la crema chantilly y de las almendras. Reservar en la nevera hasta que se vaya a tomar.

BAVAROIS DE CAFÉ * *

Ingredientes (para 8 personas)

- *1 bote de leche condensada de 350 gr.*
- *6 claras*
- *6 yemas instantáneo*
- *1 cucharada de café (se puede aumentar según el gusto)*
- *10 gr. de gelatina de colas de pescado*
- *1/2 l. de crema chantilly (ver receta)*

Preparación

1. Batir muy bien la leche condensada con las yemas hasta obtener una crema blanca.
2. Poner las colas de pescado a remojo, escurrirlas y deshacerlas en el microondas. Añadir el café instantáneo y revolver.
3. Verter a la leche condensada y mezclar.
4. Montar las claras a punto de nieve. Tomar un tercio de estas claras bien montadas y mezclarlas con la preparación anterior. Batir fuerte para que se incorporen bien y luego el resto de las claras mezclarlas con cuidado.
5. Verter a un molde de rosca y dejar cuajar unas horas en la nevera.
6. Pasar el molde por agua caliente y decorar el centro con la crema chantilly y unos granitos de café instantáneo y, si se tuviera, unos granitos de café de chocolate.

BAVAROIS DE CARAMELO * *

Ingredientes (para 8 personas)

- *3 yemas de huevo*
- *25 gr. de azúcar*
- *1,25 dl. de nata líquida*
- *1/2 l. de nata montada sin azúcar*
- *mermelada de albaricoques para napar*
- *crema inglesa para acompañar (ver receta)*

Caramelo rubio

- *100 gr. de azúcar*
- *zumo de medio limón*
- *1 cucharadita de agua*

Preparación

1. Confeccionar un caramelo rubio y añadir medio decilitro de agua fría. Poner al fuego otra vez y dejar que hierva.
2. Batir las yemas y el azúcar 5 minutos hasta obtener una crema blanca.
3. Añadir al caramelo la nata líquida y dejar que hierva. Verter esta crema hirviendo sobre las yemas y poner al fuego hasta que la crema nape la cuchara (no debe pasar la temperatura de 80º para que no se corte la crema).
4. Poner la gelatina a remojo en agua fría, escurrirla y deshacerla en el microondas o al baño María. Incorporar a la crema anterior y mezclar bien.
5. Pasar la crema por el chino y reservar. Cuando esté fría, pero no líquida, añadir la nata montada sin azúcar y mezclar con cuidado.
6. Verter a un molde de repostería o molde de fondo separable y guardar en la nevera una hora.
7. Desmoldar pasando un cuchillo por los bordes y el molde por agua caliente y cubrir la superficie con una capa fina de mermelada de albaricoques.

Se puede acompañar de una crema inglesa.

BAVAROIS DE LICOR * *

Ingredientes (para 8 personas)

- *1/2 l de crema inglesa: (ver receta)*
- *3 dl. de nata montada para decorar*
- *15 gr. de gelatina de colas de pescado*
- *licor al gusto*
- *3 dl. de crema chantilly (ver receta)*

Preparación

1. Preparar la crema inglesa.
2. Poner las colas de pescado a remojo, escurrirlas y fundirlas en el microondas. Mezclarlas con la crema inglesa.

3. Añadir el licor, que puede ser Grand Marnier, ron u otro cualquiera.
4. Dejar que empiece a espesar y mezclarlo con la crema chantilly.
5. Verterlo a un molde y dejar cuajar en la nevera.
6. Desmoldar sumergiendo el molde un momento en agua caliente.
7. Adornar con nata con la ayuda de una manga pastelera.

MANJAR BLANCO CON COULIS DE FRUTAS * *

Ingredientes (para 8 personas)

- *250 gr. de almendras*
- *unas gotas de esencia de almendras amargas*
- *100 gr. de azúcar*
- *12 gr. de gelatina de colas de pescado*
- *2 dl. de agua*
- *2 dl. de leche*
- *4 dl. de crema chantilly (ver receta)*
- *1/2 l. coulis de frutas (ver receta)*

Preparación

1. Triturar las almendras, agregando poco a poco los 2 dl. de agua.
2. Calentar hasta ebullición la leche con las almendras y el azúcar. Colar.
3. Añadir la esencia de almendras e incorporar las colas de pescado que se habrán fundido en el microondas o al fuego. Mezclar bien.
4. Dejar enfriar y cuando empiece a espesar añadir la crema chantilly. Verter a un molde redondo y dejar cuajar en la nevera unas horas.
5. Desmoldar sobre una fuente redonda pasando el molde un momento por agua caliente y acompañar con el coulis de frutas.

BAVAROIS DE NARANJA * *

Ingredientes (para 8 personas)

- *1/2 l. de zumo de naranjas (aprox. 8 naranjas de zumo; optativo,*
- *10 gr. de gelatina de colas de pescado*
- *1/4 de l. de crema chantilly (ver receta)*

azúcar al gusto si las naranjas son agrias)

- *1/4 l. de crema chantilly para adornar*

Preparación

1. Exprimir las naranjas y medir 5 dl. (si el zumo sale agrio, adicionar azúcar al gusto).
2. Fundir la gelatina, incorporarla al zumo y pasar por el colador. Reservar un par de cucharadas en un vaso. Enfriar el resto en la nevera vigilando para que no cuaje, o sumergiendo el perol en un barreñito con agua y hielo, y revolviendo hasta que esté frío.
3. Cuando empiece a tomar cuerpo y tenga consistencia aceitosa, batir enérgicamente durante unos minutos (a poder ser en la batidora, o con las varillas mecánicas) hasta que se forme como un merengue. Estará hecho cuando la espuma sea fina e igual y no se vea nada de líquido en el fondo.
4. Incorporar la nata al batido anterior, mezclando con la varilla; debe quedar totalmente homogéneo. Verter en el molde de rosca y dejar cuajar dos horas en la nevera.
5. Desmoldar pasando el molde por agua caliente. Pintar el bavarois con la gelatina reservada fundida para darle lustre, y presentar adornado con la crema de chantilly.

BAVAROIS DE POMELO * *

Ingredientes (para 8 personas)

- *1/2 l. de zumo de pomelos (aprox. 3 pomelos)*
- *azúcar al gusto, según sean los pomelos*
- *10 gr. de gelatina de colas de pescado*
- *1/4 l. de crema chantilly (ver receta)*

1/4 l. de crema chantilly para adornar

Preparación

Igual que en la receta anterior.

BAVAROIS DE LIMÓN * *

Ingredientes (para 8 personas)

- *2 dl. de zumo de limón*
- *1/4 l. de crema chantilly*

(aproximadamente 5 limones)
- *ralladura de 2 limones*
- *3 dl. de agua*
- *150 gr. de azúcar*
- *10 gr. de gelatina de colas de pescado* *(ver receta)*
- *1/4 l. de crema chantilly para adornar*
- *unas gotas de colorante amarillo (optativo)*

Preparación

El mismo procedimiento que en las recetas anteriores, teniendo cuidado de disolver bien el azúcar con el agua, la ralladura y el zumo de limón. Como este bavarois queda muy blanco, se puede dar un poquito de color con unas gotas de colorante amarillo.

MOUSSE DE FRAMBUESAS * *

Ingredientes (para 8 personas)
- *1/4 kg. de pulpa de frambuesas (1/2 kg. de frambuesas trituradas)*
- *1/4 de crema chantilly (ver receta)*
- *10 gr. de gelatina de colas de pescado*
- *8 dl. de merengue italiano (ver receta)*

Preparación

1. Triturar las frambuesas y pasar por el colador.
2. Hacer el merengue italiano. Dejar enfriar un poco y mezclar con las colas de pescado fundidas en el microondas o al fuego. Mezclar bien.
3. Una vez empiece a espesar, añadir la crema chantilly y la pulpa de frambuesas. Volver a mezclar, verter en un molde de aro y dejarlo dos horas en la nevera hasta que cuaje.
4. Para desmoldar, pasar el molde un momento por agua caliente y colcarlo en una fuente redonda.
5. Decorar en el centro con crema chantilly azucarada y unas hojitas de menta.

NOTA: Se puede acompañar con un coulis de frambuesas (ver receta de *Coulis de frutas*).

ASPIC DE FRUTAS * *

Ingredientes (para 8 personas)

- *1/2 kg. de frutas variadas cortadas en macedonia y escurridas*
- *250 gr. de frambuesas o fresas.*
- *3 dl. de crema chantilly (ver receta) nueces partidas*
- *1 lata pequeña de piña en almíbar*
- *1 l. de gelatina de naranja de sobre, pero sustituyendo parte del agua con el jugo que haya resultado al cortar las frutas*

Preparación

1. Enfriar el molde en la nevera. Preparar la gelatina según las instrucciones, dejarla enfriar sin que cuaje y verter un poco en la base del molde de rosca. Hacer cuajar en la nevera la gelatina del molde.
2. Con los fresones hacer una bonita decoración, verter un poco más de gelatina y volver a dejar cuajar, hasta que los fresones queden fijos.
3. Rellenar con el resto de las frutas alrededor y verter el resto de la gelatina.
4. Dejar cuajar dos horas en la nevera.
5. Pasar el molde por agua caliente y colocar el aspic sobre una fuente redonda. Decorar el centro con la crema chantilly y las nueces.

NOTA: Convendrá que el molde, los fresones y la macedonia estén bien fríos, para que el aspic se cuaje rápidamente.

CHARLOTAS

Una charlota es un aspic recubierto de bizcocho, o un bizcocho relleno de aspic, según se mire. Son postres muy bonitos, fáciles de hacer si se conocen un poco los trucos de la gelatina. En principio, la charlota debe cuajarse con el bizcocho, pero la moda actual, más fácil, consiste en decorar un bavarois con bizcochos de soletilla después de cuajado. Todos los bavarois anteriores se pueden adornar con bizcochos de soletilla, y todas las recetas de bavarois anteriores se pueden usar para rellenar una charlota.

Normalmente se utilizan dos tipos de bizcocho para tapizar el molde de charlota: el de brazo de gitano y el de soletilla (ver las respectivas recetas en el apartado de bizcochos). Para que sirva de ejemplo, voy a describir dos recetas, aunque las variantes pueden ser infinitas.

CHARLOTA DE FRAMBUESAS CON COULIS DE FRAMBUESAS * *

Ingredientes (para 8 personas)

- *1/2 l. crema inglesa (ver receta)*
- *1 dl. de mermelada de frambuesas*
- *10 gr. de gelatina (5 colas)*
- *2 planchas de bizcocho de brazo de gitano sin enrollar (ver receta de Brazo de gitano)*

Charlotas

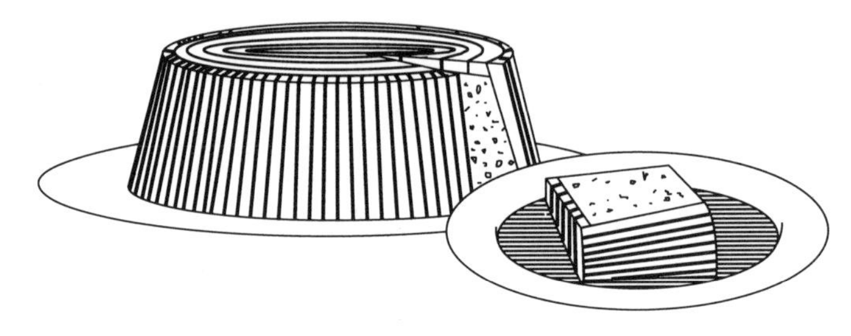

De bizcocho de brazo de gitano

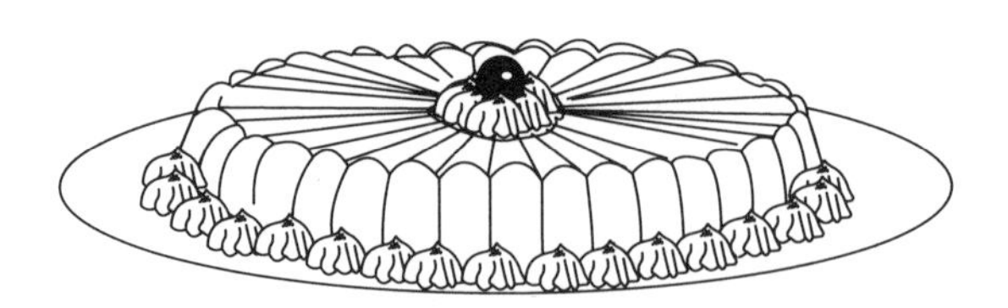

De bizcochos de soletilla

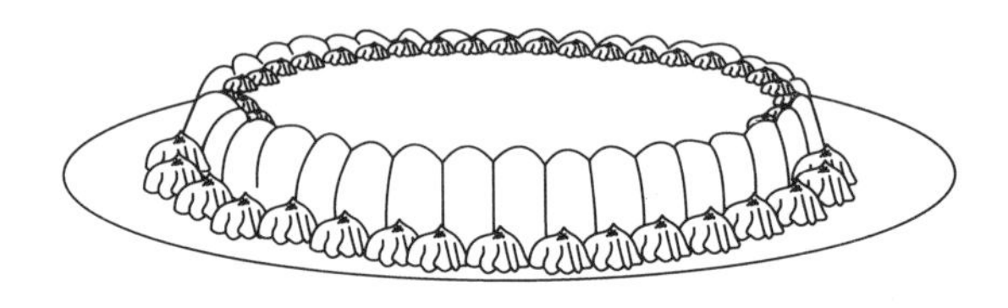

Charlota moderna. Es un bavarois adornado con soletillas

- *1/2 kg. de frambuesas*
- *1/4 l. de crema de chantilly (ver receta)*
- *1 dl. de glasa de albaricoque (ver receta)*

Coulis de frambuesas

- *1/2 kg. de frambuesas*
- *100 gr. azúcar*

Preparación

1. Tomar una plancha de brazo de gitano sin enrollar, y recortarle los bordes tostados.
2. Pintarla con mermelada de frambuesas (o de lo que se prefiera, según el relleno).
3. Cortar la plancha en dos tiras iguales, poner una sobre otra, y volver a cortar a lo largo en dos. Volver a cortar de nuevo, y colocar encima de las anteriores. Envolver en papel film y enfriar. Cuando esté frío, volver a cortar cada taco a lo largo y tapizar el molde. Quedarán unas tiras en que se verá el bizcocho y la mermelada alternadas, muy decorativas.
4. Preparar la crema inglesa y dejar enfriar tapada.
5. Tapizar el molde (una flanera) con las tiras de brazo de gitano, formando una espiral sobre el fondo, y las paredes a rayas, tapando bien los intersticios. Esta operación hay que hacerla un poco deprisa para que el brazo de gitano no pierda el frío. Guardar en la nevera unos minutos.
6. Incorporar la gelatina fundida y la nata chantilly a la crema inglesa, y pintar con la mezcla las paredes del molde tapizado de bizcocho. Devolver el molde a la nevera (esto se hace porque, cuando se vierta el relleno, el bizcocho tiene que estar firme y no salir flotando, que es el gran problema de la charlota).
7. Incorporar las frambuesas a la crema anterior, con cuidado de que no se rompan.
8. Comprobar que el bizcocho está bien firme y rellenar con la crema y las frambuesas. Dejar cuajar en la nevera durante dos horas.
9. Desmoldar, dando simplemente la vuelta al molde. Pintar la charlota con la glasa de albaricoque.
10. Servir acompañado de coulis de frambuesas: triturar las frambuesas, pasar por el tamiz y mezclar con el azúcar.

NOTA: El brazo de gitano también se puede preparar de la siguiente manera, si el molde que se usa es un bol semiesférico:

1. Confeccionar una plancha de brazo de gitano enrollado a lo

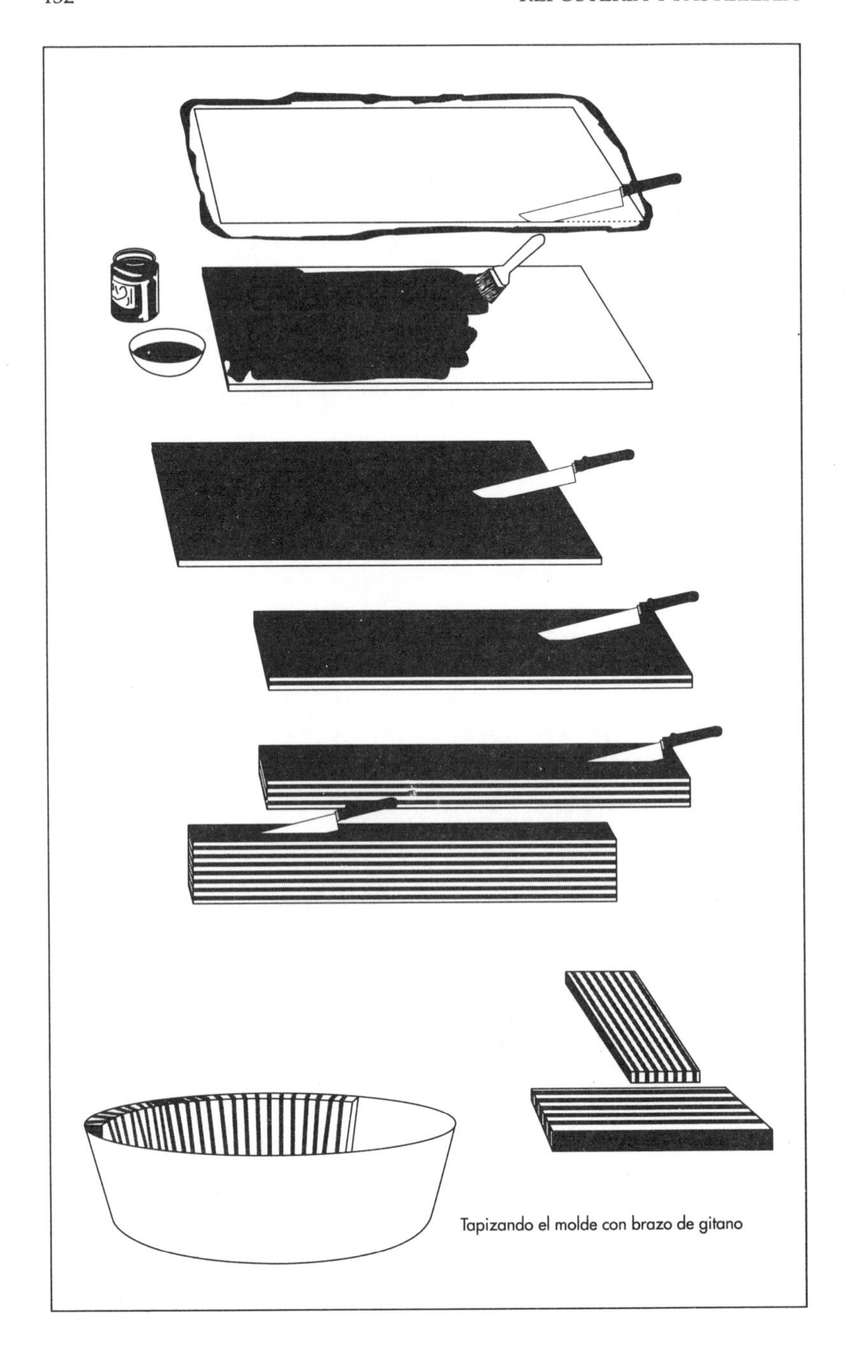

Tapizando el molde con brazo de gitano

largo. Calentar la mermelada y pasarla por el colador para eliminar las pipas. Pintar el bizcocho, enrollar bien, apretando, envolver en papel de aluminio y guardar en la nevera.

2. Tomar el brazo de gitano, cortarlo en rodajas como de 1 cm. y tapizar con ellas las paredes del molde, unas junto a otras, como en panal de abejas.

3. Continuar como en la receta anterior.

CHARLOTA DE MELOCOTÓN CON COULIS DE MELOCOTÓN **

Ingredientes (para 8 personas)

- *10 gr. de colas de pescado*
- *3 dl. de leche*
- *100 gr. de azúcar*
- *1 rama de vainilla*
- *5 yemas*
- *1/4 l. de crema chantilly (ver receta)*
- *2 melocotones en almíbar partidos en macedonia fina*
- *1 ración de bizcochos de soletilla (ver receta)*

Coulis de melocotón * *

(para 8 personas)

- *3 melocotones en almíbar (6 mitades)*
- *100 gr. de azúcar*
- *2 cucharadas de agua*
- *zumo de medio limón*

Preparación

1. Hacer la crema inglesa, con la leche, vainilla, azúcar y yemas.

2. Tapizar el molde de la charlota de bizcochos de soletilla, con la parte curva hacia el molde, cortándolos para que no queden resquicios entre ellos; reservar en la nevera.

3. Poner a remojo las colas de pescado. Escurrir y deshacer al baño María o en el microondas. Añadir a la crema inglesa. Pintar bien los bizcochos de soletilla con este preparado, y dejar el molde en la nevera, para que estén bien fijos y no salgan flotando, cada uno por su lado, al verter el relleno.

4. Dejar enfriar la crema inglesa, removiendo de vez en cuando, y cuando empiece a tomar cuerpo, añadir la crema chantilly y el melocotón cortado en dados. Rellenar el molde y enfriar en la nevera 2 horas.

5. Desmoldar en una fuente redonda y adornar con nata.

6. Para preparar el coulis de melocotón, confeccionar un caramelo rubio con el azúcar y el agua. Añadir luego el almíbar de la lata, caliente. Triturar con los melocotones y pasar por el tamiz.

HELADOS, BISCUITS GLACÉS Y SABAYONES

El helado se conoce desde hace milenios. Es dulce típico de países cálidos junto a montañas altas, donde se conserva la nieve durante el verano y hace calor en el llano. Se discute si fueron los chinos o los persas los descubridores del helado. Los romanos hacían sorbetes con nieve, frutas y azúcar; consta que en la mesa de Nerón se tomaba este tipo de golosinas. En Europa se perdió la tradición, pero en Persia y en China se siguieron elaborando, y Marco Polo los probó y trajo a Europa noticia de ellos.

La palabra sorbete no viene de sorber, sino del árabe, que quiere decir «bebida» o «porción». De la palabra árabe tomó el castellano «jarabe», y el turco «serbet», helado. Parece, por lo tanto, que, cuando en Sicilia, a principios del siglo XVI, se empezó a elaborar sorbete con ese nombre, sería por haberlo aprendido de los turcos.

Estos primeros sorbetes se elaboraban en paila, como aún hoy se hace en Ecuador y en Perú, a base de un jarabe de almíbar, clara de huevo y zumos de fruta. La paila es un recipiente ancho de cobre (en Valencia llaman paella a un recipiente parecido, en que se prepara el famoso arroz), con el fondo ligeramente cóncavo. Para fabricar helado en paila, se coloca ésta sobre un lecho de hielo picado y sal, se pone una pequeña cantidad de jarabe y se hace girar rápidamente la paila sobre el hielo, removiendo el jarabe con la espumadera en sentido contrario. El sorbete se va cuajando en los bordes de la paila, y se recoge en un recipiente que se mantiene entre el hielo. La presencia de la clara y del azúcar sin cristalizar, unida a la agitación del líquido, impide que se formen cristales de hielo, y por eso toma la consistencia pastosa.

A España llegaron los sorbetes a mediados del siglo XVII, y por esa época se inventó en Nápoles el helado a base de crema (según los franceses, fue un tal Tirsain quien inventó el helado de crema en París, aunque lo llamó Napolitano). Más tarde, en el siglo pasado, se inventaron las sorbeteras manuales, y más modernamente las mecánicas.

Hace unos pocos años se pusieron de moda en Francia los sorbetes, que habían perdido popularidad frente a los helados de crema. Uno de los motivos fue que la reglamentación de los helados en Francia hacía complicada la elaboración artesanal de helado en los restaurantes, mientras que los sorbetes tenían menos condicionantes. Por eso los restaurantes tenían que comprar los helados, pero podían elaborar sus propios sorbetes, y éste creo que es el motivo de que asociemos los sorbetes a la *nouvelle cuisine.*

Pero tanto los sorbetes como los helados son un postre delicioso, y más aún los elaborados en casa, cuando se tienen medios para hacerlos, con huevo, leche y nata de verdad.

CONSEJOS GENERALES
HELADO DE CREMA Y HUEVOS

El helado a la crema se compone de leche, yemas, azúcar y nata.

Conviene tomar algunas precauciones al elaborar el helado. Para confeccionar la crema inglesa, que es la base del helado a la crema, hay que tomar la precaución de que la leche haya hervido durante unos minutos para evitar que la crema se agrie. Una vez confeccionada la crema, hay que guardarla en la nevera, porque debe estar muy fría (a 2°) en el momento de helarla. Todos los ingredientes que se adicionen deben igualmente estar muy fríos, y todos ellos cocidos previamente.

Cuando se aprecie que el helado se ha formado en la heladera, conviene no dejarlo más tiempo dando vueltas, porque pierde textura. Entonces conviene pasarlo a un recipiente, muy limpio, que se habrá tenido en el congelador, y guardarlo en el congelador para que adquiera firmeza, pero no por más tiempo que 20 minutos, que es cuando está completamente a punto para consumir.

Si se congela del todo (por debajo de -12° es la temperatura ideal del helado para consumirlo), la conservación no es perfecta y se estropea al cabo de pocos días.

Las proporciones que se dan a continuación son para 1 litro de helado, que se considera suficiente para ocho raciones. ¡Si es para adolescentes habrá que calcular el doble!

HELADO DE VAINILLA (receta base) *

Ingredientes (para 1 l.)

- *1/2 litro de leche*
- *1 rama de vainilla*
- *210 gr. de azúcar*
- *6 yemas*
- *1/4 l. de nata líquida esterilizada*

Preparación

1. Calentar hasta ebullición la leche con la mitad del azúcar y la rama de vainilla abierta por la mitad. Hacer cocer unos minutos. Retirar del fuego y dejar 30 minutos para que se impregne bien del sabor a vainilla.
2. Batir las yemas y el azúcar restante hasta que quede una crema blanca.
3. Retirar la vainilla de la leche y volver a poner a calentar hasta que hierva nuevamente. Verterla sobre las yemas batiendo y volver a poner a fuego muy lento hasta que espese. Conviene utilizar un termómetro de azúcar a fin de que sólo llegue a 83°, pues si no se puede cortar. A esta temperatura los gérmenes que puedan contener las yemas estarán neutralizados. Añadir, fuera del fuego, la nata esterilizada.
4. En el mismo cazo, hacerlo enfriar en la nevera durante varias horas, hasta que esté muy frío.
5. La sorbetera deberá haberse lavado perfectamente. Llenarla con la crema, y poner en marcha. Cuando se haya cuajado el helado, parar la sorbetera, pasar el helado a un recipiente muy limpio y reservar en el congelador. A los 20 minutos estará perfecto.

El mejor acompañamiento para el helado de vainilla es el chocolate caliente. Podrán elaborarse helados de otros sabores añadiendo a la crema de vainilla mermeladas de fresa, de frambuesa o de moras pasadas por el tamiz en caliente, a razón de 200 gramos de mermelada por cada litro de crema. A continuación expongo con más detalle algunas de las recetas de helado que más me gustan.

HELADO DE AVELLANAS *

Ingredientes (para 1 litro)

- *1/2 litro de leche*
- *210 gr. de azúcar*
- *6 yemas de huevo*
- *1/4 de litro de nata líquida*
- *200 gr. de avellanas tostadas*

Preparación

1. Seguir las instrucciones del helado de vainilla (ver receta), y añadir las avellanas tostadas y trituradas a la mezcla cuando esté fría. Mezclar bien.

NOTA: Se acompaña muy bien de crema inglesa, salsa de caramelo o coulis de frambuesas (ver recetas correspondientes).

HELADO DE CANELA *

Ingredientes (para 1 l.)

- *1/2 l. de leche*
- *2 palitos de canela en rama*
- *210 gr. de azúcar*
- *6 yemas de huevo*
- *1/4 l. de nata líquida*

Preparación

Seguir las mismas instrucciones que el helado de vainilla (ver receta pág. 145), sustituyendo la vainilla por la canela.

En el momento de servir se espolvorea de canela en polvo.

HELADO DE CARAMELO *

Ingredientes (para 1 l.)

- *250 gr. de azúcar en terrones*
- *2 ramas de vainilla*
- *3,5 dl. de leche*
- *8 yemas de huevo*
- *2 dl. de nata*

Preparación

1. Confeccionar un caramelo rubio con el azúcar y las ramas de vainilla partidas por la mitad. Dejar que se haga lentamente.
2. Retirar la cazuela del fuego, añadir la nata líquida y volver a ponerlo hasta que se disuelva el caramelo.
3. Confeccionar una crema inglesa (ver receta) con las yemas y la leche (no necesita azúcar).
4. Añadir esta mezcla al caramelo sin dejar de remover. Volver a poner al fuego y retirarlo justo al primer signo de hervir.
5. Retirar las ramas de vainilla y colar.
6. Dejar enfriar completamente y cuajar en sorbetera.

HELADO DE CASTAÑAS *

Ingredientes (para 1 l.)

- *1/2 l. de leche*
- *70 gr. de azúcar*
- *4 yemas de huevo*
- *300 gr. de puré de castañas*

Preparación

1. Seguir las instrucciones del helado de vainilla (ver receta página. 145).
2. En un bol poner el puré de castañas y añadir poco a poco y batiendo bien la crema, hasta obtener una crema lisa y sin grumos.
3. Una vez frío, meter en la sorbetera.

Se acompaña muy bien de salsa de chocolate o coulis de peras (ver recetas correspondientes).

HELADO DE CHOCOLATE *

Ingredientes (para 1 l.)

- *3/4 de litro de leche*
- *210 gr. de azúcar*
- *6 yemas*
- *60 gr. de cacao amargo en polvo*

Preparación

1. Seguir las instrucciones del helado de vainilla (ver receta).
2. Poner el cacao en un bol y añadir la mezcla anterior, caliente, poco a poco, batiendo fuertemente para que no se formen grumos.
3. Cuando se haya enfriado bien, cuajar en la sorbetera.

HELADO DE COCO *

Ingredientes (para 1 l.)

- *1/2 l. de leche*
- *75 gr. de coco rallado*
- *210 gr. de azúcar*
- *6 yemas*
- *1/4 l. de nata líquida*

Preparación

1. Seguir las instrucciones del helado de vainilla (ver receta), pero añadiendo, al principio, a la leche el coco rallado.
2. Una vez la mezcla bien fría, cuajar en la sorbetera.

HELADO DE MIEL *

Ingredientes (para 1 l.)

- *1/2 l. de leche*
- *1 dl. de miel líquida muy perfumada*
- *150 gr. de azúcar*
- *6 yemas de huevo*
- *1/4 l. de nata líquida*

Preparación

1. Hervir la leche y la miel.
2. En un bol batir las yemas y el azúcar hasta obtener una crema blanca. Verter la mezcla de leche y miel hirviendo sobre las yemas, batiendo, y volver a poner al fuego calentando hasta que espese sin que llegue a hervir.
3. Añadir la nata líquida.
4. Enfriar completamente y cuajar en la sorbetera.

HELADO DE PRALINÉ *

Ingredientes (para 1 l.)

- *1/2 l. de leche*
- *170 gr. de azúcar*
- *6 yemas de huevo*
- *1/4 l. de nata líquida*
- *100 gr. de praliné*

Preparación

Seguir las instrucciones del helado de vainilla (ver receta), añadiendo el praliné una vez fría la crema. Batir enérgicamente y meter en la sorbetera.

BISCUITS HELADOS

La manera de confeccionar estos postres es distinta que en el caso de los helados, porque no se cuajan en la sorbetera, sino que se congelan pura y simplemente. La nata montada, las claras a punto de nieve y la yema de huevo impiden la formación de cristales de hielo. Los biscuits son muy fáciles y rápidos de hacer, se pueden dejar preparados con antelación y son muy ricos. También se pueden combinar sabores, poniendo capas sucesivas en el molde. Como se utilizan yemas crudas, no se deben conservar demasiado tiempo. Nunca se debe recongelar.

BISCUIT HELADO DE VAINILLA *

Ingredientes (para 1 l.)

- *4 huevos (claras y yemas separadas)*
- *1/4 l. de nata líquida*
- *una pizca de vainilla en polvo o una gotas de esencia de vainilla*
- *100 gr. de azúcar*

Preparación

1. Batir muy bien las yemas, el azúcar y la vainilla hasta obtener una crema blanca.
2. Montar las claras a punto de nieve.
3. Montar la nata.
4. Ir incorporando al batido de yemas, sucesivamente, las claras y

la nata. Mezclar todo y verter a un molde de biscuit o de cake. Dejar en el congelador unas horas, hasta que esté congelado del todo.

5. Pasar por agua templada y desmoldar.

NOTA: Se acompaña muy bien con coulis de frutas o salsa de chocolate (ver recetas correspondientes).

BISCUIT HELADO DE LIMÓN *

Ingredientes (para 1 l.)

- *4 huevos*
- *1/4 l. de crema chantilly (ver receta)*
- *zumo de 4 limones y ralladura de uno*
- *125 gr. de azúcar*

Preparación

1. Batir muy bien las yemas y el azúcar hasta obtener una crema blanca.
2. Hacer el zumo de los limones y la ralladura de uno.
3. Batir las claras a punto de nieve.
4. Batir la nata.
5. Ir incorporando al batido de yemas, sucesivamente, el zumo y la ralladura de limón, las claras y la nata. Mezclar todo y verter a un molde de biscuit o de cake. Dejar en el congelador unas horas hasta, que esté congelado del todo.
6. Pasar el molde por agua caliente y desmoldarlo. Decorar con crema chantilly.

BISCUIT HELADO DE FRAMBUESA *

Ingredientes (para 1 l.)

- *4 huevos*
- *1/4 l. de crema chantilly (ver receta)*
- *200 gr. de mermelada de frambuesas*

Preparación

1. Batir muy bien las yemas hasta obtener una crema blanca.
2. Batir las claras a punto de nieve.
3. Batir la nata.

4. Ir incorporando al batido de yemas, sucesivamente, la mermelada de frambuesas, las claras y la nata. Mezclar todo y verter a un molde de biscuit o de cake. Dejar en el congelador unas horas, hasta que esté congelado del todo.

5. Pasar el molde por agua caliente y desmoldarlo. Decorar con crema chantilly.

BISCUIT HELADO DE MANDARINAS **

Ingredientes (para 1 l.)

- *1/4 l. de zumo de mandarinas*
- *1/4 l. de crema chantilly sin azúcar (ver receta)*
- *8 dl. merengue italiano (ver receta)*
- *2 mandarinas para la decoración*
- *la corteza de una mandarina*
- *unas hojitas de menta fresca*
- *1 dl. de sirope de sorbetes (ver receta)*

Preparación

1. Extraer el zumo de las mandarinas.
2. Confeccionar un merengue italiano según receta. Dejar enfriar.
3. Montar la nata.
4. Mezclar el zumo de mandarinas con el merengue y la crema chantilly bien fría.
5. Verter en moldes individuales o en una tartera de porcelana redonda de bordes altos, cuyas paredes se habrán forrado con una tira de cartulina un poco más alta que el borde, y rellenarlo hasta arriba. Poner en el congelador.
6. Calentar hasta ebullición el sirope de sorbete, con la corteza de mandarina, y escaldar en él los gajos de las mandarinas para decoración, bien limpios de la piel algodonosa, y, a poder ser, de su cutícula o membrana.
7. Se presenta en los mismos moldes, quitando la cartulina para que sobresalga el helado. Decorarlo con gajos de mandarina confitados y las hojitas de menta picadas. Acompañar con el almíbar de cocer las mandarinas.

NOUGAT HELADO DE CHOCOLATE Y MIEL * *

Ingredientes (para 1 l.)

- *300 gr. de chocolate amargo*
- *100 gr. de pasas maceradas en ron*
- *6 yemas*
- *6 claras*
- *250 gr. de mantequilla*
- *100 gr. de nueces tostadas*
- *60 gr. de avellanas tostadas*
- *50 gr. de azúcar*

Crema de miel

- *2,5 dl. de crema inglesa (ver receta)*
- *3 cucharadas de miel*
- *2 dl. de nata ligeramente montada*

Preparación

1. Derretir el chocolate al microondas. Añadir la mantequilla batiendo, y las yemas de una en una y el azúcar.
2. Añadir los frutos secos tostados y picados muy finos y por último las claras montadas a punto de nieve. Mezclar todo bien y meter en un molde tipo cake al congelador.
3. Incorporar a la crema inglesa la miel, en caliente, y la nata en frío.

Presentación

Pasar el molde por agua fría para desmoldarlo, partirlo en porciones con un cuchillo caliente y presentarlo en platos individuales con la crema de miel alrededor.

SAVARINA HELADA DE CASTAÑAS Y CHOCOLATE * *

Ingredientes (para 1 l.)

- *150 gr. de chocolate amargo*
- *60 gr. de mantequilla*
- *150 gr. de azúcar glace*
- *1/2 dl. de ron*
- *300 gr. de puré de castañas dulce*
- *2 dl. de crema chantilly (ver receta)*
- *1/4 l. de nata líquida*

Preparación

1. Fundir el chocolate al baño María o microondas.

Añadir la mantequilla en trocitos y mezclar bien, añadir luego el azúcar glace, el puré de castañas y el ron. Mezclar bien. Enfriar totalmente.

2. Montar la nata sin azúcar e incorporarla a la preparación anterior.

3. Verter a un molde de kugelhoff y guardar 6 horas en la nevera.

Presentación

Poner el molde en el congelador una hora antes. Para desmoldarlo pasar un cuchillo alrededor del molde y sumergirlo un momento en agua caliente. Desmoldar en fuente redonda, decorándolo con marrón glacé y crema chantilly en el centro. Acompañar con crema inglesa (ver receta).

SOUFFLÉ HELADO DE FRESAS *

Ingredientes (para 1 l.)

- *400 gr. de fresas (se puede sustituir por frambuesas, piña, melocotón, etcétera)*
- *zumo de 1 limón*
- *1/2 l. de nata*
- *200 gr. de azúcar*
- *3 claras*

Preparación

1. Tapizar con papel sulfurizado un molde de soufflé, de manera que sobresalga 5 cm. del borde, sujetarlo con un cordel para que no se mueva.

2. Triturar las fresas, añadir el azúcar y el zumo de limón.

3. Montar las claras a punto de nieve. Montar la nata.

4. Mezclar estos ingredientes con el puré de fresas. Verter al molde y guardar en el congelador.

5. Dejar en el congelador unas 5 horas.

6. Una vez bien congelado, retirar el papel y decorarlo con unas fresas fileteadas. Servir en seguida.

SABAYONES HELADOS

Se ha explicado en la sección de cremas y rellenos en qué consisten los sabayones, es decir, batidos de yemas adicionados de licor o vino. Helados son riquísimos.

SABAYÓN HELADO AL OLOROSO CON SALSA DE MELÓN * *

Ingredientes (para 1 l.)

- *4 yemas de huevo*
- *1 dl. de oloroso tipo Cream o Pedro Ximénez*
- *125 gr. de azúcar*
- *1/4 l. de nata montada sin azúcar*

Salsa de melón

- *1/2 melón*
- *50 gr. de azúcar*

Preparación

1. Calentar hasta ebullición el oloroso con el azúcar, dejar hervir a fuego lento 10 minutos.
2. Simultáneamente, batir, con la batidora manual, las yemas al baño maría, hasta que se noten calientes al tacto.
3. Verter despacio el jarabe de oloroso, muy caliente, sobre las yemas y seguir batiendo hasta que se enfríe.
4. Una vez frío, añadir la nata montada sin azúcar.

5. Verter en aros individuales de 10 centímetros sobre papel sulfurizado si se quiere presentar en platos individuales, o en un molde redondo y guardar inmediatamente en el congelador.

Salsa de melón: Triturar el melón y el azúcar y servirlo en salsera.

SABAYÓN HELADO DE MENTA Y ENSALADA DE FRUTAS A LA HIERBALUISA * *

Ingredientes (para 1 l.)

- *100 gr. de azúcar*
- *1,5 dl. de infusión de menta (200 gr. de hierbabuena fresca, o 50 gr. de hierbabuena seca)*
- *4 yemas*
- *1/4 l. de crema chantilly (ver receta)*

Ensalada de frutas a la hierbaluisa

- *1 litro de infusión de hierbaluisa (50 gr. de hierbaluisa seca)*
- *fruta variada*

Preparación

1. Calentar hasta ebullición el azúcar con la infusión de menta. Dejar hervir unos minutos.
2. Batir las yemas con las varillas 10 minutos, hasta que doblen su volumen, al baño María. Verter el almíbar hirviendo y seguir batiendo hasta que esté frío (se puede trasladar el sabayón a la batidora fija).
3. Una vez frío, añadir la crema chantilly y, si se quiere, agregar unas gotas de colorante verde.
4. Verter en moldes individuales o en molde de cake, congelar.

Preparación de la ensalada de frutas

En un litro de agua hacemos una infusión de verbena o hierbaluisa. Dejarla enfriar completamente y verterla en un bol en que habremos puesto previamente las frutas troceadas. Guardar en la nevera.

Presentación

Sobre platos fríos, desmoldar el sabayón individual o una porción, y se rodea con la ensalada de frutas. Decorar con hojas de menta.

SORBETES

Los sorbetes fueron los primeros helados, como se ha recordado más arriba. Presentan la ventaja frente a los helados de crema de que son más digestivos, al componerse únicamente de azúcar y fruta o infusiones, con o sin claras de huevo. Por eso son muy populares. Para elaborarlos se pueden utilizar toda clase de zumos o purés de frutas, utilizando las que estén más maduras y fragantes, según la estación. Además son más estables y se conservan mejor que los helados y los biscuits. Los sorbetes no necesitan reposar después de cuajados; recientes es como están más ligeros.

Para la elaboración del sorbete se utiliza un almíbar con una proporción específica de azúcar. Recordemos la receta:

SIROPE DE SORBETES *

Ingredientes (para 1 l.)

- *1 kg. de azúcar*
- *1 l. de agua*

Preparación

1. Calentar hasta ebullición los ingredientes, removiendo para disolver completamente el azúcar.

Dejar hervir un minuto.

2. Dejar enfriar. **Sólo se utiliza en frío.** Se conserva quince días en frío.

NOTA: Este sirope sirve de base para todos los sorbetes.

SORBETE DE FRAMBUESAS *

Ingredientes (para 1 l.)

- *1/2 kg. de pulpa de frambuesas trituradas y pasadas por el tamiz*
- *1/2 l. de sirope de sorbete (ver receta)*
- *zumo de 1/2 limón*

Preparación

1. Triturar y pasar la pulpa por el tamiz.
2. Añadir el almíbar y zumo de limón.
3. Cuajar en la sorbetera.

NOTA: Si se ha conservado en el congelador, sacarlo un poco antes de tomarlo, para que no esté muy duro. Servirlo acompañado de unas tejas (ver receta de *Tejas de almendras*).

SORBETE DE LIMÓN *

Ingredientes (para 1 l.)

- *3 dl. de zumo de limón*
- *1/2 l. de sirope de sorbete (ver receta)*
- *2 claras ligeramente batidas*

Preparación

1. Hacer el zumo de limón.
2. Añadir el almíbar y las claras.
3. Cuajar en la sorbetera.

NOTA: Si se ha conservado en el congelador, sacarlo un poco antes de tomarlo, para que no esté muy duro. Servirlo acompañado de unas tejas (ver receta de *Tejas de almendras*).

SORBETE DE MELÓN *

Ingredientes (para 1 l.)

- *1/2 kg. de pulpa de melón*
- *3 dl. de sirope de sorbete (ver receta)*
- *2 cucharadas de vermouth blanco seco*
- *2 dl. de nata*

Preparación

1. Extraer la pulpa al melón y triturar.
2. Añadir el almíbar y el vermouth.
3. Añadir la nata y ponerlo en la sorbetera.

NOTA: Si se ha conservado en el congelador, sacarlo un poco antes de tomarlo, para que no esté muy duro. Servirlo acompañado de unas tejas (ver receta de *Tejas de almendras*).

SORBETE DE APIO *

Ingredientes (para 1 l.)

- *1 kg. de apio*
- *300 gr. de azúcar*
- *3 limones*

Preparación

1. Lavar el apio y partirlo en trozos pequeños.
2. Hervir aparte 1 litro de agua con el azúcar. Cuando hierva, añadir el apio y dar un hervor. Dejar dentro del agua media hora.
3. Triturar y pasar por el chino.
4. Añadir el zumo de los limones y dejar enfriar.
5. Poner la mezcla en la sorbetera.

NOTA: Servir antes del plato principal en copitas. Se puede añadir un poco de vodka.

SORBETE AL CAVA *

Ingredientes (para 1 l.)

- *1/2 l. de cava seco*
- *1/2 l. de sirope de sorbetes (ver receta)*
- *jugo de 1 limón*
- *1 clara de huevo*

Preparación

1. En un bol poner el sirope y verter el cava. Remover y añadir el zumo de limón y la clara un poco batida con un tenedor.
2. Cuajar en la sorbetera.

Presentación

Servir en copas que se habrán enfriado antes y decorándolo con unas fresitas del bosque, dependiendo de la estación.

SORBETE DE CACAO Y MENTA *

Ingredientes (para 1 l.)

- *1/2 l. de agua*
- *1/2 l. de sirope de sorbetes (ver receta)*
- *100 gr. de cacao en polvo*
- *0,75 dl. de peppermint*

Preparación

1. Mezclar el sirope caliente con el cacao en polvo para que se disuelva bien. Dejar enfriar e incorporar el agua y el peppermint.
2. Cuajar en la sorbetera.

NOTA: Se puede acompañar de una salsa de chocolate hecha con leche, azúcar y cacao (ver receta).

SORBETE DE HIGOS Y OLOROSO *

Ingredientes (para 1 l.)

- *750 gr. de higos maduros*
- *100 gr. de azúcar*
- *2,5 dl. de oloroso*
- *zumo de 1/2 limón*
- *12 hojas de menta (facultativo)*

Preparación

1. Pelar los higos.
2. En un cazo poner el azúcar, el oloroso y los higos. Dejar cocer. Cuando rompa el hervor, bajar el fuego y dejarlo cocer muy suavemente durante 5 minutos. Dejar enfriar.

3. Una vez fría, triturar toda la mezcla y añadir el zumo de limón. Pasar por el chino.
4. Poner en la sorbetera.

Presentación

Presentarlo en copas individuales, decorado con unas hojitas de menta y unas rajitas de higos. Se puede acompañar de un sorbete de albaricoques.

SORBETE DE TÉ *

Ingredientes (para 1 l.)

- *1 l. de agua*
- *15 gr. de té de Ceilán (10 gr. de «Orange Pekoe» y 5 gr. de «Lapsang Sou-Chong»)*
- *160 gr. de azúcar*

Preparación

1. Calentar hasta ebullición el agua y añadir los dos tés mezclados y el azúcar. Remover y dejar enfriar.
2. Cuajar en la sorbetera.

Presentación

Servir en platos fríos, poniendo una bolita en el centro y decorando con limones y hojitas de té y menta.

FRUTAS DE SARTÉN

No puedo dejar de usar esta expresión clásica para referirme al capítulo de las masas fritas. Hasta la popularización de la cocina económica, a primeros de este siglo, en los hogares españoles no había horno (en los pueblos no había más que un horno, el del panadero, y los días en que se asaba un cordero o un lechón eran tan contados que no había problemas para llevarlos al único horno disponible). En cambio, en todas las casas había sartenes y aceite, y el postre de dulce lógico era el frito. Como el postre normal era la fruta, se denominó fruta de sartén, expresión que me encanta, al postre de fritos.

Las masas fritas son típicas de países con tradición de aceite, que hasta época muy moderna no pudo ser más que de oliva, puesto que los demás aceites que conocemos hoy día son refinados y no se inventaron hasta el siglo XIX. El motivo es que los fritos hechos con manteca o sebo, incluso mantequilla, son indigestos y mucho menos agradables. Sin embargo, para que el frito sea bueno es fundamental que el aceite esté fresco, porque el aceite refrito es aún peor que la grasa.

El aceite de oliva da a los fritos no sólo ligereza, sino también un sabor característico, tan nuestro. Por eso creo que debe usarse un aceite de oliva, a poder ser virgen, muy fino, o mezcla de virgen y refinado.

TORRIJAS * *

Ingredientes (para 8 personas)

- *1 litro de leche*
- *150 gr. de azúcar*
- *canela en rama*
- *1 barra de pan de miga prieta de la víspera (salen unas 20 a 22 rebanadas de 1,5 cm.)*
- *aceite para freír*
- *4 huevos para rebozar*
- *azúcar para espolvorear*

Preparación

1. Partir el pan en rebanadas de 1,5 centímetros y extender éstas sobre una fuente.
2. Calentar hasta ebullición la leche con el azúcar y la canela. Dejar que hierva. Cuando esté hirviendo, verter sobre los panes, que deberán absorber toda la leche. Dejar enfriar.
3. Poner aceite en una sartén. Cuando esté caliente, ir cogiendo las rebanadas de pan, rebozarlas en huevo batido y freír hasta que tengan un bonito color dorado.
4. Pasarlas a una fuente con papel absorbente y luego a la fuente de servir. Espolvorear de azúcar.

Se toman calientes o templadas. Se pueden acompañar de un almíbar ligero o miel.

BUÑUELOS DE VIENTO * *

Ingredientes (para 8 personas)

- *2,5 dl. de agua*
- *sal, canela y corteza de limón*
- *50 gr. de mantequilla*
- *125 gr. de harina*
- *1/2 dl. de brandy*
- *4 huevos*
- *una yema*
- *1/2 l. de crema pastelera (ver receta)*
- *azúcar glace para espolvorear*
- *aceite de oliva para freír*

Preparación

1. Calentar hasta ebullición el agua, sal, la mantequilla, corteza de limón y canela. En cuanto hierva, retirar la canela y el limón y agregar la harina de golpe. Trabajar con la cuchara de palo bien sobre

el fuego, hasta que la masa se despegue de las paredes del cazo, e incorporar el brandy.

2. Poner la masa en la máquina, con el gancho de amasar, y añadir los huevos uno a uno y la yema. Trabajar bien.

3. Calentar el aceite en una sartén ancha y profunda hasta que esté bien caliente, sin echar humo, e ir friendo la masa, a cucharadas, que se hinchan y doblan de tamaño. Una vez fritos, se van dejando sobre un papel absorbente.

4. Cuando estén fríos se rellenan con la crema pastelera y se sirven espolvoreando azúcar glace.

BUÑUELOS DE FRUTAS * *

Ingredientes (para 8 personas)

- *frutas (manzanas, plátanos, fresas, etcétera)*
- *125 gr. de harina*
- *1 huevo*
- *2 dl. de leche*
- *una pizca de sal*
- *1,5 cucharadita de polvo royal*
- *aceite para freír*
- *azúcar glace para espolvorear*

Preparación

1. Mezclar en un bol la harina, sal y la levadura en polvo, y pasar todo por el tamiz.

2. Batir el huevo, mezclar con la leche y añadir poco a poco la harina hasta obtener una crema.

3. Pasar las frutas fileteadas por esta mezcla y freír en abundante aceite caliente. Espolvorear de azúcar glace.

NOTA: Servir en seguida, acompañado de un coulis de frutas frescas (ver receta).

CANUTILLOS (De mi amiga Clara M.ª Llamas) * *

Ingredientes (para 8 personas)

- *1/4 l. de aceite de oliva*
- *1/4 l. de moscatel*
- *la harina que admita*
- *una pizca de sal*
- *50 gr. de azúcar*
- *1/2 l. de crema pastelera (ver receta)*
- *azúcar glace para espolvorear*

Preparación

1. Poner en un bol amplio el aceite de oliva y el moscatel, sal y azúcar. Incorporar la harina poco a poco, amasando hasta obtener una masa que no se pegue a las manos. Dejar reposar 20 minutos.

2. Hacer la crema pastelera.

3. Estirar la masa sobre una mesa enharinada lo más fina posible y cortar en tiras largas de 2 centímetros de ancho.

4. Enrollar en espiral los moldes de canutillos y freírlos en abundante aceite caliente. Irlos dejando sobre papel absorbente hasta que estén fríos. La masa no deberá llegar a la abertura del molde, para poder sacar los canutillos con facilidad.

5. Rellenarlos con la crema y espolvorear con azúcar glace.

NOTA: Los canutillos, una vez fritos, se pueden guardar de un día para otro, pero sin rellenar, guardados en una caja hermética. Antes de servir conviene templarlos en el horno.

BARTOLILLOS * *

Ingredientes (para 8 personas)

- *250 gr. de harina*
- *1/2 dl. de aceite frito y frío*
- *1/2 dl. de vino blanco*
- *1/2 cucharadita de sal*
- *una pizca de canela en polvo*
- *1/2 l. de crema pastelera aromatizada con canela y ralladura de limón*
- *1/2 l. de aceite de oliva para freír*
- *azúcar glace para espolvorear*

Preparación

1. En un bol mezclar el aceite con el vino blanco y añadir la harina, la canela y la sal. Amasar hasta formar una masa que no se pegue a las manos. Hacer una bola. Dejar reposar una hora.

2. Hacer la crema pastelera y dejar enfriar.

3. Estirar la masa en forma alargada, hasta que quede muy fina. Cortarla en círculos con un cortapastas redondo de 8 centímetros. Rellenar con la crema pastelera y doblar apretando los bordes con un tenedor formando una empanadilla.

4. Freír en abundante aceite hirviendo. Dejarlos hasta que estén dorados. Espolvorear de azúcar glace.

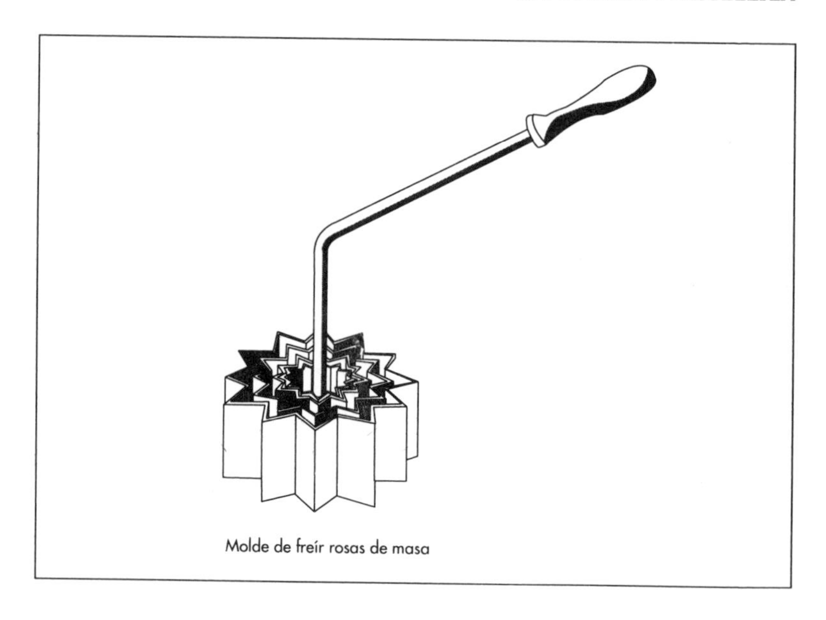

Molde de freír rosas de masa

CHURROS * *

Ingredientes (para 8 personas)

- *1/2 litro de agua*
- *una pizca de azúcar*
- *sal*
- *50 gr. de mantequilla o aceite*
- *500 gr. de harina*
- *2 huevos*
- *azúcar para espolvorear*

Preparación

1. Calentar hasta ebullición el agua con una pizca de azúcar con la sal, azúcar y mantequilla o aceite.
2. Cuando rompa el hervor añadir de golpe la harina y revolver 2 minutos al fuego.
3. Fuera de éste y con el gancho de amasar incorporar los dos huevos uno a uno, mezclando un poco hasta que quede una masa fina.
4. Una vez la masa en su punto, se pone en la churrera y se fríen los churros en abundante aceite bien caliente. Servir enseguida, espolvoreando de azúcar por encima.

ROSAS FRITAS *

Ingredientes (para 8 personas)

- *6 huevos*
- *500 gr. de harina*
- *2 dl. de agua*
- *aceite para freír*
- *azúcar para espolvorear*
- *1 c. s. de agua de azahar*

Preparación

1. Batir los huevos, incorporar el agua y añadir la harina de golpe. Mezclar bien hasta obtener un batido sin grumos.
2. Calentar el aceite en una sartén honda. Cuando esté caliente, sumergir en la sartén la plancha de freír rosas. Cuando esté muy caliente, escurrirlo e introducirlo en la masa sin llegar a cubrir. Volver a meterlo en el aceite hasta que la masa en forma de flor se desprenda del molde. Seguir así hasta terminar la masa.
3. Poner las rosas sobre una rejilla hasta que se enfríen.
4. Servir bien escurridas y espolvoreadas de azúcar.

ROSQUILLAS *

Ingredientes (para 8 personas)

- *2 huevos*
- *200 gr. de azúcar*
- *1,5 dl. de leche*
- *1,5 dl. de aceite frito y frío*
- *600 gr. de harina*
- *1 cucharadita de polvo royal*
- *ralladura de un limón*
- *1 cucharada sopera de anís (facultativo)*
- *aceite para freír*

Preparación

1. Disolver la levadura en la leche y reservar.
2. Batir las yemas con el azúcar, la ralladura de limón y el anís, añadir el aceite y la leche con la levadura. Mezclar bien.
3. Añadir las claras a punto de nieve. Mezclar y añadir por último la harina, amasando hasta que la masa no se pegue a las manos.
4. Formar rosquillas y freír en aceite caliente.
5. Una vez se vayan friendo, irlas dejando sobre un papel de manos.

QUESO DE CAMEMBERT FRITO *

Ingredientes (para 8 personas)

- *2 quesos Camembert*
- *50 gr. de almendras*
- *3 cucharadas de harina*
- *2 huevos*
- *pan rallado*

Preparación

1. Cortar cada queso en seis trozos.
2. Tostar las almendras, dejarlas enfriar y triturarlas hasta que queden tan finas como el pan rallado.
3. Batir los huevos y mezclar las almendras con el pan rallado.
4. Rebozar las porciones de queso en harina, luego pasarlas por huevo y por último por el pan rallado mezclado con la almendra.
5. Freír en abundante aceite caliente y dejar hasta que queden bien dorados.

NOTA: Servir caliente, acompañado de una salsa de frambuesas o mermelada de fresa.

POSTRES DE CHOCOLATE Y DE CAFÉ

MOUSSE DE CHOCOLATE *

Ingredientes (para 8 personas)

- *250 gr. de chocolate amargo*
- *125 gr. de mantequilla*
- *5 yemas*
- *125 gr. de azúcar*
- *5 claras*
- *3 dl. de nata montada sin azúcar*
- *100 gr. de almendras glaseadas*

Preparación

1. Partir el chocolate en trozos y ponerlo a fundir en el microondas o baño maría, añadir la mantequilla en pomada y mezclar bien.
2. Batir las yemas y el azúcar 4 minutos en la batidora hasta obtener una crema blanca.
3. Montar las claras a punto de nieve, y la nata.
4. Mezclar todos los ingredientes, verter en un bol y guardar en la nevera.

Presentación

En el momento de servir, espolvorear de almendras por encima.

NOTA: Esta mousse es muy apropiada también para rellenar bizcochos, brazos de gitano, genovesas, paris-brest, petits choux, tarteletas, etc.

MOUSSE DE CHOCOLATE Y CAFÉ *

Ingredientes (para 8 personas)

- *175 gr. de chocolate amargo*
- *4 claras de huevo*
- *5 yemas de huevo*
- *3 dl. de crema chantilly (ver receta)*
- *1 cucharadita de café instantáneo (se puede variar al gusto)*
- *15 gr. de azúcar*

Preparación

1. Partir el chocolate en trozos y fundirlo en el microondas.
2. Montar las claras a punto de nieve.
3. Montar la nata y añadir el café instantáneo.
4. Poner en la batidora las yemas de huevo y el azúcar y batir hasta que la mezcla quede completamente blanca (5 minutos). Añadir el chocolate y mezclar con las claras. Mezclar toda la preparación con cuidado con la crema chantilly.
5. Conservar en la nevera.

FLAN DE CHOCOLATE *

Ingredientes (para 8 personas)

- *3/4 l. de leche*
- *150 gr. de azúcar*
- *6 yemas*
- *4 huevos*
- *75 gr. de chocolate amargo*
- *una rama de vainilla*

CARAMELO

- *75 gr. de azúcar*
- *agua*

Preparación

1. Calentar la flanera al fuego con el azúcar y el agua hasta que se haga caramelo. Caramelizar la flanera por todas partes.
2. Calentar hasta ebullición la leche con el azúcar y el chocolate.
3. En un bol batir los huevos y las yemas. Añadir la leche caliente, revolviendo para que no se cuajen las yemas, colar y verterlo a la flanera. Tapar con papel de plata.
4. Colocar un perol de agua caliente, y dentro la flanera (el agua debe llegar a la mitad de la flanera) y cocer a horno precalentado a

180° durante 50 minutos. Antes de sacarlo, comprobar la cocción con la aguja, que deberá salir limpia.

5. Dejar enfriar. Para desmoldar pasar un cuchillo alrededor y dar la vuelta a la flanera colocándolo sobre una bandeja. Se puede adornar de nata.

FLAN DE CAFÉ *

Ingredientes (para 8 personas)

- *3/4 l. de leche*
- *175 gr. de azúcar*
- *2 cucharadas de café instantáneo (dependiendo del gusto de cada uno)*
- *6 yemas de huevo*
- *2 huevos*
- *una rama de vainilla*

Preparación

1. Calentar la flanera al fuego con el azúcar y el agua hasta que se haga caramelo. Caramelizar la flanera por todas partes.

2. Calentar hasta ebullición la leche con el azúcar y el café instantáneo.

3. En un bol, batir los huevos y las yemas. Añadir la leche caliente, revolviendo para que no se cuajen las yemas, colar y verterlo a la flanera. Tapar con papel de plata.

4. Colocar un perol de agua caliente, y dentro la flanera (el agua debe llegar a la mitad de la flanera) y cocer a horno precalentado a 180° durante 50 minutos. Antes de sacarlo, comprobar la cocción con la aguja, que deberá salir limpia.

5. Dejar enfriar. Para desmoldar pasar un cuchillo alrededor y dar la vuelta a la flanera colocándolo sobre una bandeja. Se puede adornar de nata.

MARQUESA DE CHOCOLATE CON SALSA DE GRANOS DE CAFÉ * *

Ingredientes (para 8 personas)

- *un bizcocho de brazo de gitano sin arrollar (ver receta de* Brazo de gitano base*)*
- *165 gr. de cacao amargo*
- *1/2 l. de nata montada sin azúcar*

- *160 gr. de chocolate*
- *7 yemas de huevo*
- *250 gr. de azúcar*
- *300 gr. de mantequilla*
- *1/2 l. de crema inglesa (ver receta)*
- *unos granos de café bien triturados*

Preparación

1. Hacer un bizcocho como para el brazo de gitano, sin arrollar.
2. Deshacer el chocolate al baño María o microondas, e incorporarle la mantequilla mezclando con las varillas.
3. Batir en la batidora muy bien las yemas con el azúcar hasta que esté bien cremoso. Agregar el cacao y el chocolate. Con las varillas, agregar la nata montada, mezclando sin batir, con cuidado.
4. Cortar la plancha de bizcocho a la longitud de un molde tipo cake, de no más de 30 centímetros de largo; tapizar el molde con el bizcocho. Rellenarlo con la crema de chocolate, tapar doblando el bizcocho. Debe quedar la crema totalmente envuelta, y la parte superior completamente plana. Meterlo a la nevera unas horas. Desmoldar.

4\. *Crema inglesa de café:* Hacer una crema inglesa (ver receta) pero añadiendo a la leche, antes de cocer, una cucharada de café muy triturado. No hace falta colar, el café triturado le da gracia.

Presentación

Cortar en rebanadas de 1,5 centímetros, presentar emplatado, bañando el plato con la crema de café y adornando con unas fresas fileteadas.

MUSELINA DE CHOCOLATE * *

Ingredientes (para 8 personas)

- *400 gr. de chocolate amargo*
- *4 dl. de nata líquida*
- *4 dl. de nata montada sin azúcar*
- *50 gr. de cacao amargo*

Preparación

1. Deshacer el chocolate con la nata líquida al baño María o en microondas. Colar. Hacer enfriar.
2. Montar el resto de la nata bien fría sin azúcar e incorporarla al chocolate frío removiendo con una espátula hasta que se mezcle bien.
3. Extender papel de aluminio sobre una placa de horno. Colocar

encima un aro de repostería de 24 centímetros de diámetro y una altura de 3 centímetros. Se vierte la mezcla, alisándola con una espátula, y se guarda dos horas en la nevera.

4. Cuando esté bien frío, se retira el papel de aluminio, y se desmolda sobre fuente redonda. Justo antes de servir, se espolvorea con cacao amargo.

NOTA: Aparte se acompaña de crema inglesa o de salsa de chocolate o las dos cosas (ver recetas correspondiente).

MUSELINA A LOS DOS CHOCOLATES * *

Ingredientes (para 8 personas)

- *200 gr. de chocolate amargo*
- *200 gr. de chocolate blanco*
- *4 dl. de nata líquida*
- *4 dl. de nata montada sin azúcar*
- *1 plancha de bizcocho brazo de gitano sin enrollar, de 4 huevos (ver receta de* Brazo de gitano base)
- *naranjas confitadas y hojitas de menta para decorar*
- *3 dl. de crema inglesa (ver receta) a la que se le añadirá naranja confitada*

Preparación

1. Confeccionar el bizcocho y reservar cubierto con un trapo.
2. Fundir el chocolate amargo en el microondas con 2 dl. de nata líquida; dejar enfriar a temperatura ambiente.
3. Fundir el chocolate blanco en el microondas con 2 dl. de nata líquida y dejar enfriar a temperatura ambiente.
4. Montar la nata sin azúcar. Dividir en dos y mezclar cada parte con los chocolates disueltos en la nata y en frío.
5. Poner la placa de bizcocho sobre una placa plana sin bordes. Colocar encima un aro de pastelería de 20 centímetros de diámetro sobre la placa de bizcocho, recortar el bizcocho haciendo presión sobre el aro. Rellenar el fondo con la crema de chocolate negro y encima la crema de chocolate blanco. Igualar bien la superficie. Guardar unas horas en la nevera. Recortar el bizcocho.

Presentación

Pasar un trapo humedecido en agua caliente por las paredes del aro y levantarlo con cuidado. Decorar con las hojitas de menta y la naranja confitada en el centro. Si se quiere, alrededor del bizcocho se decora con una orla de nata montada, ayudándose de la manga pastelera y boquilla rizada.

Servir acompañado de la crema inglesa a la naranja.

TARTA DE CHOCOLATE (de mi amiga Isabel Caro) *

Ingredientes (para 8 personas)

- *250 gr. de chocolate amargo*
- *250 gr. de mantequilla*
- *200 gr. de azúcar*
- *4 huevos*
- *2 yemas*
- *80 gr. de harina*
- *80 gr. de harina el molde*

Preparación

1. Preparar un molde redondo de 25 centímetros, pintándolo de mantequilla, recubriendo el fondo de papel de aluminio, y pintando también éste de mantequilla.
2. Deshacer el chocolate al baño María o en microondas. Añadir la mantequilla templada y unir bien.
3. En un bol batir, hasta obtener una crema blanca, los huevos y las yemas con el azúcar. Añadir la harina.
4. Mezclar el chocolate con la crema de los huevos y poner en el molde al baño María.
5. Cocer a horno precalentado a 180° durante 30 minutos, debe quedar blanda por el centro, y manchar la aguja.
6. Dejar enfriar en el molde.
7. Desmoldar pasando un cuchillo alrededor y adornar con crema chantilly (ver receta).

Se puede bañar de glaseado de chocolate.

TARTA DE CHOCOLATE *

Ingredientes (para 8 personas)
- *135 gr. de azúcar*
- *95 gr. de mantequilla*
- *45 gr. de harina*
- *100 gr. de chocolate*
- *3 huevos*
- *100 gr. de chocolate fundido con un poco de leche*

Preparación

1. Mezclar el azúcar y la harina. Incorporar poco a poco los huevos de uno en uno. Añadir por último el chocolate fundido con la mantequilla.

2. Cocer 15 minutos a horno fuerte. Sacar del fuego y dejar enfriar.

3. Cubrir con los 100 gramos de chocolate diluidos en un poco de leche.

CRÊPES Y TORTITAS

CRÊPES * * (Receta base)

Ingredientes (para 8 personas)

- *4 huevos*
- *5,5 dl. de leche*
- *75 gr. de mantequilla fundida*
- *una pizca de sal*
- *250 gr. de harina*
- *50 gr. de azúcar*
- *1/2 dl. de ron*
- *ralladura de una naranja*
- *mantequilla para freír*

Preparación

1. Calentar la mantequilla hasta obtener un color avellana.
2. Batir la harina, azúcar, huevos, ron, ralladura de naranja, la mantequilla avellana y la leche. Batir bien (esta operación se realiza muy bien con la trituradora, fija o manual).
3. Poner una sartén antiadherente de 12 centímetros de diámetro al fuego, con una bolita de mantequilla. Verter 50 gramos (como media taza de café) de masa de crêpes y mover la sartén para que se esparza bien la masa y se forme el crêpe. Darle la vuelta y cuajarlo perfectamente. Dejando sobre un plato uno sobre otro.

NOTA: En el frigorífico se pueden conservar 2 ó 3 días. Se congelan sin problema.

Se pueden tomar espolvoreados de azúcar glace y acompañados de mermelada de albaricoque o jalea de manzanas, o con cualquiera de los acompañamientos que se indican a continuación.

CRÊPES SUZETTE * *

Ingredientes (para 8 personas)

- *1 ración de masa de crêpes (ver receta de* Crêpes)
- *1 cucharada de Grand Marnier*
- *2 naranjas salsa Suzette (ver receta de* Salsa de naranja Suzelte)

Preparación

1. Hacer los crêpes según la receta.
2. Preparar la salsa Suzette, según receta.
3. Pelar a lo vivo y cortar en rodajas las naranjas. Rellenar los crêpes y servirlos con la salsa en caliente.

CRÊPES DE MANZANAS Y SABAYÓN AL CALVADOS * *

Ingredientes (para 8 personas)

- *1 ración de crêpes (ver receta)*
- *6 reinetas*
- *100 gr. de mantequilla*
- *125 gr. de azúcar*
- *1/2 dl. de calvados*

SABAYÓN AL CALVADOS

- *100 gr. de azúcar*
- *1 dl. de agua*
- *4 yemas*
- *1/2 dl. de calvados*

Preparación

1. Confeccionar los crêpes según la receta.
2. Pelar las manzanas y partirlas en dados.
3. Calentar el azúcar y la mantequilla juntos. Cuando tome color, añadir los dados de manzanas y dejar cocer 5 minutos. Añadir la vainilla.
4. Rellenar los crêpes con las manzanas y colocarlos en una fuente de horno. Espolvorear con 50 gramos de azúcar y trocitos de mantequilla y las almendras.
5. Poner a horno precalentado a 200° durante 10 minutos. Servir templados acompañados de un sabayón al calvados.

Preparación del Sabayón al calvados

1. Confeccionar con el azúcar y el agua un sirope de sorbete (ver receta). Agregar, fuera del fuego, el calvados.
2. Batir las yemas con las varillas diez minutos hasta que doblen su volumen, al baño María. Verter el jarabe de calvados en chorrito y seguir batiendo. Trasladar el sabayón a la batidora fija y seguir batiendo hasta que esté frío.

NOTA: El sabayón se puede sustituir por una crema inglesa (ver receta) con una copita de calvados.

CRÊPES CARAMELIZADOS DE PIÑA * *

Ingredientes (para 8 personas)

- *16 crêpes*
- *1/2 l. de crema pastelera (ver receta)*
- *1 cucharada de Grand Marnier*
- *azúcar glace*
- *1/2 piña*

Preparación

1. Confeccionar los crêpes y reservarlos.
2. Pelar la piña, cortarla a lo largo en cuatro, eliminar la parte dura y trinchar en rebanadas muy finas. Dejar macerar con el azúcar en la nevera, escurrir y reservar el jugo.
3. Confeccionar la crema pastelera. Agregarle el jugo de la piña reservado y el Grand Marnier.
4. Rellenar los crêpes con la piña y la crema pastelera, colocarlos en la placa de horno, espolvorear de azúcar glace y caramelizar el azúcar en el grill. Servir templado.

TORTITAS CON NATA *

Ingredientes (para 8 personas)

- *1 huevo*
- *1/4 l. de leche*
- *unas gotas de limón*
- *1/4 kg. de harina*
- *1/2 cucharadita de bicarbonato*
- *25 gr. de azúcar (1 cucharada)*
- *1 cucharadita de polvo royal*
- *una pizca de sal*
- *50 gr. de mantequilla derretida*
- *mantequilla para untar la sartén*

Preparación

1. Batir todos los ingredientes en la batidora.
2. Untar de mantequilla la sartén. Cuando esté caliente, ir echando la masa en cantidad suficiente para formar las tortitas del tamaño que se deseen.
3. Servirlas en seguida acompañadas de crema chantilly y una jarrita de chocolate y otra de caramelo líquido.

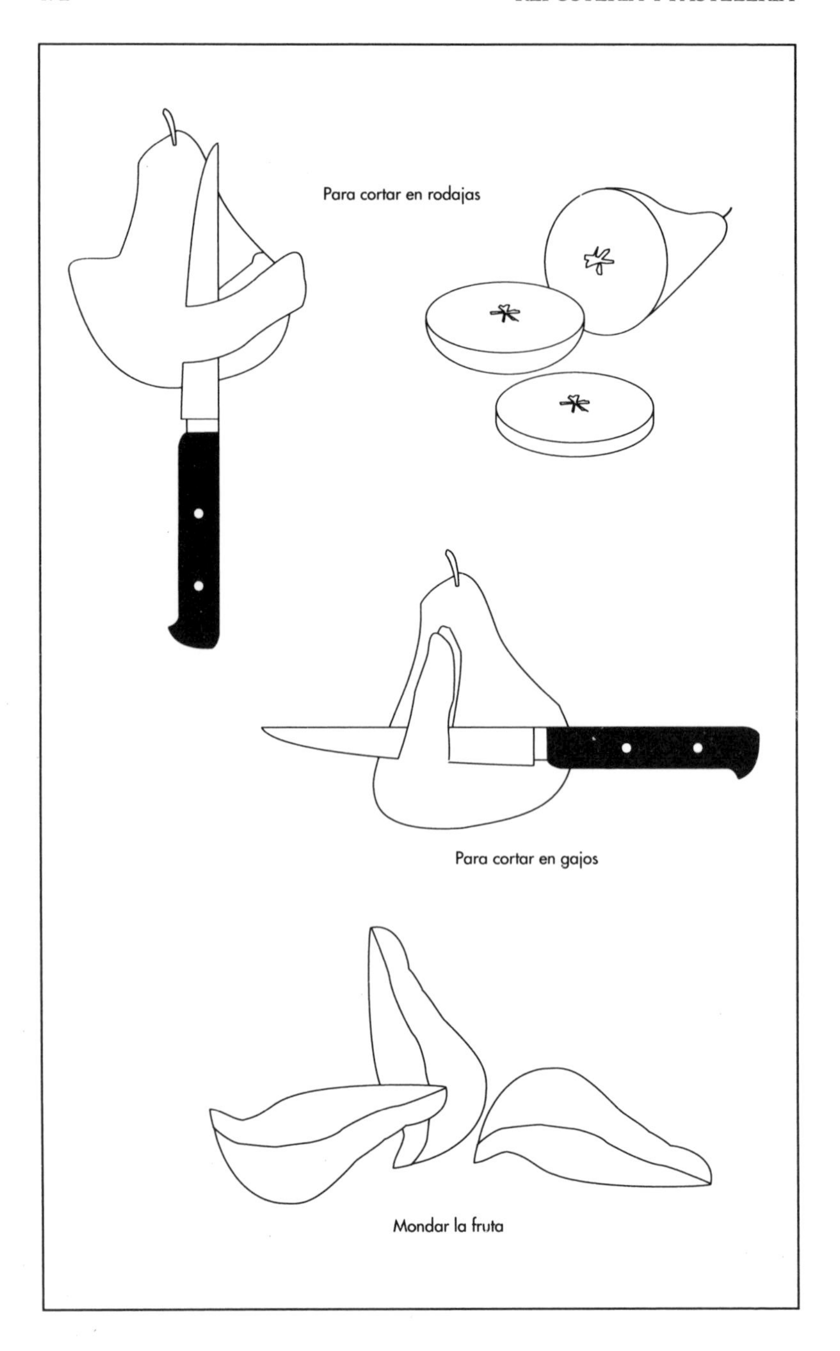
Para cortar en rodajas
Para cortar en gajos
Mondar la fruta

FRUTAS FRESCAS, POSTRES DE FRUTAS Y COMPOTAS

FRUTAS MACERADAS CON QUESO *

Ingredientes (para 8 personas)

- *250 gr. en ocho raciones de queso gallego de tetilla*
- *250 gr. en ocho raciones de queso torta de Gredos o cualquier otro queso cremoso fermentado, como Camembert, Brie, etc.*
- *4 peras cocidas en vino tinto con canela, fileteadas*
- *1 racimo de uvas maceradas en sirope al brandy*
- *2 melocotones macerados en vino blanco tipo Diamante, partidos en cuartos*
- *2 manzanas maceradas en sirope al brandy*

SIROPE AL BRANDY

- *2 dl. de agua*
- *200 gr. de azúcar*
- *1 copita de brandy*

Preparación

1. Mondar las peras y cocerlas en 3/4 litros de vino tinto con 100 gramos de azúcar y una ramita de canela.

2. Mondar el resto de las frutas, filetear las manzanas y los melocotones y poner a macerar separadamente dos horas en un sirope al brandy.

Fresas y peras cocidas cortadas en abanico

Presentación

En platos individuales colocar una ración de cada tipo de queso y repartir las frutas, decorándolo con arte.

FRESAS AL CAVA *

Ingredientes (para 8 personas)

- *1kg. de fresas*
- *el zumo de 4 naranjas*
- *100 gr. de azúcar*
- *1/2 dl. de licor de naranja*
- *1/4 l. de cava*
- *10 hojas de menta picadas*

Preparación

1. Mezclar el zumo de naranja, azúcar y licor de naranja.
2. Limpiar las fresas, lavarlas y partirlas por la mitad. Añadir a la preparación anterior, así como la menta fresca picada.
3. Guardar unas horas en la nevera.
4. En el momento de servir, añadir el cava bien frío.

Servir acompañado de unas tejas (ver receta de *Tejas de almendras).*

NARANJAS CON SALSA DE NARANJAS CONFITADAS *

Ingredientes (para 8 personas)

- *8 naranjas*
- *1/4 kg. de azúcar*
- *granadina*
- *2 dl. de agua*

Preparación

1. Separar la corteza de las naranjas y cortarla en juliana fina.
2. Cocer 5 minutos la juliana con el azúcar, agua y la granadina.
3. Pelar las naranjas a lo vivo y sacar los gajos.
4. Disponerlas en platos individuales o en compotera, con el sirope y la juliana de naranjas. Se pueden añadir unos pistachos u hojitas de menta. Servir frío, pero no helado.

Jardín tropical

JARDÍN TROPICAL *

Ingredientes (para 8 personas)

- *1 piña natural bien madura, que tenga las hojas bien verdes*
- *2 kiwis*
- *1/2 kg. de fresas*
- *1/2 kg. de frambuesas*
- *1/4 kg. de cerezas*
- *100 gr. de azúcar*
- *1/2 l. de nata ligeramente batida y azucarada*

Preparación

1. Cortar la piña como se indica en el dibujo, formando una palmerita. Pelar y filetear la pulpa. Dejar macerar con el azúcar.
2. Filetear los kiwis, lavar y limpiar las fresas.
3. Disponer el arbolito en el centro de una fuente redonda. Poner alrededor la piña fileteada, adornar con las fresas, las frambuesas y los kiwis, colgar de las hojas del arbolito las cerezas, como si fuesen sus frutos.
4. Presentar con la nata en salsera.

NARANJAS SOUFFLÉS * *

Ingredientes (para 8 personas)

- *8 naranjas*
- *150 gr. de azúcar*
- *4 huevos separadas claras y yemas*
- *ralladura de naranja confitada*

Preparación

1. Hacer un corte a la naranja en la zona superior, y retirar la pulpa con una cucharilla. Poner boca abajo para que escurran bien. Pasar la pulpa por el tamiz, apretando bien.
2. Poner la pulpa al fuego y añadir la ralladura confitada y el azúcar, y dejar cocer todo 5 minutos. Verter sobre las yemas batidas. (Se puede tener preparado.)
3. Montar las claras a punto de nieve. Verter un tercio de las claras sobre el puré de naranjas y batir bien y añadir el resto de las claras con cuidado.
4. Rellenar las naranjas con esta preparación y meter a horno precalentado a 200° unos 8 minutos.

Servir en seguida.

MANZANAS ASADAS *

Ingredientes (para 8 personas)

- *8 manzanas reinetas*
- *50 gr. de mantequilla*
- *75 gr. de azúcar*

Preparación

1. Quitar el corazón a las manzanas, rellenarlas con un trocito de mantequilla y azúcar, y espolvorear de azúcar húmedo.
2. Colocarlas en una fuente de horno, poniendo un poco de agua en la base.
3. Meter a horno precalentado a 150° hasta que se vea que estén blandas.

NOTA: Se hacen perfectamente en el microondas en 3 minutos, aunque el resultado es algo distinto.

COMPOTA DE MANZANAS GOLDEN *

Ingredientes (para 8 personas)

- *2 kilos de manzanas golden*
- *1/2 kg. de azúcar*
- *zumo de limón*
- *un palito de canela*
- *agua*

Preparación

1. Pelar las manzanas y partirlas en cuatro trozos, quitándoles el corazón.
2. Ponerlas en una cazuela, agregar el azúcar, la canela y el zumo de limón y cubrirlas de agua.
3. Dejar cocer a fuego lento hasta que las manzanas estén tiernas. En esta compota quedan enteros los trozos de manzana.

COMPOTA DE MEMBRILLOS *

Ingredientes (para 8 personas)

- *8 membrillos*
- *750 gr. de azúcar*
- *1 l. de agua*

Preparación

1. Pelar los membrillos, quitarles el corazón y partirlos en gajos.
2. Ponerlos en una cazuela con el agua, añadir el azúcar y dejar que hierva lentamente hasta que estén tiernos.
3. Servir en compotera, acompañando de una jarrita de nata líquida.

COMPOTA DE PERAS *

Ingredientes (para 8 personas)

- *2 kg. de peras*
- *400 gr. de azúcar*
- *una rama de canela*
- *2 dl. de vino blanco*
- *agua*

Preparación

1. Pelar las peras y partirlas en cuatro trozos, retirándoles el corazón.
2. Colocarlas en una cazuela cubiertas de agua con el azúcar, canela y vino blanco. Dejar que hierva lentamente hasta que las peras estén cocidas.

CIRUELAS PASAS AL VINO TINTO DE RIOJA *

Ingredientes (para 8 personas)

- *1 kg. de ciruelas pasas*
- *1 litro de un buen vino tinto de Rioja de baja acidez*
- *1 naranja acanalada y partida en rodajas*
- *1 limón acanalado y partido en rodajas*
- *2 ramas de canela*
- *150 gr. de azúcar*

Preparación

1. Macerar en agua fría las ciruelas para que se ablanden.
2. Escurrirlas y ponerlas en una cazuela con el vino tinto. Añadir la canela y las rodajas de limón y de naranja y el azúcar.
3. Dar un hervor y retirar la cazuela del fuego, dejando enfriar.
4. Servir en compotera con las rodajas de frutas por encima.

COMPOTA DE NAVIDAD *

Ingredientes (para 8 personas)

- *4 peras*
- *4 manzanas golden*
- *200 gr. de orejones de melocotón*
- *200 gr. de ciruelas pasas*
- *150 gr. de azúcar*
- *una rama de canela*
- *8 higos secos*

Preparación

1. Pelar las peras y las manzanas y partirlas en 4 trozos, retirándoles el corazón.

2. Poner en una cazuela con los higos, orejones, canela y el azúcar y cubrir de agua. Dejar que hierva lentamente. A media cocción añadir las ciruelas. Está mejor hecha de víspera.

Para tomar en verano

Se puede sacar emplatada con crema inglesa (ver receta) en la base del plato y los trozos de fruta ordenadamente colocados y sorbete de frambuesas (ver receta) en el centro.

MANZANAS A LA INGLESA *

Ingredientes (para 8 personas)

- *1 kg. de manzanas reinetas*
- *1 cucharadita de canela*
- *mantequilla para untar el molde*

MASA

- *150 gr. de azúcar*
- *150 gr. de harina*
- *150 gr. de mantequilla*
- *una pizca de sal*

Preparación

1. Untar de mantequilla una fuente de horno baja.

2. Pelar y cortar en gajos las manzanas y disponerlas en la fuente. Espolvorear de canela.

3. *Masa:* Mezclar la harina con el azúcar y la sal, y migar o sablar con la mantequilla, como para hacer una masa quebrada (o poner todos los ingredientes en la batidora hasta que queden como migas). Repartir estas migas sobre las manzanas, cubriendo la superficie.

4. Meter a horno precalentado a 180º durante 45 minutos. Servir templado y acompañado de una jarrita de nata.

NOTA: Se puede dejar preparado este postre con anticipación, añadiendo un chorrito de limón a las manzanas. Queda más rico tomarlo reciente que recalentado.

NARANJAS Y FRESAS AL VINO TINTO *

Ingredientes (para 8 personas)

- *8 naranjas hermosas*
- *1/2 kg. de fresón*
- *1/2 l. de vino tinto*
- *200 gr. de azúcar*

Preparación

1. Partir en juliana fina la piel de la naranja y ponerla a cocer 5 minutos en el vino tinto y el azúcar. Dejar macerar una hora para que adquiera bien el color.
2. Pelar las naranjas «a lo vivo», separar el interior de los gajos, sin su telilla. Lavar las fresas, quitarles el rabo y partirlas por la mitad.
3. Servir en platos formando un rosetón con las naranjas y las fresas, la juliana de naranjas en el centro y un poco de jarabe de vino cocido anteriormente. Decorar con una ramita de menta.

PERAS AL VINO TINTO *

Ingredientes (para 8 personas)

- *8 peras limoneras*
- *1 botella de un buen vino tinto*
- *200 gr. de azúcar*
- *2 clavos de especia*
- *corteza de un limón*
- *una pizca de sal y de pimienta*
- *una rama de canela*

Preparación

1. Pelar las peras sin cortarles el rabo, hacerles un rebaje en la base, para que asienten verticales, y ponerlas en esa posición en un cazo con todos los ingredientes.
2. Cocer lentamente hasta que estén tiernas (unos 20 minutos). (Comprobar la cocción con una aguja antes de retirar del fuego.)

3. Dejarlas enfriar dentro del jugo.

4. Retirar las peras y colocarlas en la fuente donde se vayan a servir. Colar el jugo y ponerlo a reducir hasta que tome cuerpo y tenga la consistencia de un jarabe. Verterlo sobre las peras y dejar enfriar en la nevera.

Servir acompañadas de una jarrita de nata.

SOPA DE FRUTAS A LA MENTA *

Ingredientes (para 8 personas)

- *4 peras*
- *300 gr. de azúcar*
- *zumo de limón*
- *400 gr. de fresitas del bosque*
- *1 kiwi*
- *menta para decorar*

CREMA INGLESA A LA MENTA

- *1/2 l. de crema inglesa (ver receta)*
- *una ramita de hierbabuena*

Preparación

1. Cocer las peras con 300 gramos de azúcar, cubiertas de agua y zumo de limón.

2. Una vez cocidas, dejarlas enfriar en el almíbar, luego retirarlas y partirlas por la mitad. Retirar el corazón y filetearlas sin llegar al extremo para que no se partan por la mitad y lograr una bonita decoración.

3. Confeccionar una crema inglesa, sólo que añadiendo a la leche, al hervirla, la hierbabuena picada. Se puede añadir una gota de colorante verde.

Presentación

Servir en platos soperos, formando una bonita decoración con las frutas fileteadas, cubriendo el fondo con la crema.

SOPA DE FRUTAS ROJAS AL VINO TINTO *

Ingredientes (para 8 personas)

- *1 kg. de fresón*
- *500 gr. de frambuesas*
- *500 gr. de fresitas*
- *4 dl. de un buen vino tinto*
- *200 gr. de azúcar*
- *1 rama de menta*

Preparación

1. Lavar las frutas y el fresón. Filetearlo. Ponerlo en un bol.
2. Triturar, con el vino y el azúcar, 50 gramos de fresón, 50 gramos de frambuesas y 50 gramos de fresitas. Colar.
3. Verter sobre las frutas y guardar en la nevera unas horas.
4. Servir en cuencos, decorando con una hojita de menta.

BROCHETAS DE FRUTAS NATURALES *

Ingredientes (para 8 personas)

- *3 peras cocidas*
- *8 ciruelas pasas*
- *4 kiwis*
- *2 platanos*
- *1/2 piña*
- *fresas*
- *naranjas*
- *100 gr. de mantequilla*
- *almíbar*
- *100 gr. de azúcar*

Preparación

1. Pelar y cocer las peras con agua y azúcar.
2. Pelar y partir los kiwis en cuatro rodajas y el resto de las frutas en trozos regulares.
3. Pelar las naranjas a lo vivo y sacar los gajos.
4. Colocar las frutas en las brochetas alternando los colores. Pintar de almíbar.
5. Colocar las brochetas en una fuente de horno. Repartir la mantequilla en trocitos encima de las frutas y espolvorear de azúcar.
6. Cocer a 220º unos 8 minutos, regándolas con el jugo las frutas. Una vez cocidas, colocarlas en platos individuales.
7. Recoger el jugo que han soltado en un cazo, incorporando 50 gramos de mantequilla. Hervir un momento batiendo bien hasta que ligue. Facultativo, un chorrito de Cointreau.

Se puede acompañar también de un sorbete y tejas (ver receta de *Tejas de almendras*).

PERAS COCIDAS CON HELADO DE MIEL * *

Ingredientes (para 8 personas)

- *8 peras de agua*
- *1 dl. de vino*
- *100 gr. de azúcar*
- *5 l. de almíbar de sorbete*
- *2 clavos de especia*
- *1 corteza de limón*
- *1 palito de canela*
- *1 l. de helado de miel*
- *1/2 l. de crema inglesa (ver receta)*

Preparación

1. Pelar las peras y cocer cuatro de ellas en el vino tinto, el azúcar y la rama de canela; y las otras cuatro peras en el almíbar, los clavos de especia y la corteza de limón.

2. Preparar el helado de miel y la crema inglesa, según receta.

3. Cortar las peras por la mitad, quitarles las pepitas y filetear la parte inferior sin llegar a cortarlas del todo, de manera que se puedan abrir en abanico.

4. Montar los platos. Disponer en cada plato media pera en vino y media pera en almíbar; una hermosa bola de helado y salsear el fondo del plato con la crema inglesa. Servir inmediatamente.

PASTELERÍA

EL BIZCOCHO

Todos sabemos lo que es un bizcocho, pero en pastelería se suele reservar este nombre específico para los que se confeccionan batiendo separadamente, al máximo, las claras y las yemas de los huevos que entran en su confección. De manera que, siempre que tengamos un bizcocho en el que entran claras a punto de nieve, estaremos en presencia de un verdadero bizcocho. En esto se distinguen de las genovesas, en las que los huevos se baten enteros. En ambos procedimientos, el batido hace incorporar a la masa una cantidad importante de aire, que bajo los efectos del calor del horno se dilata y da al bizcocho textura esponjosa.

Los cakes suben y se esponjan porque en la preparación se incluye como ingrediente una sustancia —denominada levadura química— que bajo el efecto del calor desprende gas carbónico. Algunas recetas de genovesa y de bizcocho, en cuya masa entran otros ingredientes, requieren la adición de levadura química, pero esto solo no les priva de que puedan denominarse propiamente genovesas y bizcochos. Cuando se confeccionan bizcochos o genovesas a mano no hay más remedio que adicionar levadura química, porque el batido es fatigoso y nunca es tan completo.

La denominación de bizcocho procede de la práctica antigua de que, una vez que el preparado se había cocido al horno y enfriado un poco, se volvía al horno a «bizcochar», es decir, a cocer por segunda vez, para darle más firmeza. Hoy día no es necesario hacerlo, porque los hornos están más perfeccionados, aunque el nombre ha quedado.

Hay una tercera forma de esponjar una masa de harina, que es la fermentación, adicionando a la masa una levadura o fermento (un hongo microscópico) que hace descomponerse la harina, de forma que ésta desprende gas carbónico.

Como la confección de bizcochos y genovesas (sobre todo en este último caso) a mano es enormemente trabajosa, debido a lo mucho que hay que batir los ingredientes, en las recetas que siguen he asumido que mi lector dispone de por lo menos una batidora mecánica, y en base a ello están redactadas las recetas.

BIZCOCHO (receta base) *

Ingredientes (para 8 personas)

- *6 huevos*
- *200 gr. de azúcar*
- *125 gr. de harina*
- *mantequilla para untar el molde*

Preparación

1. Separar las claras de las yemas y colocarlas en dos boles distintos.
2. Montar las claras a punto de nieve.
3. Batir las yemas con el azúcar hasta que se hagan una masa blanca. Parar la batidora mecánica. Incorporar, batiendo bien a mano, un cuarto del merengue. Agregar la harina tamizada, mezclando bien, y a continuación, el resto del merengue, incorporando suavemente con las varillas. Resultará un batido fluido y espeso.
4. Pintar un molde redondo de 22 centímetros de diámetro con mantequilla. Verter la preparación anterior y cocer 25 minutos a 180°.
5. Una vez cocido, desmoldar sobre una rejilla. Conforme se vaya enfriando, conviene darle vueltas para que no se pegue a la rejilla.

NOTA: La grasa no es un elemento esencial del bizcocho. Unos la incluyen en pequeña cantidad, y otros no llevan nada.

En los bizcochos, como en el soufflé, las claras se incorporan en dos veces: primero se incorpora un tercio, y se bate bien, a mano pero sin complejos. Así se consigue fluidificar el batido, que sólo con yemas es demasiado espeso. A continuación se incorpora el resto de las claras, esta vez sin trabajar, para no romper la espuma.

Moldes

Los bizcochos se suelen cocer en molde redondo; el tamaño usual es el de 22 cm. de diámetro y 5 cm. de alto. Recomiendo disponer de un molde de fondo separable y paredes de muelle, que se pueden aflojar, para desmoldar con comodidad. Es más caro que los moldes simples, pero merece la pena.

Preparación del molde

Para la confección de bizcochos, genovesas y cakes, el molde se prepara de la siguiente forma:

Se enfría el molde en la nevera, se pinta con mantequilla, se tapiza el fondo con papel de aluminio, que se pinta también de mantequilla, y se vuelve a la nevera. Al cabo de unos minutos, se vuelve a pintar todo de mantequilla.

BIZCOCHO ALHAMBRA *

Ingredientes (para 8 personas)

- *185 gr. de azúcar molida*
- *185 gr. de almendras en polvo*
- *50 gr. de harina*
- *5 yemas*
- *5 claras de huevo*
- *25 gr. de azúcar*
- *40 gr. de mantequilla fundida*
- *mantequilla para untar el molde*
- *2 cucharadas de agua de azahar*

Preparación

1. Pasar por la batidora durante 10 minutos las yemas y el azúcar molido. Añadir la almendra en polvo, hasta obtener una consistencia cremosa. Agregar, mezclando con cuidado, la mantequilla fundida templada, la harina y agua de azahar; debe quedar bien homogéneo.
2. Montar las claras a punto de nieve y añadir 25 gramos de azúcar y seguir batiendo un minuto.
3. Incorporar a la mezcla de huevos un tercio de las claras, mezclar muy bien para que la mezcla se airee y luego añadir el resto de las claras mezclando con cuidado. Rellenar el molde preparado al efecto.
4. Cocer al horno precalentado a 180° durante 35 minutos. Comprobar la cocción con la aguja. Debe salir caliente y limpia. Desmoldar en caliente sobre la rejilla.

PASTEL DE NUECES *

Ingredientes (para 8 personas)

- *8 huevos*
- *250 gr. de azúcar molido*
- *250 gr. de nueces*
- *zumo de un limón*
- *vainilla en polvo o esencia de vainilla*
- *50 gr. de mantequilla para untar el molde*

Preparación

1. Picar las nueces muy finas, sin llegar a polvo.
2. Separar las yemas de las claras.
3. Batir las yemas con 200 gramos de azúcar molido hasta obtener una crema blanca.
4. Añadir el zumo de limón y la vainilla en polvo y las nueces picadas
5. Montar las claras a punto de nieve y añadir 50 gramos de azúcar molido.
6. Incorporar un tercio de las claras a la mezcla de yemas, batiendo manualmente hasta que la mezcla sea homogénea, y luego el resto de las claras sin trabajar demasiado.
7. Untar un molde redondo de 22 centímetros de diámetro y 4 de alto de mantequilla, verter la preparación y cocer a 190° en horno precalentado durante una hora.
8. Una vez cocido, desmoldarlo con cuidado sobre una rejilla, dándole un cuarto de vuelta cada diez minutos, a fin de que no se pegue a la rejilla.
9. Presentarlo tal cual o, si se quiere, espolvoreado de azúcar glace.

BIZCOCHO DE SABOYA *

Ingredientes (para 8 personas)

- *250 gr. de azúcar*
- *100 gr. de harina*
- *1 cucharada de agua de azahar (facultativo)*
- *100 gr. de fécula de patata*
- *7 huevos*
- *80 gr. de mantequilla*
- *100 gr. de almendras fileteadas*

Preparación

1. Batir las yemas de huevo con 225 gramos de azúcar, hasta obtener una crema blanca. Incorporar el agua de azahar. Añadir la harina y la fécula bien mezcladas previamente, sin trabajar. Incorporar la mantequilla fundida.

2. Montar las claras a punto de nieve, añadiendo al final 25 gramos de azúcar.

3. Verter un tercio de las claras a la preparación anterior, mezclar muy bien para que toda la masa se esponje y luego añadir el resto de las claras con cuidado.

4. Untar de mantequilla un molde redondo de 22 centímetros, preparado, esparcir por el fondo y pegar por las paredes las almendras fileteadas y rellenar con el batido.

5. Cocer a horno precalentado a 180º durante 35 minutos. Antes de sacar, cerciorarse con la aguja, que deberá salir limpia.

BIZCOCHO DE ALMENDRAS *

Ingredientes (para 8 personas)

- *200 gr. de azúcar*
- *4 yemas*
- *200 gr. de almendras molidas*
- *1 cucharadita de polvo royal*
- *1/2 dl. de brandy*
- *4 claras a punto de nieve*
- *75 gr. de almendras fileteadas*
- *50 gr. de azúcar*
- *1 clara de huevo*

Preparación

1. Batir las yemas y el azúcar hasta obtener una crema blanca. Añadir las almendras molidas, el polvo royal y el brandy. Mezclar.

2. Montar 3 claras a punto de nieve. Incorporar un tercio de las claras a la preparación anterior y mezclar muy bien para que la masa se airee. Incorporar con cuidado con el resto de las claras.

3. Rellenar con el batido el molde preparado como se indica en la receta base.

4. Glaseado de almendras: Mezclar las almendras, el azúcar y una clara con una cuchara de madera, cubrir el batido con esta mezcla.

6. Cocer a horno precalentado a 180º durante 30 minutos. An-

tes de sacarlo, comprobar la cocción con la aguja, que deberá salir limpia.

7. Una vez cocido, darle la vuelta sobre una fuente redonda con papel de aluminio y volver a ponerlo bien sobre la bandeja de presentación, pues las almendras deben quedar por arriba.

BIZCOCHOS DE SOLETILLA *

Ingredientes (para 8 personas)

- *5 huevos grandes*
- *150 gr. de azúcar*
- *125 gr. de harina*
- *125 gr. de azúcar glace*
- *mantequilla para untar los moldes*

Preparación

1. Separar las claras de las yemas.
2. Batir las yemas y el azúcar durante 5 minutos, hasta obtener una crema blanca, a continuación incorporar la harina, sin trabajar.
3. Montar las claras a punto de nieve, añadir 25 gramos de azúcar para sostenerlas. Mezclar con cuidado.
4. Tapizar dos placas de horno con papel de aluminio, pintar con mantequilla y espolvorear de harina. Usando la manga pastelera con boquilla de 1,5 centímetros formar las soletillas de 9 centímetros de largo. Espolvorear de azúcar glace y cocer a horno precalentado a 200° unos 15 minutos, vigilando la cocción. Dejar enfriar sobre el papel de aluminio.

NOTA: Se conservan una semana en un bote hermético.

SACHER TORTE CON CREMA DE CHOCOLATE * *

Ingredientes (para 8 personas)

- *200 gr. de chocolate fundido*
- *150 gr. de azúcar*
- *100 gr. de mantequilla*
- *5 yemas*
- *2 claras*
- *125 gr. de harina*
- *5 claras a punto de nieve*
- *un tarro de confitura de albaricoque para rellenar*

Crema de chocolate

- *125 gr. de azúcar*
- *200 gr. de chocolate amargo*
- *1,25 dl. de café*
- *150 gr. de mantequilla*
- *un chorrito de coñac*

Preparación

1. Batir muy bien la mantequilla y el azúcar hasta que quede una crema espumosa. Agregar el chocolate, las yemas y las dos claras y por último la harina, batiendo muy bien cada vez que se vaya a incorporar los huevos.
2. Montar las claras a punto de nieve e incorporar con cuidado a la preparación anterior. Verter el batido en un molde preparado como se dice en la receta base y cocerlo a 175° unos 50 minutos.
3. Cuando esté frío, partirlo por la mitad y rellenar con confitura de albaricoque.
4. Glasearlo con crema de chocolate.
5. Para la crema de chocolate: calentar hasta ebullición el café con el azúcar y el chocolate; mezclar bien con el tenedor. Fuera del fuego, y ya templado, agregar la mantequilla en trocitos, batiendo bien para que ligue y el brandy.

BIZCOCHO DE COCO *

Ingredientes (para 8 personas)

- *6 huevos*
- *125 gr. de azúcar*
- *100 gr. de harina*
- *80 gr. de coco rallado*
- *azúcar glace para espolvorear*

Preparación

1. Batir las yemas y el azúcar hasta obtener una crema blanca.
2. Incorporar la harina y el coco mezclados.
3. Batir las claras a punto de nieve.
4. Incorporar un tercio de las claras sobre la preparación anterior, batir muy bien y añadir el resto de las claras con cuidado.
5. Verter a un molde redondo de 22 centímetros pintado de mantequilla y cocer 30 minutos a 180°.
6. Sacar del horno y esperar 10 minutos antes de desmoldar. Una vez frío, espolvorear de azúcar glace.

BIZCOCHO ESPUMOSO DE SAN SEBASTIÁN *

Ingredientes (para 8 personas)

- *7 claras*
- *4 yemas*
- *125 gr. de azúcar*
- *35 gr. de harina*
- *40 gr. de fécula de patata*

Preparación

1. Separar las claras de las yemas y colocarlas en dos boles distintos.
2. Montar las claras a punto de nieve.
3. Batir las yemas con el azúcar hasta que se hagan una masa blanca. Parar la batidora mecánica. Incorporar, batiendo bien a mano, un cuarto del merengue. Agregar la harina tamizada mezclada con la fécula, mezclando bien, y a continuación el resto del merengue, incorporando suavemente con las varillas. Resultará un batido fluido y espeso.
4. Pintar un molde redondo de 22 centímetros de diámetro con mantequilla. Verter la preparación anterior y cocer 25 minutos a 180º.
5. Una vez cocido, desmoldar sobre una rejilla. Conforme se vaya enfriando, conviene darle vueltas para que no se pegue a la rejilla.

Servir espolvoreado de azúcar glace.

BIZCOCHO DE VILLABONA **

Ingredientes (para 8 personas)

- *6 claras*
- *6 yemas*
- *300 gr. de azúcar*
- *150 gr. de harina*

Preparación

1. Separar las claras de las yemas y colocarlas en dos boles distintos.
2. Montar las claras a punto de nieve.
3. Batir las yemas con el azúcar hasta que se hagan una masa blanca. Parar la batidora mecánica. Incorporar, batiendo bien a mano, un cuarto del batido de claras. Agregar la harina tamizada mezclando bien y a continuación, el resto del merengue, incorporando suavemente con las varillas. Resultará un batido, fluido y espeso.

4. Preparar un molde redondo de 22 centímetros de diámetro como se ha dicho en la receta base. Verter la preparación anterior y cocer 25 minutos a 180º.

5. Una vez cocido, desmoldar sobre una rejilla. Conforme se vaya enfriando, conviene darle vueltas para que no se pegue a la rejilla.

Servir espolvoreado de azúcar glace.

BIZCOCHO DE ACEITE *

Ingredientes (para 8 personas)

- *1/4 l. aceite frito con la corteza de una naranja*
- *6 huevos*
- *250 gr. de azúcar*
- *250 gr. de harina*
- *1 cucharadita de polvo royal*
- *zumo de 1/2 naranja*

Preparación

1. Freír el aceite con la corteza de naranja y dejarlo enfriar.
2. Batir las yemas y el azúcar hasta obtener una crema blanca. Añadir la harina y el polvo royal.
3. Añadir el aceite frío y el zumo de naranja y mezclar bien.
4. Montar las claras a punto de nieve, añadir un tercio de éstas a la preparación anterior, batiendo bien, y añadir luego el resto con cuidado.
5. Poner en un molde, preparado como se dice en la receta base, tipo redondo o cake, y cocerlo a horno precalentado a 180º durante 45 minutos. Antes de sacarlo, comprobar la cocción con la aguja, que deberá salir limpia.

BIZCOCHO DE LIMÓN *

Ingredientes (para 8 personas)

- *200 gr. de mantequilla*
- *200 gr. de harina*
- *200 gr. de azúcar*
- *4 huevos*
- *jugo de un limón y medio*
- *ralladura de un limón*
- *1 cucharadita de polvo royal*

Preparación

1. Batir las yemas y el azúcar hasta obtener una crema blanca.
2. Añadir el jugo y la ralladura de limón, la mantequilla derretida pero templada y la harina bien mezclada con el polvo royal.
3. Montar las claras a punto de nieve y mezclar con cuidado con la preparación anterior.
4. Preparar un molde de 22 centímetros como se ha dicho al principio de este capítulo. Verter el batido y cocer a horno precalentado a 180° durante 45 minutos. (Cerciorarse metiendo antes una aguja, y dejarlo hasta que salga limpia.)
5. Dejar enfriar y cubrir con glasa real (ver receta).

PAN DE PLATA (bizcocho de claras de huevo) *

(Sirve para aprovechar claras)

Ingredientes (para 8 personas)

- *125 gr. de azúcar*
- *125 gr. de mantequilla*
- *250 gr. de harina*
- *5 claras a punto de nieve*
- *1 cucharadita de polvo royal*
- *1 dl. de leche*

Preparación

1. Batir la mantequilla y el azúcar. Añadir la leche y la harina mezclada con el polvo royal.
2. Batir las claras a punto de nieve.
3. Añadir un tercio de las claras a la preparación anterior. Batir bien para que se haga la masa esponjosa, y luego mezclar con cuidado el resto de las claras.
4. Untar un molde tipo cake de mantequilla y verter la masa. Cocer a horno precalentado a 180° durante 30 minutos.
5. Antes de sacar, comprobar la cocción con la aguja, que deberá salir limpia.

BRAZO DE GITANO (receta base) *

Ingredientes (para 8 personas)

- *75 gr. de azúcar*
- *4 yemas de huevo*
- *75 gr. de harina*
- *25 gr. de mantequilla*
- *4 claras*

Preparación

1. Batir el azúcar con las yemas hasta obtener una crema blanca. Añadir la harina y la mantequilla derretida y tibia.

2. Aparte, montar las claras a punto de nieve. Mezclar con cuidado.

3. Tapizar de papel de aluminio la placa de horno, pintarla con mantequilla fundida y extender el batido en forma de cuadrilátero más largo que ancho, como 25 por 40 centímetros.

4. Cocer a horno precalentado a 200º de 5 a 7 minutos, hasta que se empiece a dorar por los bordes.

5. Sacar del horno y retirar de la placa; dejar enfriar y, cuando esté frío, separar el papel de aluminio. Si se va a usar este bizcocho para enrollar, enrollarlo en caliente, sin despegar el papel de aluminio, pero tomando la precaución de recortar los bordes tostados, para que no se rompa. Se puede enrollar a lo largo o a lo ancho, según el pastel que se quiera montar.

BRAZO DE GITANO CON CREMA DE CHANTILLY *

Ingredientes (para 8 personas)

- *1 bizcocho de brazo de gitano arrollado a lo largo. (ver receta de* Brazo de gitano base)
- *7 dl. de crema chantilly (ver receta)*
- *azúcar glace*

Preparación

1. Preparar el brazo de gitano arrollado; cuando esté bien frío, quitarle el papel de aluminio.

2. Preparar una crema chantilly.

3. Rellenar el brazo de gitano con la crema chantilly. Arrollarlo bien apretado, envolverlo en papel de aluminio y meterlo en el frigorífico una hora.

4. Antes de servir, espolvorear por fuera con azúcar glace. Calentar una aguja de acero al rojo, quemar el azúcar haciendo rombos y cortar los extremos igualando bien.

NOTA: Queda muy rico mezclando 1/2 kilo de fresas fileteadas con la crema chantilly.

BRAZO DE GITANO CON CREMA DE MANTEQUILLA BLANCA *

Ingredientes (para 8 personas)

- *1 bizcocho de brazo de gitano arrollado a lo largo (ver receta de* Brazo de gitano base)
- *1/2 l. de crema mantequilla blanca (ver receta)*
- *azúcar glace*

Preparación

1. Preparar el brazo de gitano arrollado; no usarlo hasta que esté bien frío. Quitarle el papel de aluminio.
2. Preparar una crema de mantequilla blanca.
3. Rellenar el brazo de gitano con la crema. Arrollarlo bien apretado.
4. Espolvorear por fuera con azúcar glace. Calentar una aguja de acero al rojo, quemar el azúcar haciendo rombos y cortar los dos extremos igualando bien.

TRONCO DE NAVIDAD * *

Ingredientes (para 8 personas)

- *1 bizcocho de brazo de gitano arrollado a lo largo (ver receta de* Brazo de gitano base)
- *1/4 l. de baño de chocolate (ver receta)*
- *1 proporción de crema de mantequilla (ver receta)*
- *300 gr. de puré de castañas dulce en conserva*
- *1/2 dl. de ron*

Preparación

1. Preparar el brazo de gitano arrollado; no usarlo hasta que esté bien frío. Quitarle el papel de aluminio.
2. Preparar la crema de mantequilla a la que se añade batiendo, el puré de castañas dulce y el ron.
3. Rellenar el brazo de gitano con la crema. Arrollarlo bien. Cortarlo en oblicuo para formar dos trozos, como a los dos tercios de la longitud. Colocar los dos trozos sobre la blonda de papel, formando un tronco con una rama, como una Y.

4. Preparar el baño de chocolate. Cuando empiece a espesar, extender el chocolate sobre el tronco y la rama. Antes de que se cuaje, trabajar la superficie con un tenedor, imitando la corteza de un árbol. Cortar los extremos, igualando bien. Adornar con unas hojitas de acebo y una velita.

ROLLY POLLY (Pastelitos ingleses de merienda) *

Ingredientes (para 8 personas)

- *1 bizcocho de brazo de gitano arrollado a lo ancho (ver receta de* Brazo de gitano base)
- *1/4 kg. de mermelada de frambuesas (ver receta)*
- *4 gr. de gelatina*

Preparación

1. Preparar el brazo de gitano arrollado, pero en sentido transversal; cuando esté bien frío, quitarle el papel de aluminio.

2. Calentar la mermelada hasta que esté líquida. Fundir la gelatina e incorporarla a la mermelada. Rellenar el brazo de gitano con la mermelada. Arrollarlo bien, envolviendo en papel de aluminio. Dejar enfriar dos horas.

4. Cortar en rebanadas de 1 centímetro.

NOTA: Queda muy rico también relleno de mermelada de albaricoque, de fresa, etc.

TARTA MARTA DE MOKA Y CHOCOLATE * *

Ingredientes (para 8 personas)

- *2 bizcochos de brazo de gitano (ver receta de* Brazo de gitano base)
- *1/4 l. almíbar punto de hebra (ver receta de* Almíbar y caramelo)
- *1 cucharadita de Nescafé*
- *1 proporción y media de crema moka (ver receta)*
- *1/4 l. de baño de chocolate (ver receta)*

Preparación

1. Preparar dos brazos de gitano sin arrollarlos; no usarlos hasta que estén bien fríos, quitarles el papel de aluminio y cortar cada plancha de bizcocho en dos, a lo largo, para formar cuatro tiras rectangulares de 12 por 35 centímetros aproximadamente. Las tiras deben ser iguales las cuatro, para lo que se colocarán una encima de otra, y los lados muy iguales.
2. Preparar una crema de moka, según la receta.
3. Preparar un almíbar a punto de hebra con la cucharadita de Nescafé.
4. Montar la tarta, pintando abundantemente el bizcocho con almíbar en caliente, y alternando bizcocho y crema de moka (no extender sobre la última plancha de bizcocho). Igualar bien los bordes, para que quede bien regular y liso. Reservar 1 dl. de crema de moka para la decoración.
5. Preparar un baño de chocolate. Cubrir la superficie y los bordes con el baño. Igualar bien. Dejar enfriar.
6. Adornar con la crema de moka sobrante, usando la manga pastelera con boquilla rizada o un manguito de papel.

GENOVESAS

En la introducción a los bizcochos he hecho unas indicaciones sobre las genovesas. Parece que la genovesa es un bizcocho más antiguo que el bizcocho propiamente dicho, y el procedimiento de separar las yemas de las claras para preparar el bizcocho, y así facilitar el batido, no se introdujo hasta el siglo XVIII, porque para confeccionar una genovesa a mano hay que tener un brazo no sólo musculoso, sino bien entrenado. Por eso parto de la base de que mi animoso (y goloso) lector dispone por lo menos de una batidora manual (para el batido al baño María) y una batidora fija, para terminar el batido.

GENOVESA (receta base) * *

Ingredientes (para 8 personas)

- *8 huevos*
- *250 gr. de azúcar*
- *250 gr. de harina*
- *50 gr. de mantequilla fundida y fría*
- *mantequilla para untar el molde*

Preparación

1. Poner en un cazo el azúcar y los huevos. Pasar por la batidora manual hasta que quede una masa blanca y espesa. Poner al baño María y batir hasta que esté tibia la mezcla (40º).
2. Pasar el batido al bol de la batidora fija y, ya fuera del baño María, seguir batiendo durante 10 minutos a velocidad máxima hasta que se monte bien la masa, y seguir batiendo a menos velocidad hasta que se enfríe (otros diez minutos).

3. Incorporar, con la batidora al mínimo, la harina tamizada y la mantequilla.
4. Preparar el molde redondo de 22 centímetros y verter el batido.
5. Cocer 30 minutos a 180°. No conviene abrir el horno mientras se cuece la genovesa.

NOTA: Se puede congelar perfectamente, envolviéndola en papel film una vez fría.

Aplicaciones

El bizcocho de genovesa sirve para montar tartas de toda clase de sabores, según el relleno y la cobertura que se le quiera poner. Como es un bizcocho de por sí un poco seco, se suele embeber o emborrachar de almíbar, adicionado o no de un poco de licor, que la genovesa absorbe muy bien, siempre que no sea en exceso.

Moldes

Las genovesas se suelen cocer en molde redondo; el tamaño usual es el de 22 cm. de diámetro y 5 cm. de alto. Recomiendo disponer de un molde de fondo separable y paredes de muelle, que se pueden aflojar, para desmoldar con comodidad. Es más caro que los moldes simples, pero merece la pena.

Preparación del molde

Para la confección de bizcochos, genovesas y cakes, el molde se prepara de la siguiente forma:

Se enfría el molde en la nevera, se pinta con mantequilla, se tapiza el fondo con el papel de aluminio que se pinta también de mantequilla, y se vuelve a la nevera. Al cabo de unos minutos, se vuelve a pintar todo de mantequilla.

GENOVESA BLANCA * *

Ingredientes (para 8 personas)

- *80 gr. de mantequilla avellana (o peso equivalente de aceite refinado para régimen de colesterol)*
- *vainilla*
- *ralladura de una naranja*
- *170 gr. de harina*
- *85 gr. de maizena*
- *9 claras de huevo*
- *250 gr. de azúcar*
- *1,5 dl. de agua*

Preparación

1. Calentar la mantequilla al fuego y dejarla hasta obtener un bonito color avellana. Añadir la vainilla y la ralladura de naranja.
2. Mezclar en un bol la harina y la maizena.
3. Batir las claras a punto de nieve, añadir el azúcar y seguir batiendo hasta obtener merengue. Añadir el agua templada. Batir hasta que esté incorporada.
4. Sacar una parte del merengue y mezclarlo con la mantequilla.
5. Agregar la mezcla de harina y maizena en dos veces al merengue restante, y por último incorporar la mezcla de mantequilla y merengue.
6. Verter en un molde redondo de 22 centímetros untado de mantequilla, con el fondo cubierto por un papel de aluminio también untado de mantequilla, y cocer al horno de 20 a 25 minutos a 180°.

NOTA: No conviene abrir la puerta del horno mientras se está cociendo. Desmoldarlo nada más salir del horno.

Se puede congelar envolviéndolo en papel film una vez bien frío.

Aplicaciones

Aparte de su finura, este bizcocho tiene la particularidad de no llevar yemas de huevo. Por eso, si se sustituye la mantequilla por aceite refinado, es ideal para dietas bajas en colesterol.

GENOVESA DORADA * *

Esta genovesa es sólo de yemas. Las claras se sustituyen por un poco de agua. Para prepararla bastan las varillas mecánicas manuales.

Ingredientes (para 8 personas)

- *100 gr. de harina*
- *25 gr. de maizena*
- *12 yemas*
- *175 gr. de azúcar*
- *85 gr. de mantequilla*
- *avellana*
- *1/2 dl. de agua templada*
- *vainilla*

Preparación

1. En un cazo poner la mantequilla al fuego y dejarla hasta obtener un bonito color avellana. Añadir la vainilla.
2. Mezclar la maizena y la harina.

3. En un cazo poner las yemas y el azúcar al baño María y revolver hasta que esté caliente (50º). Aún sobre el fuego, pero bajando la temperatura, batir con las varillas mecánicas manuales 5 minutos hasta que haya triplicado el volumen.

4. Añadir el agua templada, incorporar la mitad de la mezcla de harina y maizena en dos veces, así como la mantequilla, también en dos veces.

5. Preparar el molde, verter el batido de genovesa y cocerlo unos 35 minutos a horno precalentado a 100º.

NOTA: No abrir el horno mientras dure la cocción. Desmoldarlo en el momento de sacarlo. Se puede congelar envolviéndolo en papel film, una vez frío.

GENOVESA DORADA Y CREMA MUSELINA DE LIMÓN * *

Ingredientes (para 8 personas)

- *una genovesa dorada (ver receta)*

CREMA MUSELINA DE LIMÓN

- *200 gr. de azúcar*
- *3 claras de huevo*
- *Ø, 75 dl. de gua*
- *1 dl. de zumo de limón*
- *1/2 kg. de mantequilla en pomada*
- *ralladura de limón*

Preparación

1. Preparar una genovesa dorada según la receta.
2. Una vez que esté la genovesa fría, se corta en dos discos, se rellena con la crema muselina y se cubre con ella, decorando con unos gajos de limón y hojitas de menta.

Preparación de la muselina de limón

Confeccionar un almíbar en bola blanda (ver receta de *Almíbar y caramelo)* con el agua, zumo de limón y azúcar. Montar las claras a punto de nieve. Verter el almíbar en chorrito fino sobre las claras sin dejar de batir, y seguir batiendo hasta que se temple. Incorporar la mantequilla y la ralladura de limón.

TARTA DE MOKA * *

Ingredientes (para 8 personas)

- *Una genovesa (ver receta de* Genovesa base)
- *1 dl. de jarabe de brandy (un almíbar a punto de hebra adicionado, fuera del fuego, de una cucharada de brandy)*
- *1/2 l. de crema de mantequilla (ver receta)*
- *1/2 cucharada de café instantáneo*
- *200 gr. de almendras picadas tostadas*

Preparación

1. Confeccionar la genovesa, según la receta base.
2. Confeccionar la crema de mantequilla, según receta; separar dos tercios de la crema e incorporarle, batiendo, el café instantáneo, disuelto en una pizca de agua.
3. Cortar la genovesa en dos discos, y emborracharlos con el jarabe de brandy.
4. Rellenar la genovesa con la mitad de la crema de moka, y cubrirla por encima y por los bordes con el resto. Cubrir los lados con las almendras picadas y decorar con la crema de mantequilla, con ayuda de la manga pastelera.

TARTA DE PIÑONES * *

Ingredientes (para 8 personas)

- *Una genovesa dorada (ver receta)*
- *400 gr. de piñones*
- *1 l. de crema de mantequilla (ver receta)*

Preparación

1. Confeccionar una genovesa dorada.
2. Confeccionar la crema de mantequilla.
3. Cortar la genovesa en dos discos. Rellenar con un tercio de la crema de mantequilla y 150 gramos de piñones, cubrir por encima y los lados con la crema de mantequilla y esparcir los piñones por encima.

TARTA DE CASTAÑAS * *

Ingredientes (para 8 personas)

BIZCOCHO
- *Una genovesa (ver receta de* Genovesa base)

CREMA DE CASTAÑAS
- *500 gr. de puré de castañas dulce*
- *200 gr. de mantequilla en pomada*
- *1 dl. de ron*
- *1 cucharada de cacao en polvo*
- *1/2 litro de crema chantilly para decorar (ver receta)*

ALMÍBAR DE SORBETE
- *100 gr. de azúcar*
- *1 dl. de agua*
- *1 dl. de ron*

Preparación

1. Confeccionar la genovesa según receta. Desmoldar. Enfriar y cortar en dos discos (se corta con más comodidad metiendo el bizcocho media hora en el congelador).
2. Emborrachar cada disco de bizcocho con el almíbar, ayudándose de un pincel.
3. Rellenar la genovesa con un tercio de la crema; con el resto cubrir la tarta y los lados. Decorar con la crema chantilly y marrones glace.

Preparación de la crema de castaña

1. Batir la mantequilla hasta que esté espumosa. Incorporar la de castañas, la mitad del ron y el cacao.

Preparación del almíbar

1. Confeccionar el almíbar de sorbete. Fuera del fuego, añadir el resto del ron. Dejar enfriar.

GENOVESA DE CHOCOLATE Y MUSELINA DE NARANJA * *

Ingredientes (para 8 personas)

- *110 gr. de chocolate fondant*
- *3/4 dl. de agua hirviendo*
- *4 huevos*
- *100 gr. de azúcar*
- *75 gr. de harina*

CREMA MUSELINA DE NARANJA

Misma proporción que la crema de mantequilla blanca, pero sustituyendo la mitad del agua por zumo de naranja y añadiendo la ralladura de 2 naranjas y 1/2 dl. de Grand Marnier.

Preparación

1. Diluir el chocolate en el agua hirviendo. Dejar templar.
2. Batir los huevos con el azúcar 5 minutos, hasta que triplique el volumen. Incorporar la mitad de la harina, mezclando bien. A continuación, con cuidado, el resto de la harina y el chocolate disuelto.
3. Preparar un molde de paredes separables, verter el batido de genovesa y cocer a horno precalentado a 180º durante 30/35 minutos. El bizcocho subirá hasta el borde del molde, y luego bajará un poco, separándose de las paredes. Sólo entonces estará hecho. Abrir sólo una rendija del horno para comprobar la cocción, para que el bizcocho no se espante. Desmoldar después de 10 minutos, separando los bordes con un cuchillo.
4. Una vez frío, cortar el bizcocho en dos discos y rellenar con la crema de naranja, cubrirlo con el resto del bizcocho y volver a cubrir con la crema. Decorar con unas hojitas de menta y naranja confitada.

SELVA NEGRA * *

Ingredientes (para 8 personas)

- *Una genovesa de chocolate (ver receta)*
- *200 gr. de guindas deshuesadas en conserva al Armagnac*
- *3/4 l. crema de chantilly (ver receta)*
- *vainilla*
- *azúcar glace*
- *virutas de chocolate*

JARABE

- *100 gr. de azúcar*
- *1 dl. de agua,*
- *75 gr. de azúcar*
- *kirsch*

Preparación

1. Confeccionar una genovesa de chocolate como en la receta anterior.
2. Confeccionar el jarabe, haciendo un sirope con el agua y el azúcar y añadir, fuera del fuego, el kirsch.
3. Montar la crema de chantilly, añadiendo 50 gramos de azúcar glace y la vainilla. Si se desea, se le puede añadir una gota de kirsch.
4. Cortar la genovesa en dos discos iguales. Emborracharlos con el jarabe.
5. Extender la mitad de la crema chantilly sobre el disco, alisando bien la crema con una espátula; esparcir la mitad de las guindas, cubrir con la otra mitad de genovesa, cubrir por encima y los lados con el resto de la crema y hacer unos rosetones con la ayuda de la manga pastelera, poniendo una guinda en cada uno de ellos y en el centro las virutas de chocolate.

CAKES Y MAGDALENAS

La adición de levadura química a la masa de huevo y harina en la confección de estos bizcochos hace mucho menos trabajosa su confección, de manera que se pueden hacer a mano con más comodidad. Esto no quiere decir que no sea ventajoso utilizar la batidora mecánica manual, que facilita mucho las cosas, o la fija, con la que se consiguen los mejores resultados.

El polvo royal debe quedar perfectamente mezclado con la harina, y para ello lo mejor es hacer la mezcla antes de tamizar la harina. No conviene exceder la dosis de polvo royal, porque podría descomponer la grasa y comunicar sabor a jabón.

Por lo demás, las posibilidades de sabores son muy grandes, y el éxito está prácticamente asegurado si se controlan correctamente las proporciones y el calor del horno. El tiempo de cocción de los cakes suele ser un poco más prolongado que el de los bizcochos.

Los cakes son muy apropiados para merienda.

MOLDES

Los cakes se suelen cocer en molde rectangular, aunque también se utiliza molde redondo, en cuyo caso también se indica. Las proporciones de las recetas que vienen a continuación corresponden a moldes de cake de 30 cm. de largo por 13 cm. de ancho y 7 de alto. Cuando por su textura sean apropiados para rellenar y presentar como una tarta, se utiliza el molde redondo de 22 cm. y se les denomina bizcochos, aunque no lo sean propiamente. También se presentan en molde de rosca.

PREPARACIÓN DEL MOLDE

Para la confección de cakes, como para bizcochos y genovesas, el molde se prepara de la siguiente forma:

Se enfría el molde en la nevera, se pinta con mantequilla, se tapiza el fondo con papel de aluminio, que se pinta también de mantequilla, y se vuelve a la nevera. Al cabo de unos minutos, se vuelve a pintar todo de mantequilla.

Las magdalenas se pueden cocer en moldes de papel o en molde metálico. No es necesario preparar el molde de papel, que ya trae su tratamiento, pero el molde metálico de magdalenas se prepara igual que los moldes ordinarios, aunque, obviamente, no se forra de papel de aluminio.

BIZCOCHO DE CHOCOLATE BLANCO A LA MUSELINA DE LIMÓN * *

Ingredientes (para 8 personas)

- *175 gr. de chocolate blanco*
- *5 claras de huevo*
- *2,5 dl. de leche*
- *vainilla en polvo*
- *300 gr. de harina*
- *250 gr. de azúcar*
- *1 cucharadita de polvo royal*
- *una pizca de sal*
- *125 gr. de mantequilla*

Muselina de limón

- *150 gr. de azúcar*
- *3 claras de huevo*
- *1/2 dl. de agua*
- *1/2 dl. zumo de limón*
- *1/4 kg. de mantequilla en pomada*
- *ralladura de limón*

Preparación

1. Fundir el chocolate en el microondas o al baño María.
2. Mezclar bien las claras con 1,5 dl. de leche, la vainilla y mantequilla derretida.
3. Aparte mezclar bien el azúcar, harina, sal y polvo royal. Añadir el resto de la leche y batir para que se incorporen bien todos los ingredientes.
4. Incorporar la mezcla de claras en dos veces y batir un minuto. Añadir el chocolate e incorporarlo bien.

5. Verter en un molde redondo de 22 centímetros preparado como se indica al principio de este capítulo, y alisar la superficie con una espátula.

6. Cocer 30 minutos a horno precalentado a 180°. Antes de sacar, comprobar la cocción con una aguja, que deberá salir limpia. Esperar 10 minutos antes de desmoldar. Se puede servir espolvoreado de azúcar glace o relleno y cubierto de muselina de limón.

Preparación de la muselina de limón

Confeccionar un almíbar en bola blanda con el agua, zumo de limón y azúcar. Montar las claras a punto de nieve. Verter el almíbar en chorrito fino sobre las claras sin dejar de batir y seguir batiendo hasta que se temple.

Incorporar la mantequilla y la ralladura de limón.

BIZCOCHO DE CLARAS Y MANTEQUILLA CON CREMA DE FRAMBUESAS * *

Ingredientes (para 8 personas)

- *5 claras de huevo*
- *2,5 dl. de leche*
- *1 cucharada de vainilla*
- *300 gr. de harina*
- *300 gr. de azúcar*
- *2 cucharaditas de polvo royal*
- *una pizca de sal*
- *175 gr. de mantequilla*

Crema de frambuesas

- *1/2 l. de crema de mantequilla blanca (ver receta)*
- *1 dl. de puré de frambuesas*

Preparación

1. Mezclar las claras y 1,5 dl. de leche.

2. Mezclar la harina, azúcar, levadura, vainilla y sal. Incorporar la mantequilla fundida y fría y el resto de la leche.

3. Incorporar poco a poco la mezcla de claras y leche, y batir hasta que estén todos los ingredientes bien mezclados.

4. Preparar un molde de 22 centímetros como se indica al principio de este capítulo, verter el batido.

5. Cocer a horno precalentado a 180º durante 35 minutos. Antes de sacar comprobar la cocción con la aguja, que deberá salir limpia.
6. No desmoldar hasta pasados 10 minutos de sacar del horno.

Preparación de la crema de frambuesas

Mezclar la crema de mantequilla blanca con el puré de frambuesas. Cubrir el bizcocho con esta crema.

BIZCOCHO DE PLÁTANO CON CHOCOLATE *

Ingredientes (para 8 personas)

- *225 gr. de plátanos*
- *1/2 dl. de sour cream (o nata con unas gotas de limón)*
- *3 huevos*
- *ralladura de un limón*
- *vainilla*
- *200 gr. de harina*
- *175 gr. de azúcar*
- *1 cucharadita de soda*
- *1 cucharadita de polvo royal*
- *una pizca de sal*
- *150 gr. de mantequilla*

Baño de chocolate y sour cream o nata agria *

- *350 gr. de chocolate amargo sin leche*
- *4 dl. de sour cream (o nata a la que se le añade unas gotas de limón)*

Preparación

1. Triturar el plátano y el sour cream o nata con unas gotas de limón.
2. En un bol batir la harina, azúcar, ralladura de limón, vainilla, levadura, bicarbonato y sal, añadir la mantequilla derretida y fría, los huevos batidos y la mitad de la mezcla de plátano y sour cream. Batir hasta que esté incorporado al puré y añadir el resto batiendo 1 minuto más.
3. Preparar el molde redondo de 22 centímetros a poder ser de fondo separable, como se indica al principio de este capítulo, verter la mezcla y alisar con una espátula la parte de arriba. Cocer a horno

precalentado a 180° durante 45 minutos, hasta que, al comprobar la cocción con la aguja, ésta salga limpia.

4. Una vez cocido, sacar del horno y dejar reposar 10 minutos antes de desmoldar. Dejar enfriar.

Preparación del baño de chocolate con nata agria

Fundir el chocolate en el microondas o al baño María y, fuera del fuego, añadir el sour cream (o la nata con unas gotas de limón). Cubrir la tarta con esta crema.

CAKE DE AMAPOLA Y LIMÓN *

Ingredientes (para 8 personas)

- *1/2 dl. de leche*
- *3 huevos*
- *6 gramos de vainilla*
- *150 gr. de harina*
- *150 gr. de azúcar*
- *1 cucharadita de polvo royal*
- *una pizca de sal*
- *175 gr. de mantequilla*
- *ralladura de un limón*
- *3 cucharadas de semilla de amapola*

Sirope de limón

- *75 gr. de azúcar*
- *1/2 dl. de zumo de limón*

Preparación

1. En un bol mezclar los huevos, la leche y la vainilla.
2. Mezclar bien la harina, azúcar, levadura y sal. Batir un poco para que se airee bien. Incorporar batiendo la mantequilla fundida pero fría, la ralladura de limón, las semillas de amapola y el batido de huevos.
3. Verter en un molde tipo cake preparado como se dice al principio de este capítulo y cocer a horno precalentado a 180° durante 45 minutos. Antes de sacar, comprobar la cocción con la aguja, que deberá salir limpia. Esperar 10 minutos antes de desmoldar.
4. Verter el sirope encima del cake y esperar 24 horas para tomar.

Preparación del sirope de limón

Poner al fuego el zumo de limón y el azúcar, y dejar que se disuelva éste.

CAKE DE CALABACÍN *

Ingredientes (para 8 personas)

- *225 gr. de harina*
- *225 gr. de azúcar*
- *una pizca de sal*
- *1 cucharadita de canela*
- *1 cucharadita de bicarbonato*
- *1 cucharadita de polvo royal*
- *3 huevos*
- *1,25 dl. de aceite de girasol*
- *la ralladura de un limón*
- *1 cucharadita de vainilla en polvo*
- *1/4 kg. de calabacín rallado con su piel*
- *100 gr. de pasas maceradas en ron*
- *100 gr. de nueces en trocitos*

Preparación

1. Batir los huevos y el azúcar hasta obtener una crema blanca.
2. Añadir las especias, aceite de girasol y harina. Mezclar bien.
3. Rallar el calabacín con su piel. Mezclar con lo anterior.
4. Añadir, por último, las pasas y las nueces.
5. Untar de mantequilla un molde redondo, verter la mezcla y cocer a horno precalentado a 200° durante 30 minutos. Antes de sacar, comprobar la cocción con la aguja, que deberá salir limpia.

CAKE PARA EL TÉ *

Ingredientes (para 8 personas)

- *5 huevos*
- *350 gr. de harina*
- *300 gr. de azúcar*
- *ralladura de un limón*
- *ralladura de una naranja*
- *1/2 dl. de ron*
- *100 gr. de pasas (que se habrán hervido unos minutos)*
- *1 cucharadita de polvo royal*
- *75 gr. de almendras fileteadas*
- *250 gr. de mantequilla*

Preparación

1. Trabajar la mantequilla en pomada con el azúcar e incorporar los huevos de uno en uno.
2. Incorporar dos tercios de la harina, las ralladuras y el ron. Mezclar el resto de la harina con las pasas e incorporar. Dejar enfriar media hora en la nevera.

3. Preparar el molde de cake, como se dice en la introducción, verter el batido, espolvorear con las almendras fileteadas y cocer a horno mediano 180º 45 minutos. Comprobar la cocción con la aguja. Desmoldar en caliente y dejar enfriar en la rejilla.

BIZCOCHO DE CHOCOLATE Y FRUTOS SECOS *

Ingredientes
- *150 gr. de chocolate*
- *140 gr. de mantequilla*
- *4 huevos*
- *120 gr. de azúcar*
- *100 gr. de dátiles picados*
- *10 gr. de nueces picadas*
- *30 gr. de harina*
- *ralladura de un limón*
- *1 pizca de vainilla*

Preparación

1. Batir la mantequilla con el azúcar. Añadir la vainilla y los huevos de uno en uno.
2. Fundir el chocolate al baño María o microondas e incorporarlo a la mezcla anterior.
3. Incorporar la harina y la ralladura de limón, las nueces y los dátiles.
4. Verter en molde redondo preparado de 22 centímetros, y cocer 45 minutos a horno mediano (180º). Comprobar la cocción con la aguja. Desmoldar a los 10 minutos de sacar del horno. Dejar enfriar sobre la rejilla.

CORONA DE AVELLANAS, CALABAZA Y CHOCOLATE *

Ingredientes (para 8 personas)
- *125 gr. de harina*
- *60 gr. de avellanas tostadas y picadas*
- *150 gr. de azúcar blanquilla morena*
- *1 cucharadita de polvo royal*

- *225 gr. puré de calabaza (fresca, ya triturada, también se puede encontrar preparada en el mercado)*
- *3 huevos*
- *1 dl. de aceite de girasol*
- *una cucharadita de bicarbonato o soda*
- *una cucharadita de canela*
- *una pizca de nuez moscada y de clavo molido*
- *una pizca de sal*

*BAÑO DE CHOCOLATE **
- *50 gr. de chocolate*
- *1/2 dl. de leche*
- *1 cucharada de aceite de girasol*

Preparación

1. Mezclar la harina, especias, avellanas y bicarbonato y batir para que se airee.
2. En un bol batir lentamente los huevos, azúcar y el aceite durante 2 minutos. Añadir el puré de calabaza y batir dos minutos, hasta incorporarlo completamente.
3. Incorporar la mezcla de harina y avellanas y mezclar un minuto.
4. Preparar un molde de rosca, verter la preparación y cocer 30 minutos. Comprobar la cocción con la aguja, que deberá salir limpia.
5. Esperar 10 minutos antes de desmoldar.

Preparación del baño de chocolate

Fundir en el microondas o al baño María el chocolate, añadir la leche y el aceite. Mezclar bien y verter sobre el cake.

TARTA DE MANZANAS CASERA *

Ingredientes (para 8 personas)
- *3 huevos*
- *3 manzanas reinetas*
- *125 gr. de harina*
- *1 cucharadita de polvo royal*
- *125 gr. de azúcar*
- *125 gr. de mantequilla*
- *azúcar glace para espolvorear*

Preparación

1. Batir los huevos con el azúcar hasta obtener una crema blanca.

2. Añadir la mantequilla derretida y después la harina con el polvo royal.

3. Verter en un molde redondo untado de mantequilla. Poner encima las manzanas, que se habrán pelado y fileteado en lonchitas finas, incrustándolas un poco en la masa.

4. Cocer a horno precalentado a 180° durante tres cuartos de hora. Comprobar la cocción con la aguja, que deberá salir limpia.

5. Dejar enfriar, desmoldar y espolvorear de azúcar glace.

CAKE DE FRUTAS CONFITADAS *

Ingredientes (para 8 personas)

- *250 gr. de azúcar*
- *5 huevos*
- *250 gr. de mantequilla*
- *300 gr. de harina*
- *2 cucharaditas de polvo royal*
- *250 gr. de frutas confitadas variadas, fileteadas*
- *1/2 dl. de ron*

Preparación

1. Trabajar en un bol la mantequilla en pomada y el azúcar, e incorporar los huevos uno a uno y el ron. Si la masa se corta, templar el bol al baño María y seguir batiendo.

2. Sobre un papel grande mezclar la harina tamizada y el polvo royal. Incorporar las frutas confitadas. Esto evita que las frutas caigan al fondo del molde.

3. Incorporar esta masa a la masa anterior y dejar 30 minutos en la nevera.

4. Preparar un molde de cake como se indica al principio de este capítulo. Verter la masa y cocer a 225° durante 5 minutos, bajando luego el termostato a 180° otros 45 minutos. Antes de sacarlo del horno comprobar la cocción con la aguja. Debe salir limpia. Desmoldar inmediatamente.

CAKE DE LIMÓN *

Ingredientes (para 8 personas)

- *ralladura de dos limones*
- *4 huevos*
- *una pizca de sal*
- *350 gr. de azúcar*
- *1 dl. de nata*
- *280 gr. de harina*
- *2 cucharaditas de polvo royal*
- *100 gr. de mantequilla fundida*
- *1/2 dl. de ron Negrita*
- *mermelada de albaricoque*
- *100 gr. de azúcar glace tamizada*
- *zumo de un limón*

Preparación

1. Mezclar bien, sin trabajar demasiado, la ralladura de limón, huevos, sal y azúcar. Incorporar la nata y la harina bien mezclada con el polvo royal y tamizada. Añadir al final la mantequilla y el ron.
2. Preparar un molde de cake como se dice al principio de este capítulo, verter el batido anterior y cocer a horno precalentado a 200° durante 15 minutos. Después, otros 30 minutos a 180°. Antes de sacar del horno, comprobar la cocción con la aguja. Si sale limpia y seca ya estará cocido.
3. Desmoldarlo a la salida del horno y dejarlo sobre la rejilla.
4. Una vez bien frío, pintarlo con mermelada de albaricoque caliente pasada por el chino.
5. Pintar todo el cake con la glace de limón (zumo de 1 limón con 100 gramos de azúcar glace). Meter a horno fuerte, a 250°, justo hasta el momento en que se fije el glaseado.

NOTA: Se puede tomar el cake el mismo día. Dura dos días. Presentarlo en rebanadas finas.

PAN DE CHOCOLATE *

Ingredientes (para 8 personas)

- *20 gr. de cacao amargo en polvo*
- *1/2 dl. de agua hirviendo*
- *125 gr. de harina*
- *175 gr. de azúcar*
- *1 cucharadita de polvo royal*

- *una pizca de vainilla*
- *3 huevos*
- *una pizca de sal*
- *175 gr. de mantequilla*

Preparación

1. Disolver el cacao en el agua hirviendo y dejar enfriar. Incorporar la vainilla y los huevos.
2. Mezclar en un bol aparte la harina, el polvo royal, sal y azúcar, añadir la mitad de la mezcla de cacao y huevos y la mantequilla derretida y fría. Batir bien hasta que quede todo bien espumoso. Incorporar en dos veces el resto de la mezcla de yemas y cacao, batiendo cada vez.
3. Verter en un molde tipo cake untado de mantequilla y cocer a horno precalentado a 180° durante 50 minutos. Antes de sacar, comprobar la cocción con la aguja, que deberá salir limpia.
4. Dejar enfriar 10 minutos en el molde, pasar el cuchillo por los bordes y desmoldar.

CUATRO CUARTOS *

Ingredientes (para 8 personas)

- *250 gr. de azúcar*
- *250 gr. de mantequilla*
- *250 gr. de harina*
- *4 huevos hermosos (250 gr.)*
- *1 cucharadita de polvo royal*
- *ralladura de 1/2 limón*
- *ralladura de 1/2 naranja*
- *1/2 dl. de ron*

Preparación

1. Trabajar bien los huevos y el azúcar.
2. Añadir la mantequilla derretida y fría y la harina. Mezclar y añadir el polvo royal, la ralladura de limón y naranja y el ron.
3. Dejar reposar la masa 20 minutos en la nevera.
4. Preparar un molde tipo cake como se dice al principio de este capítulo. Verter la preparación anterior y cocer a horno precalentado a 180° durante 45 minutos. Comprobar la cocción con la aguja. Esperar 10 minutos antes de desmoldar.

Si se quiere, se puede pintar por encima con un glaseado de albaricoque (ver receta de *Glasa de albaricoque*).

CORONA DE ZANAHORIAS *

Ingredientes (para 8 personas)

- *200 gr. de zanahorias ralladas*
- *1/2 dl. de zumo de limón*
- *225 gr. de harina una pizca de sal*
- *1 cucharadita de polvo royal*
- *1 cucharadita de bicarbonato*
- *una pizca de canela*
- *2 huevos*
- *150 gr. de mantequilla fundida*
- *2,5 dl. de miel líquida*

Preparación

1. Mezclar las zanahorias ralladas con el zumo de limón.
2. Mezclar la harina, sal, canela, polvo royal y bicarbonato, añadir los huevos, la mantequilla fundida y la miel, y por último la ralladura de zanahorias con el limón. Mezclar bien.
3. Pintar de mantequilla y enharinar un molde de rosca, verter el preparado y cocer a horno precalentado a 180° durante 30 minutos. Antes de sacar, comprobar la cocción con la aguja, que deberá salir limpia. Esperar diez minutos para desmoldar.

CAKE DE ESPECIAS *

Ingredientes (para 8 personas)

- *1/2 dl. de leche*
- *4 claras de huevo*
- *1 cucharada de brandy*
- *200 gr. de harina*
- *200 gr. de azúcar*
- *1 cucharadita de polvo royal*
- *una pizca de sal*
- *1/2 cucharadita de canela molida*
- *1/2 cucharadita de clavo molido*
- *1 cucharada de cacao amargo*
- *225 gr. de mantequilla*

Preparación

1. Mezclar sin batir la leche, las claras y el brandy.
2. En un bol aparte mezclar la harina, el polvo royal, el azúcar, la sal, las especias y el cacao. Incorporar la mantequilla derretida y la mitad de la mezcla de claras. Mezclar a velocidad lenta hasta que se hayan incorporado bien los ingredientes, aumentar a velocidad me-

dia y batir un minuto. Añadir en dos veces el resto de la leche y huevos batiendo medio minuto después de cada adición para incorporar bien los ingredientes.

3. Verter en molde de cake preparado como se dice al principio de este capítulo y cocer a horno precalentado a 180^{0} durante 45 minutos. Antes de sacar, comprobar la cocción con la aguja, que deberá salir limpia.

PASTEL BICOLOR *

Ingredientes (para 8 personas)

- *250 gr. de mantequilla*
- *300 gr. de azúcar*
- *275 gr. de harina*
- *1 cucharada de polvo royal*
- *50 gr. de chocolate*
- *50 gr. de ralladura de naranja confitada*
- *6 huevos*

Preparación

1. Batir con las varillas la mantequilla en pomada y el azúcar hasta obtener una crema blanca. Añadir las yemas una por una, batiendo cada vez para que se incorporen bien.
2. Añadir la levadura y la harina tamizada. Cuando se haya mezclado todo bien, dejar de trabajar.
3. Montar las claras a punto de nieve. Incorporar un tercio de estas claras a la preparación anterior, batir bien y añadir el resto con cuidado.
4. Separar un tercio de esta preparación en un bol y añadir el chocolate fundido, e incorporar al batido restante las naranjas confitadas.
5. Guardar en la nevera 20 minutos, tapado.
6. Pintar un molde tipo cake de mantequilla. Según el gusto de cada uno, poner alternando capas de masa de chocolate y de naranjas. Cocer a horno precalentado a 180^{0} durante 45 minutos. Antes de sacar del horno comprobar la cocción con una aguja, que deberá salir limpia. Esperar 10 minutos antes de desmoldar.

PASTEL STREUSEL DE NATA AGRIA * *

Ingredientes (para 8 personas)

- *4 yemas*
- *1,5 dl. de sour cream (o nata líquida con gotas de limón)*
- *una pizca de vainilla en polvo*
- *una pizca de sal*
- *175 gr. de mantequilla*
- *200 gr. de harina*
- *200 gr. de azúcar*
- *1 cucharadita de polvo royal*
- *1 cucharadita de bicarbonato*

Streusel

- *75 gr. de azúcar de caña blanquilla*
- *25 gr. de azúcar*
- *125 gr. de nueces peladas*
- *canela en polvo*
- *65 gr. de harina*
- *60 gr. de mantequilla*
- *1 manzana reineta o melocotón*

Preparación

1. Preparar el Streusel: picar y mezclar muy bien las nueces con los azúcares y la canela.

Migar la mantequilla con la harina como para una masa quebrada e incorporarle la mitad de la mezcla anterior. Reservar la otra mitad.

2. Preparar el bizcocho: mezclar las yemas y la cuarta parte del sour cream y la vainilla.

3. Mezclar la harina, azúcar, polvo royal, bicarbonato y la sal, incorporar la mantequilla derretida y fría y el sour cream restante y batirlo bien hasta que quede una crema espumosa e incorporarlo a la mezcla anterior.

4. Preparar un molde de 22 centímetros, a poder ser de fondo separable, como se dice al principio de este capítulo. Verter en el molde la mitad de la crema. Esparcir por encima la mezcla de nueces y azúcar reservadas según se explica en el apartado 1, y la manzana pelada y cortada en dados. Verter el resto de la crema y esparcir por encima el Streusel.

5. Cocer a horno precalentado a 180º durante 1 hora. Pasados 45 minutos, tapar con un papel de plata para que no se queme. Antes de sacar comprobar la cocción con la aguja, que deberá salir limpia.

CAKE INTEGRAL (para forofos de la fibra) *

Ingredientes (para 8 personas)

- *2,5 dl. de leche, al que se le añadirán unas gotas de limón*
- *250 gr. de azúcar moreno de caña*
- *100 gr. de salvado*
- *150 gr. de harina*
- *1 huevo batido (o una clara batida con una cucharada de agua, para régimen bajo en colesterol)*
- *1 cucharada de bicarbonato*
- *1 dl. de aceite de oliva*
- *1 cucharada de polvo royal*
- *pasas y nueces (facultativo)*
- *mantequilla o aceite para untar el molde*

Preparación

1. Batir el huevo con el azúcar.
2. Incorporar la leche, el aceite y unas gotas de limón. Mezclar bien.
3. Incorporar a continuación el salvado, la harina, el bicarbonato y el polvo royal. Volver a mezclar.
4. Pintar un molde tipo cake con mantequilla (o aceite), cubrir el fondo con papel de aluminio y volver a untar, verter la mezcla y cocer a horno precalentado a 180° durante tres cuartos de hora. Antes de sacarlo, comprobar la cocción con la aguja. Deberá salir limpia.

CHRISTMAS PUDDING * * *

Ingredientes (para 8 personas)

- *125 gr. de harina*
- *125 gr. de miga de pan*
- *100 gr. de grasa de riñón de ternera limpia*
- *300 gr. de pasas*
- *100 gr. de frutas escarchadas picadas*
- *canela*
- *ralladura de un limón y de una naranja*
- *125 gr. de azúcar*
- *2 huevos batidos*
- *2 dl. de ron para ir regando el Christmas Pudding*
- *nuez moscada rallada*
- *una pizca de sal*
- *ralladura de un limón*
- *1/2 dl. de leche*
- *1 dl. de ron oscuro para flambear*
- *jengibre*

Salsa al ron

- *125 gr. de mantequilla*
- *125 gr. de azúcar*
- *125 gr. de azúcar moreno de caña*
- *1 dl. de agua*
- *1,5 dl. de ron*
- *1 cucharadita de maizena*

Preparación

1. Picar la grasa de riñón (lo que puede hacer el carnicero), mezclarla con la miga de pan triturada. Poner en un bol grande todos los ingredientes secos, mezclarlos bien y agregar los ingredientes líquidos, incorporando todo hasta conseguir una masa homogénea.

2. Pintar de mantequilla una flanera. Rellenar apretando bien, tapar con papel de aluminio o papel sulfurizado, atar con un cordel alrededor y poner a cocer al baño María a 180° durante 4 horas. En la olla express, 2 horas.

Preparación de la salsa al ron

Derretir el azúcar con el agua. Disolver la maizena, dar un hervor e incorporar, fuera del fuego, la mantequilla en trocitos, batiendo bien. Conservar al calor.

Presentación

Calentar el Christmas Pudding al baño María. Desmoldarlo sobre una fuente caliente. Verter por encima el ron caliente y flambearlo en el momento de llevar a la mesa.

NOTA: Hay que preparar este postre por lo menos con 15 días de anticipación. Cada dos días regarlo con el ron.

MAGDALENAS *

Ingredientes (para 8 personas)

- *180 gr. de mantequilla*
- *200 gr. de azúcar vainilla en polvo*
- *5 huevos*
- *ralladura de 1/2 limón*
- *1 cucharadita de polvo royal*
- *200 gr. de harina tamizada*

Preparación

1. Fundir la mantequilla. Dejarla enfriar.
2. Batir el azúcar y los huevos enteros hasta obtener una crema blanca. Añadir la vainilla y la ralladura de limón.
3. Incorporar a continuación la harina tamizada bien mezclada con el polvo royal. Mezclarlo con cuidado sin trabajar demasiado, y por último añadir la mantequilla casi fría.
4. Dejar reposar la masa 15 minutos en la nevera.
5. Pintar los moldes como se ha dicho al principio de este capítulo. Rellenarlos 3/4 partes y cocerlos a horno precalentado a 200º durante 10 minutos.

NOTA: Están más ricas recientes, pero se pueden conservar 8 días en una caja hermética.

MAGDALENAS DE ALMENDRAS *

Ingredientes (para 8 personas)

- *150 gr. de almendras en polvo*
- *150 gr. de azúcar*
- *150 gr. de mantequilla*
- *25 gr. de harina*
- *4 claras de huevo*

Preparación

1. En un bol mezclar las almendras en polvo, el azúcar y la harina. Añadir las claras de huevo y trabajar la mezcla batiendo bien.
2. Calentar la mantequilla a fuego medio y dejarla cocer hasta obtener un bonito color avellana.
3. Verter sobre la crema de almendras y guardar una hora en la nevera.
4. Preparar los moldes como se ha dicho al principio de este capítulo y rellenarlos con la mezcla.
5. Cocer a horno precalentado a 180º de 8 a 10 minutos.

NOTA: Están más ricas recientes. Se pueden guardar en una caja hermética.

MAGDALENAS DE MIEL *

Ingredientes (para 8 personas)

- *175 gr. de mantequilla en pomada*
- *4 huevos*
- *150 gr. de azúcar*
- *20 gr. de azúcar moreno de caña*
- *una pizca de sal*
- *1/2 dl. de miel líquida*
- *1 cucharadita de polvo royal*
- *175 gr. de harina vainilla*

Preparación

1. Poner en un bol los huevos, los dos tipos de azúcar y la sal. Batir hasta obtener una crema blanca.
2. Añadir la harina, levadura y vainilla.
3. Añadir la mantequilla fundida y fría y la miel. Mezclar todo bien. Dejar reposar 20 minutos en la nevera.
4. Preparar los moldes como se ha dicho al principio de este capítulo. Rellenarlos sin llegar hasta el borde y cocer 10 minutos en horno precalentado a 175º.

PAN DE ESPECIAS (PAIN D'ÉPICES) * *

Ingredientes (para 8 personas)

Masa núm. 1

- *2 dl. de miel*
- *125 gr. de azúcar*
- *75 gr. de mantequilla*
- *2 dl. de agua*

Masa núm. 2

- *1/2 naranja pelada a lo vivo y partida en daditos, eliminando al máximo las telillas*
- *ralladura de una naranja*
- *ralladura de un limón*
- *1 cucharada de granos de anís*
- *50 gr. de almendras fileteadas*
- *275 gr. de harina integral (se puede hacer con harina normal)*
- *1 cucharada de polvo royal*
- *1/2 cucharadita de canela en polvo*
- *1/2 cucharadita de clavo en polvo*
- *1/2 cucharadita de jengibre en polvo*

Preparación

1. Fundir en un cazo la miel, el azúcar y la mantequilla con 2 dl. de agua.

2. Mezclar en un bol la naranja partida en daditos pequeños, las ralladuras de limón y de naranja y el anís. Incorporar las almendras y las especias.

3. Agregar a esta mezcla la harina y la levadura. Mezclar bien y añadir poco a poco la mezcla número 1. Mezclar hasta obtener una masa homogénea.

4. Preparar un molde tipo cake como se ha dicho al principio de este capítulo, verter el batido y cocer a horno precalentado a 180° durante 30 minutos. Antes de sacarlo, cerciorarse de que la aguja salga limpia.

5. Desmoldarlo al día siguiente.

GÂTEAU BASQUE * *

Ingredientes (para 8 personas)

- *240 gr. de azúcar*
- *270 gr. de harina*
- *200 gr. de mantequilla derretida*
- *1 cucharada de ron*
- *zumo de media naranja*
- *2 cucharaditas de polvo royal*
- *1 huevo para pintar*
- *3 huevos*

Relleno

1/2 litro de crema pastelera (ver receta; alternativo) sustituir 1/4 litro de crema pastelera por un bote de mermelada de arándanos o de grosellas.

Preparación

1. Mezclar la harina, el azúcar y el polvo royal.

2. Amasar con los ingredientes líquidos (la mantequilla, los 3 huevos, el zumo de naranja y el ron). Quedará una crema bastante consistente.

3. Pintar de mantequilla un molde de fondo desmoldable de 22 centímetros, y con ayuda de una manga pastelera cubrir el fondo con la masa del gâteau. Extender en el centro la crema pastelera (y en su caso, la mermelada) y recubrir con el resto de la masa del gâteau. Dorar con el huevo batido.

4. Cocer 40 minutos a horno caliente (200°).

BIZCOCHO DE YOGUR *

Ingredientes (para 8 personas)

- *1 tarrito de yogur natural*
- *3 huevos*
- *3 tarritos de azúcar (medida del yogur)*
- *4 tarritos de harina (medida del yogur)*
- *1 tarrito de aceite de girasol (medida del yogur)*
- *ralladura de un limón*
- *1 cucharadita de polvo royal*

Preparación

1. Batir muy bien el yogur con los huevos y el azúcar.
2. Añadir la harina, el aceite de girasol, ralladura de limón y polvo royal. Mezclar bien.
3. Preparar el molde de 22 centímetros como se ha dicho al principio de este capítulo, verter el batido en el molde y cocer a 180° durante 35 minutos. Antes de sacar, comprobar con la aguja, que deberá salir limpia.

CAKE DE CHOCOLATE Y CERVEZA *

Ingredientes (para 8 personas)

- *150 gr. de chocolate amargo*
- *300 gr. de harina*
- *1/2 cucharadita de bicarbonato*
- *2 dl. de cerveza*
- *125 gr. de azúcar*
- *1 cucharadita de polvo royal*
- *100 gr. de mantequilla blanda*
- *2 huevos*
- *1/4 cucharadita de sal*
- *100 gr. de nueces picadas*

Preparación

1. Derretir el chocolate en el microondas.
2. Mezclar la harina con la sal, polvo royal y bicarbonato.
3. Batir la mantequilla con el azúcar, añadir los huevos y luego el chocolate derretido. Mezclar bien.
4. Añadir la harina y la cerveza, incorporándolo suavemente hasta que quede una crema lisa. Añadir las nueces.
5. Verter a un molde tipo cake preparado como se ha dicho al principio de este capítulo y cocer a horno precalentado a 180° durante 35 minutos. Debe salir la aguja limpia.

BIZCOCHO DE NARANJA (Tarta sevillana de naranjas) *

Este fue el primer pastel que aprendí a hacer, hace demasiados años. Por lo fácil, y por lo rico, sigue siendo mi favorito.

Ingredientes (para 8 personas)

- *125 gr. de mantequilla*
- *125 gr. de azúcar*
- *2 huevos*
- *125 gr. de harina*
- *2 naranjas*
- *1 cucharadita de polvo royal*
- *200 gr. de azúcar glace*

Preparación

1. Batir muy bien la mantequilla en pomada con el azúcar.
2. Añadir los huevos de uno en uno, remover bien, añadir la harina mezclada con la levadura en polvo, la ralladura de las dos naranjas y el zumo de una.
3. Preparar un molde de 22 centímetros. Verter la mezcla y cocerlo al horno a 180° unos 25 minutos. Se sabrá que está hecho cuando el bizcocho se despega del molde por los bordes.
4. Desmoldarlo sobre una rejilla, darle la vuelta y verter encima el glaseado de naranja.

Preparación del glaseado de naranja

Poner en un bol el azúcar glace y añadir el zumo de media naranja. Con una cuchara mezclar bien y cubrir la tarta.

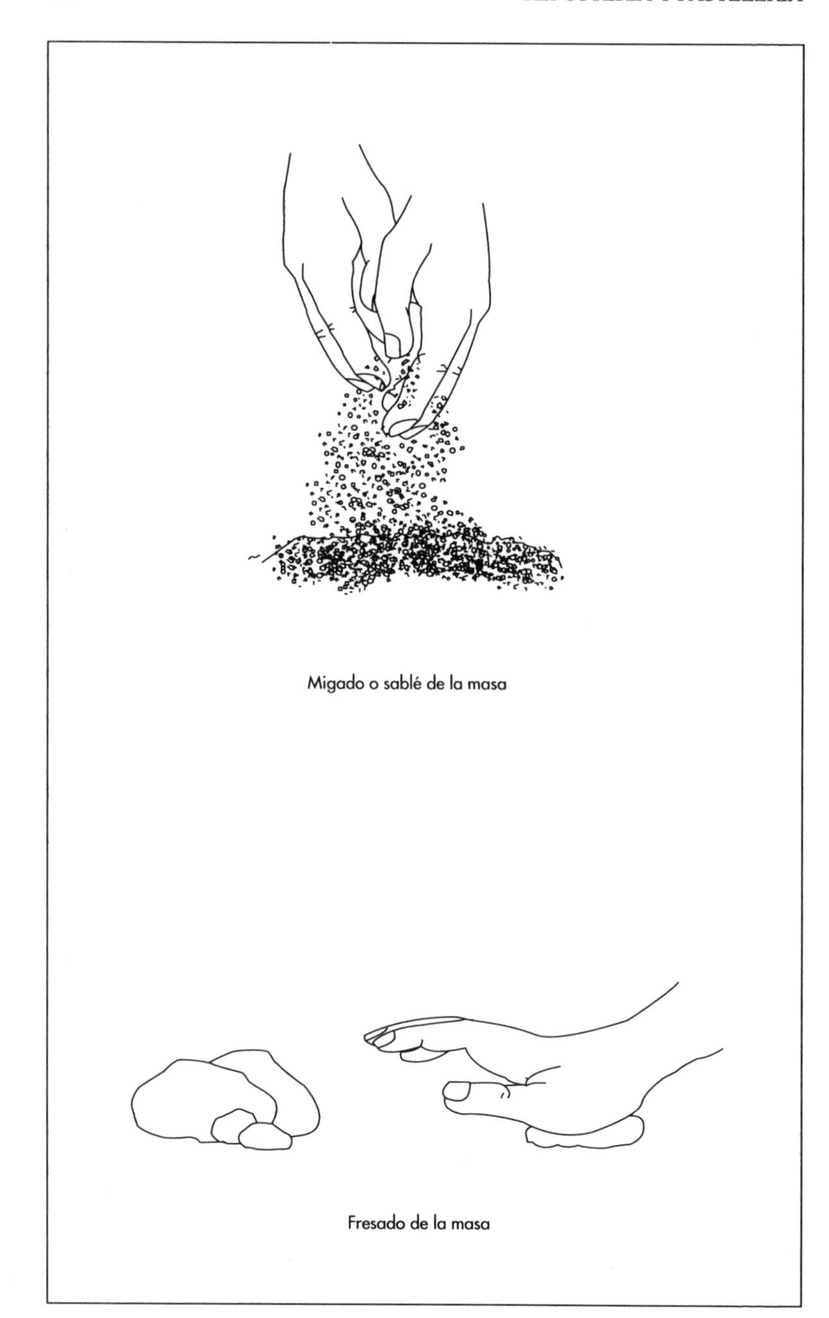

Migado o sablé de la masa

Fresado de la masa

TARTELETAS

La presentación de dulces en tarteleta es muy antigua, quizá la más primitiva de las tartas. Para el ama de casa presenta algunos alicientes importantes, entre ellos la comodidad de ejecución, la certeza del buen resultado a la vista y, no menos importante, el sabor.

Normalmente se utilizan tres tipos de masas para la elaboración de tarteletas: el hojaldre, la masa quebrada y la galleta. No haré más comentario sobre la masa de hojaldre, sobre la que ya me he extendido más arriba, salvo indicar lo fundamental que es picar bien la masa antes de ponerla a cocer, porque no debe hincharse por la parte del centro, donde se ha de depositar el dulce, y para que se tueste bien, porque tanto cuando se usa hojaldre como masa quebrada es fundamental que la masa llegue a cocerse totalmente, y para ello, en el caso del hojaldre, hay que picarlo mucho para que elimine agua y se tueste bien.

MASA QUEBRADA

Se llama masa quebrada a la que, una vez cocida al horno, se desmorona en migas. La masa debe ser muy frágil, pero al mismo tiempo debe tener la suficiente consistencia como para que la tarta no se rompa. La forma de conseguirlo es formando la masa a base de migas de harina y grasa (normalmente mantequilla), y amasarlo con un líquido (agua, o huevo para aumentar la consistencia), pero trabajando al mínimo, para no destruir la estructura inicial de las migas de grasa y harina. La consistencia de la tarta será menor cuanto mayor la proporción de grasa, pero ésta es la gracia de esta masa.

Observaciones de léxico. Como existe cierta confusión sobre términos, creo útil, antes de seguir adelante, hacer una recapitulación sobre esta cuestión.

Algunos usan el barbarismo «pasta fonsé», que es traducción fonética de «pâte à foncer», que en francés es masa para tapizar un molde. Ésta puede ser de cualquier clase, hojaldre, quebrada u otra.

Por otro lado, en francés, a las migas con que se empieza la masa les dicen «sable», arena, porque es como una arena gruesa, y por eso a esta masa la llaman «pâte sablée», o pasta arenada. La traducción de masa quebrada al francés es «pâte brisée», y de ahí que en España usemos también las expresiones pasta sablé y pasta brisé, que son exactamente lo mismo.

En inglés, a la masa quebrada la llaman «shortcrust», o corteza corta, y a una variedad de ésta, que luego se describirá, «shortbread», o pan corto, expresión que también se encuentra en algunos libros de recetas traducidos del inglés.

Recapitulando:

Pasta fonsé: cualquier masa para tapizar moldes;

Pasta sablé, pasta brisé, shortcrust: masa quebrada.

Como la masa quebrada se utiliza para presentación de tartas dulces o saladas, hay dos alternativas básicas, que son la masa quebrada dulce y la masa quebrada salada.

MASA QUEBRADA DULCE (receta base) *

Ingredientes (para un molde de 22 cm.)

- *250 gr. de harina*
- *150 gr. de mantequilla a temperatura ambiente*
- *75 gr. de azúcar*
- *1 huevo batido*
- *una pizca de sal*
- *una pizca de vainilla en polvo*

Preparación

A) ***A mano***

1. Tamizar la harina, disponerla en un montón sobre la mesa de trabajo. Mezclar el azúcar, la sal y la vainilla con la harina y colocar el bloque de mantequilla en el centro.

2. *Migado.* Ir tomando pellizcos de mantequilla e irlos embebiendo en la mezcla de harina, azúcar y sal, frotándolos entre las manos, hasta que se vaya formando un montón de migas finas, sin que que-

de ningún migajón gordo, que normalmente es un grumo de mantequilla envuelto en harina.

3. *Amasado.* Incorporar el huevo batido. Amasar hasta obtener una masa bastante dura, que no se pegue a las manos. Este amasado debe ser lo más somero posible.

4. *Fresado.* Tomar pellizcos de masa, y aplastarlos, con movimientos de atrás hacia adelante, contra la mesa con la palma de la mano. Esta operación tiene por objeto eliminar completamente los grumos de mantequilla. Al terminar el fresado, juntar todos los pedazos y formar una bola, sin amasar más.

5. *Descanso de la masa.* A pesar de todas las precauciones, la masa habrá tomado algo de «correa», o elasticidad, que dificulta el extendido y dará a la masa, si se cuece en seguida, dureza y rigidez. Para neutralizar la correa de la masa hay que dejarla reposar en frío, envuelta en una servilleta o en papel film, durante un mínimo de 40 minutos. Después de este tiempo, la masa está lista para su uso.

NOTA: La presencia de grumos de mantequilla en la masa tiene por efecto que, al estirar la masa, el grumo se amasará con ella, y al cocer, se fundirá y dejará un agujero por el que se escapará el relleno. Esta es la principal causa de que la masa se pegue al molde y no se pueda desmoldar.

B) ***En la batidora fija***

1. Poner en el bol de la batidora la harina tamizada, el azúcar, la sal y la vainilla. Mezclar. Parar la batidora, agregar la mantequilla a temperatura ambiente en pedazos del tamaño de una nuez, y rebozarlos un poco en la harina. Iniciar el batido lentamente, y según se va viendo que los pedazos de mantequilla van disgregándose, aumentar la velocidad hasta el máximo. Parar la máquina, raspar bien los bordes y volver a batir a la velocidad máxima un minuto. Comprobar, a mano, que no quedan grumos de mantequilla. Si quedan, seguir batiendo a velocidad máxima, o si son muy pocos, terminar el migado a mano.

2. Cuando estén hechas las migas, parar la máquina, retirar el bol e incorporar a mano el huevo y mezclar a mano, hasta que se haya hecho la masa. No hace falta fresar.

3. Envolver en papel film y dejar descansar.

C) ***En el robot***

1. Poner en el vaso la harina, el azúcar, la sal y la vainilla; mezclar. Agregar la mantequilla en dos o tres pedazos hasta que se formen las migas.

2. Incorporar el huevo. La masa se formará casi al instante. Parar.
3. Envolver en papel film y hacer descansar.

NOTA: Ver procedimiento de tapizar el molde, cocer y precocer la masa en la receta de Masa quebrada salada.

MASA QUEBRADA SALADA (receta base) *

Ingredientes (para un molde de 28 cm.)

- *250 gr. de harina*
- *5 gr. de sal*
- *175 gr. de mantequilla*
- *1 huevo*

Preparación

Exactamente la misma que para la masa quebrada dulce.

Existen otras recetas de masa quebrada, variando las proporciones y añadiendo otros ingredientes que son característicos de ciertas especialidades. En las recetas que siguen se utilizará la receta de masa quebrada dulce, salvo que se indique otra cosa.

Para tapizar el molde

Tomar la bola de masa y extenderla sobre una mesa enharinada hasta un grosor de 5 mm. Tomar la masa con ayuda del rodillo, colocarla sobre el molde (a poder ser de fondo separable) y tapizarlo, apretando en las paredes. Cortar la masa pasando el rodillo por encima de los bordes del molde. Cuidar bien que no quede ninguna grieta en la masa, para que no se escape el relleno. Si lo hay, hacer un remiendo con un pedacito de masa mojado en huevo o en agua.

A continuación, con la ayuda de un cuchillo, o con el rodillo de pinchos, picar bien el fondo, para que al cocer no se formen ampollas de aire por debajo. Enfriar en la nevera, o incluso en el congelador: la masa debe quedar completamente fría.

Para cocer al horno la masa quebrada

Si tapizamos el molde de masa, lo rellenamos de un preparado, normalmente húmedo, y lo metemos al horno, el azúcar de la masa absorberá el líquido del relleno y la masa no llegará a cocerse correctamente. Por eso es necesario cocer primero la masa sin relleno. (Este problema se plantea en mucha menor escala en la masa quebrada salada, porque no tiene azúcar.)

Por eso, usando masa quebrada dulce se debe precocer la tarteleta, poniendo, para que la masa no se levante, un relleno provisional. Normalmente, se cubre la tarteleta con papel de aluminio y se ponen garbanzos para hacer este relleno, aunque también se venden en el mercado unas gotas de aluminio, y van muy bien, porque al ser el aluminio buen conductor del calor la masa se cuece mejor.

Procedimiento de precocer la tarteleta

1. Siguiendo las instrucciones anteriores, tapizar el molde.
2. Cocer la tarteleta con el relleno provisional (garbanzos o gotas de aluminio) a horno precalentado a 200° durante 10 minutos. Sacar del horno y retirar el relleno y, en caliente, dorar el fondo y las paredes con yema de huevo diluida en unas gotas de agua. En este momento está la tarteleta SEMICOCIDA (la yema de huevo evita que el relleno empape la masa).
3. Volver la tarteleta al horno y cocer otros 15 minutos más. Así queda la tarteleta PRECOCIDA.

Esta cocción con relleno provisional no siempre tiene que ser completa, salvo que el relleno que se vaya a utilizar esté ya cocido o no necesite cocción. Cuando hay que cocer el relleno, éste se incorpora en la fase 3, cuando ya está la tarta SEMICOCIDA.

En cada receta se indicará si se ha de utilizar la masa cruda, semicocida o precocida.

Otras recetas de tarteleta

Existen otras recetas de tarteleta, con ligeras variantes. A mí la que mejor resultado me ha dado es la anterior, pero a continuación presento algunas variantes, por si el lector quiere experimentar (para un molde de 28 centímetros).

- *275 gr. de harina*
- *1 pizca de sal*
- *1 cucharada de azúcar*
- *225 gr. de mantequilla*
- *1/2 dl. de de agua fría*

- *275 gr. de harina*
- *3 cucharadas de azúcar*
- *225 gr. de mantequilla*
- *2 yemas de huevo*

- *300 gr. de almendras o nueces o avellanas trituradas*
- *65 gr. de azúcar*
- *325 gr. de harina*

- *225 gr. de mantequilla*
- *1 huevo*
- *vainilla*

- *250 gr. de harina*
- *125 gr. de mantequilla*
- *5 gr. de sal*
- *10 gr. de azúcar*
- *1 huevo*
- *2 cucharadas de agua*

- *200 gr. de mantequilla*
- *250 gr. de harina*
- *100 gr. de azúcar glace*
- *2 yemas*
- *una pizca de sal*
- *esencia de vainilla*

- *150 gr. de mantequilla*
- *250 gr. de harina*
- *100 gr. de azúcar glace*
- *1 huevo*
- *30 gr. de almendras en polvo*

TARTA DE LIMÓN *

Ingredientes

- *Una tarteleta semicocida de masa quebrada de 22 cm. (ver receta de* Masa quebrada dulce*)*
- *5 huevos*
- *200 gr. de azúcar*
- *2 limones*
- *50 gr. de azúcar glace*
- *1,5 dl. de nata líquida*

Preparación

1. Precocer parcialmente la tarteleta (ver la receta anterior).
2. Elaborar el relleno: batir bien los huevos y el azúcar durante 5 minutos. Añadir la ralladura de los limones y el zumo. Batir un poco la nata y mezclar con cuidado. Verter la preparación sobre la tarta y cocer a 150º durante una hora.
3. Una vez cocida, dejar enfriar y, en el momento de servir, espolvorear de azúcar molido.

TARTA DE LIMÓN A LA INGLESA *

Ingredientes

- *Una tarteleta precocida de masa quebrada de 22 cm. (ver receta de* Masa quebrada dulce*)*
- *1 dl. de zumo de limón*
- *110 gr. de mantequilla*
- *1 cucharada de ralladura de limón*

- *6 yemas de huevo batidas*
- *200 gr. de azúcar*
- *1/2 l. de merengue italiano (3 claras) (ver receta)*

Variantes

Se puede sustituir el limón por naranja o por limón verde.

Preparación

1. Batir las yemas de huevo y colarlas. Ponerlas en una cazuela de fondo espeso, añadir el azúcar y zumo de limón y cocer a fuego suave removiendo 10 minutos, hasta que la mezcla espese. Retirar del fuego y pasarlo a un bol y añadir batiendo la mantequilla y la ralladura de limón. Dejar enfriar.
2. Rellenar el molde con la crema de limón.
3. Usando la manga pastelera con boquilla rizada, cubrir con merengue italiano y gratinar al horno.

TARTA A LOS DOS CHOCOLATES *

Ingredientes

- *Una tarteleta de masa quebrada precocida de 22 cm. (ver receta de* Masa quebrada dulce*)*
- *220 gr. de chocolate negro*
- *70 gr. de azúcar*
- *5 dl. de nata líquida*
- *100 gr. de chocolate blanco*

Preparación

1. Fundir el chocolate negro con el azúcar y 4 dl. de nata en el microondas o al baño María. Mezclar bien.
2. Dejar enfriar un poco y rellenar la tarteleta. Dejar que cuaje un poco.
3. Fundir el chocolate blanco en el microondas. Añadir el resto de la nata (1 dl.). Verter sobre el chocolate negro con una boquilla fina y con la punta de un cuchillo hacer unos dibujos. Guardar en la nevera.

TARTA ESCULTURA A LA MOUSSE DE CHOCOLATE **

Ingredientes

- *Una tarteleta de masa quebrada precocida de 22 cm. (ver receta de Masa quebrada dulce)*
- *350 gr. de chocolate amargo*
- *5 yemas de huevo*
- *7 claras a punto de nieve*

VIRUTAS DE CHOCOLATE

- *150 gr. de chocolate negro*
- *150 gr. de chocolate blanco*

Preparación

1. Hacer la tarteleta siguiendo las instrucciones de la masa quebrada.
2. Fundir el chocolate al baño María o en el microondas.
3. Batir las yemas hasta que quede una crema blanca. Montar las claras a punto de nieve, incorporando con cuidado la mezcla anterior. Incorporar al chocolate fundido.
4. Verter con cuidado la mousse en la tarta y dejar enfriar en la nevera.

Preparación de virutas de chocolate

1. Fundir el chocolate amargo al baño María o microondas. Con la ayuda de un pincel, extenderlo finamente sobre unas placas de repostería. Dejar en la nevera hasta que esté frío.

   Hacer lo mismo con el chocolate blanco.
2. Usando la espátula triangular, levantar, rascando, virutas de la capa de chocolate de la placa donde está extendida. La temperatura del chocolate a la salida de la nevera determinará en gran parte el éxito de las virutas. Si está muy frío, se romperán fácilmente. Si el chocolate está poco frío, saldrán unos cigarrillos. Hacer la prueba con el chocolate más o menos frío; normalmente debe estar a unos 20° para obtener el mejor resultado (temperatura ambiente fresca).

Las virutas se colocan con cuidado, alternando un poco los colores sobre la tarta. Guardar en la nevera.

TARTA DE ALBARICOQUES *

Ingredientes (para 8 personas)

- *Una tarteleta de masa quebrada precocida de 22 cm. (ver receta de* Masa quebrada dulce)
- *1 kg. de albaricoques*
- *1/2 kg. de azúcar*
- *1/2 l. de crema pastelera (ver receta)*

Preparación

1. Preparar una masa quebrada dulce, como se explica en la receta.
2. Lavar los albaricoques, cortarlos por la mitad y quitarles los huesos.
3. Calentar hasta ebullición el azúcar con medio litro de agua. Hacer cocer 5 minutos, agregar los albaricoques, continuar la cocción suavemente otros 5 minutos, retirarlos y escurrirlos. Dejar hervir el jarabe 10 minutos más.
4. Extender en la tarta la crema bien fría. Cubrir con los albaricoques.
5. Glasear con el jarabe, sin inundar la tarta.

TARTA DE FRESONES Y NUECES *

Ingredientes

- *Una tarteleta de masa quebrada precocida de 22 cm. (ver receta de* Masa quebrada dulce)
- *1/2 l. de crema pastelera (ver receta)*
- *500 gr. de fresones*
- *250 gr. de nueces peladas, en mitades enteras*
- *1 dl. de glasa de fresas*

Preparación

1. Preparar una masa quebrada dulce, como se explica en la receta.
2. Lavar las fresas, quitarles los rabos y cortarlas por la mitad, a lo largo.
3. Cubrir el fondo de la tarta con la crema pastelera y colocar, en filas alternadas, los fresones y las nueces.
4. Pintar las fresas con la glasa de fresas fría, sin inundar la tarta.

CORAZÓN DE FRAMBUESAS **

Ingredientes

- *Una tarteleta de masa quebrada dulce precocida en forma de corazón (ver receta)*
- *4 dl. de nata líquida*
- *75 gr. de azúcar*
- *2 dl. de jalea de grosellas o frambuesas*
- *600 gr. de frambuesas rojas frescas*

Preparación

1. Confeccionar y precocer la tarteleta de masa quebrada dulce, siguiendo las instrucciones.

2. Montar la nata y añadir el azúcar.

3. Cubrir la tarteleta con la nata, extenderla con una espátula y colocar ordenadamente las frambuesas.

5. Derretir la jalea, enfriarla y napar ligeramente las frambuesas con un pincel.

CORAZÓN DE MORAS **

Ingredientes

- *Una tarteleta de masa quebrada dulce en forma de corazón (ver receta)*
- *3 dl. de crema pastelera adicionada de una cucharada de licor de moras*
- *600 gr. de moras frescas*
- *Glasear con 3 dl. de jalea de grosellas*

Preparación

1. Confeccionar y precocer una tarteleta de masa quebrada dulce en forma de corazón.

2. Rellenar con la crema pastelera, extendida regularmente.

3. Cubrir con las moras y glasearlo con la jalea de grosellas derretida y fría y pintar las moras con un pincel.

Acompañar de crema chantilly (ver receta).

TARTA DE MANZANAS * *

Ingredientes

- *Una tarteleta de masa quebrada semicocida de 22 cm. (ver receta de* Masa quebrada dulce)
- *800 gr. de manzanas reinetas (4 manzanas medianas)*
- *100 gr. de azúcar*
- *100 gr. de mantequilla en pomada*
- *1 dl. de glasa de albaricoques (ver receta)*

Preparación

1. Preparar la tarteleta semicocida y pintar el fondo con mantequilla.
2. Pelar las manzanas, cortarlas por la mitad, quitar el corazón, filetearlas en lonchitas finas y colocarlas ordenadamente sobre la tarteleta.
3. Pintar bien las manzanas con la mantequilla. Espolvorear el azúcar por encima.
4. Cocer a horno precalentado a 200° durante 12 minutos y luego bajar la temperatura a 180° y dejarla otros 15 minutos.
5. Pintar con la glasa de albaricoques.

TARTA ALSACIANA DE MANZANAS * *

Ingredientes

- *Una tarteleta de masa quebrada semicocida de 22 cm. (ver receta de* Masa quebrada dulce)
- *1 kg. de manzanas reinetas (5 manzanas medianas)*
- *3 huevos*
- *75 gr. de mantequilla*
- *3 yemas*
- *ralladura de un limón*
- *3,5 dl. de nata líquida*
- *125 gr. de azúcar*
- *50 gr. de almendras fileteadas*
- *una pizca de canela en polvo*
- *azúcar glace para gratinar*

Preparación

1. Preparar la tarteleta semicocida.

2. Pelar las manzanas, cortarlas en dados y rehogarlas con la mantequilla, el azúcar y la canela en polvo, hasta que se forme una compota.

3. Batir los huevos, yemas, ralladura de limón y nata líquida. Incorporar la compota. Rellenar la tarta con esta preparación y meter a horno precalentado a 200° durante 12 minutos y luego bajar la temperatura a 180° y dejarla otros 15 minutos.

4. Pasado este tiempo, esparcir almendras fileteadas sobre la superficie de la tarta y espolvorear de azúcar glas. Poner al gratinador para que se caramelice.

TARTA DE PERAS CON FRANCHIPÁN * *

Ingredientes

- *Una tarteleta de masa quebrada dulce de 22 cm. semicocida (ver receta)*
- *6 peras cocidas en agua y azúcar*
- *150 gr. de azúcar glace*
- *150 gr. de almendras tostadas en polvo*
- *150 gr. de mantequilla*
- *50 gr. de harina*
- *2 huevos enteros*
- *1/2 dl. de ron*
- *unas gotas de esencia de almendras amargas*

Preparación

1. Confeccionar la tarteleta semicocida como se indica en la receta base.

2. En un bol, trabajar la mantequilla en pomada hasta que esté espumosa. Ir incorporando poco a poco el azúcar y las almendras, después la harina y los huevos uno a uno, el ron y la esencia de almendras.

3. Mondar y cocer las peras, cortarlas por la mitad y filetearlas, sin perder la forma. Hacer reducir el líquido de cocción a la mitad.

4. Rellenar la tarteleta con la crema de franchipán. Colocar las peras haciendo radios, estirándolas un poco para separar las lonchitas hacia el centro.

5. Cocer a horno precalentado a 180° durante 20 minutos, hasta que se vea que la crema ha cuajado.

6. Retirar del horno y glasear con el almíbar de cocer las peras. Servir tibio.

SHORTCAKE CON FRESAS * *

Ingredientes

- *300 gr. de harina*
- *300 gr. de mantequilla en pomada*
- *175 gr. de azúcar*
- *1 huevo*
- *1 cucharadita de polvo royal*
- *una pizca de vainilla*
- *1/2 kg. de fresas*
- *1/2 l. de crema chantilly (ver receta)*
- *coulis de fresas de 1/2 kg. de fresas (ver receta de* Coulis de frutas)

Preparación

1. Diluir bien el polvo royal con la harina, mezclar con el azúcar y la vainilla.

2. Migar la harina con la mantequilla.

3. Incorporar el huevo batido, mezclar sin amasar, pero ni un momento más.

4. Disponer, apretando con las manos, la masa en un molde redondo de 22 centímetros, enteramente tapizado de papel de aluminio cubriendo todo el fondo, y alisar la superficie para que quede bien liso. Cubrir con papel de aluminio.

5. Enfriar en la nevera una hora.

6. Cocer al horno a precalentado a 200°, bajando la temperatura a 190° al introducir la masa, durante media hora y otra media hora a 175°. Sube un poco. Debe quedar como de dos dedos de grueso.

7. Retirar del horno y desmoldar sobre una rejilla. Aún tibio, cortarlo en dos discos.

8. Cuando esté frío, rellenar con las fresas menos bonitas, fileteadas, y extender la nata con la manga pastelera con boquilla rizada y adornar con el resto de las fresas.

Servir con un coulis de fresas.

SHORTBREAD CON FRAMBUESAS * *

Ingredientes

- *200 gr. de harina*
- *150 gr. de mantequilla en pomada*
- *75 gr. de azúcar glace*
- *una pizca de sal*
- *1/2 kg. de frambuesas*
- *1/4 l. de jalea de frambuesas*

Preparación

1. Migar la harina, el azúcar glace, la mantequilla en pomada y la sal. Formar una bola. No hace falta líquido. Envolver en papel film y guardar una hora en la nevera.
2. Tapizar un molde desmoldable de 28 centímetros, extendiendo con las manos (no se usa el rodillo).
3. Endurecer en el congelador.
4. Cocer a horno precalentado a 200º durante 20 minutos.
5. Cuando esté frío, cubrir con las frambuesas y glasear con la jalea fundida, sin inundar la tarta.

TARTA DE TÉ Y MERENGUE * *

Ingredientes

- *1/4 kg. de tarteleta de masa quebrada dulce precocida de 22 cm. (ver receta)*
- *1/2 l. de leche*
- *2 cucharadas de té de jazmín (se pueden variar las cantidades según el gusto)*
- *75 gr. de azúcar moreno de caña*
- *5 yemas de huevo*
- *40 gr. de harina*
- *2 dl. de nata montada sin azúcar*
- *merengue italiano de 3 claras*
- *ralladura de un limón verde*

Preparación

1. Cocer la tarteleta siguiendo las instrucciones. Dejar enfriar.
2. Calentar hasta ebullición la leche con el azúcar de caña. Dejar que hierva. Retirar del fuego y añadir el té de jazmín. Tapar. Dejar la infusión 5 minutos. Colar.

3. Batir las yemas con la harina hasta obtener una crema blanca. Añadir la leche y poner a espesar al fuego, hasta que nape la cuchara. Reservar.

4. Montar la nata y mezclar con la crema de té fría.

5. Rellenar la tarta, extendiéndolo bien con una espátula.

6. Confeccionar un merengue italiano, agregando la ralladura de limón verde al almíbar; cubrir la tarta con el merengue con la manga pastelera y boquilla rizada. Espolvorear con azúcar y gratinar en el horno.

TARTA DE NATA AGRIA O *SOUR CREAM* * *

Ingredientes

- *Una tarteleta de masa quebrada dulce de 22 cm. semicocida (ver receta)*
- *250 gr. de azúcar*
- *3 cucharadas de harina*
- *4 huevos*
- *110 gr. de mantequilla fundida y fría*
- *2 dl. de sour cream o*
- *2 dl. de nata líquida con unas gotas de limón*
- *ralladura de un limón*
- *1 cucharada de zumo de limón*
- *vainilla*

Preparación

1. Confeccionar la tarteleta de masa quebrada dulce, siguiendo la receta.

2. Mezclar el azúcar y la harina. Añadir los huevos y batir bien.

3. Incorporar la mantequilla y la nata agria. Añadir la ralladura de limón, el zumo de limón y la vainilla rellenar la tarteleta.

4. Cocer a horno precalentado a 180° durante 30 minutos. Comprobar la cocción con la aguja.

Servir a la temperatura ambiente.

TARTA DE ALMENDRAS * *

Ingredientes

- *Una tarteleta de masa quebrada dulce de 22 cm. semicocida (ver receta)*
- *100 gr. de almendras fileteadas*
- *3 dl. de nata líquida*
- *250 gr. de azúcar*
- *una pizca de sal*
- *2 cucharadas de Grand Marnier*
- *una pizca de esencia de almendras*
- *ralladura de un limón o de una naranja*

Preparación

1. Mezclar las almendras, nata, azúcar, sal, Grand Marnier y la esencia de almendras. Calentar hasta ebullición, revolviendo hasta comprobar que todo el azúcar está disuelto.
2. Añadir fuera del fuego la ralladura de limón o de naranja, verter la preparación en la tarteleta y cocer a horno precalentado a 180° durante 30 minutos, hasta que se dore. Desmoldar templada.

TARTA DE HIERBABUENA * *

Ingredientes

- *Una tartaleta de masa quebrada dulce precocida de 22 cm. (ver receta)*
- *3 quesitos Philadelphia*
- *175 gr. de azúcar*
- *1/2 litro de nata líquida*
- *hojas de menta*

Preparación

1. Confeccionar y precocer una tarteleta de masa quebrada dulce.
2. Triturar los quesitos con la nata. Añadir las hojitas de hierbabuena al gusto y batir con las varillas hasta que esté montado.
3. Colocar la crema sobre la tarteleta fría, extender la superficie con una espátula y decorar con hojitas enteras de hierbabuena.

TARTA DE SANTIAGO * *

Ingredientes

- *Una tarteleta de masa quebrada semicocida de 22 cm. (ver receta de* Masa quebrada dulce)
- *6 huevos*
- *375 gr. de almendras molidas*
- *375 gr. de azúcar*
- *ralladura de medio limón*
- *canela*
- *azúcar molido para espolvorear*

Preparación

1. Preparar una tarteleta de masa quebrada semicocida, siguiendo la receta.
2. Batir los huevos con el azúcar, ralladura de limón y la canela hasta que quede una crema blanca. Incorporar las almendras, volver a batir para mezclarlo todo bien y rellenar la tarteleta.
3. Cocerlo unos 30 minutos a 180°.
4. Retirarlo del horno, colocarlo en la fuente y con una cartulina recortar una cruz de Santiago o una concha de peregrino, colocarla en el centro y espolvorear abundantemente de azúcar molido. Retirar con cuidado la cartulina.

TARTA GENOVESA A LAS FRAMBUESAS * *

Ingredientes

- *Una tarteleta de masa quebrada dulce semicocida de 22 cm. (ver receta)*

Genovesa a las frambuesas

- *3 huevos*
- *100 gr. de azúcar*
- *1/2 cucharilla de vainilla*
- *una pizca de sal*
- *60 gr. de mantequilla fundida y fría*
- *70 gr. de harina*
- *1/2 kg. de fambruesas frescas*
- *azúcar molido para espolvorear*

Preparación

1. Preparar una tarteleta de masa quebrada semicocida.
2. *Genovesa:* Batir los huevos, azúcar, vainilla y sal durante 10 minutos. Tiene que quedar una crema completamente blanca y muy espesa.
3. Incorporar la mitad de la harina y la mitad de la mantequilla. Mezclar con cuidado e incorporar el resto, hasta que esté completamente incorporado. No mezclar demasiado tiempo para que el batido no se aligere.
4. Verter inmediatamente la mitad del batido de genovesa sobre la tarteleta ya semicocida, poner la mitad de las frambuesas y tapar con el resto de la genovesa. Espolvorear abundantemente de azúcar molido y meter al horno unos 18 minutos. La costra debe dorarse y la genovesa ceder ligeramente sobre la presión del dedo. Una vez cocido, desmoldarla sobre una rejilla y dejar enfriar.
5. Decorar la tarta con el resto de las frambuesas y pintarlas de glasa o jalea de frambuesas fundida.

TARTA DE QUESO FRESCO * *

Ingredientes (para 8 personas)

- *Tarteleta de galletas*
- *300 gr. de galletas María*
- *125 gr. de mantequilla derretida*

Relleno

- *2 quesos grandes Philadelphia*
- *150 gr. de azúcar*
- *3 yemas de huevo*
- *3 claras a punto de nieve*
- *1,25 dl. de nata líquida*
- *1,5 cucharadas soperas de harina*
- *vainilla o ralladura de limón*

Preparación

1. Triturar las galletas y añadir la mantequilla derretida.
2. Untar un molde de fondo separable de 22 centímetros de diámetro de mantequilla. Con las manos, poner la mezcla de las galletas.

Relleno

3. Batir muy bien las yemas y el azúcar hasta obtener una crema blanca.

4. Añadir el queso y la nata líquida. Mezclar bien hasta que el queso esté deshecho. Añadir la ralladura de limón y la vainilla, la harina y por último las claras a punto de nieve. Mezclar con cuidado y verter sobre la tarta.

5. Cocer a horno precalentado a 200° 15 minutos y luego otros 15 minutos a 180°. Antes de sacar, meter una aguja para ver si está cuajada.

6. Dejar enfriar y desmoldar.

NOTA: Se puede servir acompañada de una salsa de frambuesas.

TARTA A LA CREMA * *

Esta tarta presenta la variedad de tarteleta a la que se incorpora polvo royal y se amasa con leche en lugar de huevo. Sirve para todas las preparaciones en que se utiliza la tarteleta en crudo.

Ingredientes (para 8 personas)

- *150 gr. de harina*
- *1 cucharadita de polvo royal*
- *una pizca de sal*
- *una pizca de azúcar*
- *60 gr. de mantequilla en pomada*
- *1/2 dl. de leche*

Relleno

- *150 gr. de azúcar*
- *2 cucharada de harina*
- *1/2 de litro de nata espesa*
- *canela en polvo*
- *mantequilla*

Preparación

1. Confeccionar una masa migada (ver dibujo pág. 230), mezclando antes la harina con el polvo royal; migar con la mantequilla. Incorporar el azúcar y la sal, amasar con la leche, debiendo quedar una masa que no se pegue a las manos. No debe reposar.

2. Untar de mantequilla un molde de fondo separable de 25 centímetros de diámetro. Sobre una mesa enharinada extender la masa y cubrir el molde, teniendo cuidado de que los bordes queden muy rectos. Picar el fondo de la pasta con un tenedor.

3. Mezclar el azúcar con la harina y extenderlo sobre la tarta.
4. Verter la nata y mezclar con los dedos con el azúcar y la harina, para que esté bien repartido.
5. Espolvorear de canela, poner unas bolitas de mantequilla y cocer a 200º durante 35 minutos.

HOJALDRE

¿Cuántas hojas tiene un «milhojas»? Bueno, es posible que el nombre sea una exageración, pero, con todo, son 729, que no está nada mal. El truco del hojaldre consiste en extender con dobleces sucesivos una lámina *sandwich* en la que se alterna la mantequilla y la masa de harina y agua. Por efecto del calor, el agua de la masa se convierte en vapor y, encerrada entre la mantequilla, hace levantar y separar las capas. A su vez, la mantequilla, al fundirse, embebe y se combina con la harina, que se cuece y tuesta a la vez.

Se ha dicho que la masa de hojaldre es de origen árabe. Yo creo que no, porque los árabes, como los turcos y los griegos, usan las obleas tipo brick o filo, que son riquísimas, y el resultado final es algo parecido, por lo que algunos lo confunden.

A propósito de estas obleas brick, cada día más populares en toda Europa, no daré la receta, que es simplemente un batido de harina, agua y sal, porque para hacerla bien hay que tener una práctica enorme, y la que venden congelada es muy buena y fácil de usar.

La masa de hojaldre es muy antigua. A veces se produce alguna confusión, porque en España, en el siglo XVII, se llamaba hojaldre a la masa quebrada. Pero, en cambio, veamos cómo el cocinero de Felipe III, Martínez Montiño, confeccionaba una masa que él llamaba «Bollo filete», y que se podrá comparar con la receta base, explicada a continuación:

«Harás una masa de (harina) agua y sal, y huevos encerada, y la sobarás un poco, y la tenderás que quede un poco gorda; y tendrás manteca de vaca fresca, y que esté muy bien labrada, y sobada, y pondrás en la mitad de la hoja de la masa muchos bocadillos de manteca, y la polvorearás con un poco de harina, y echarás la media hoja que no tiene manteca sobre la que la tiene,

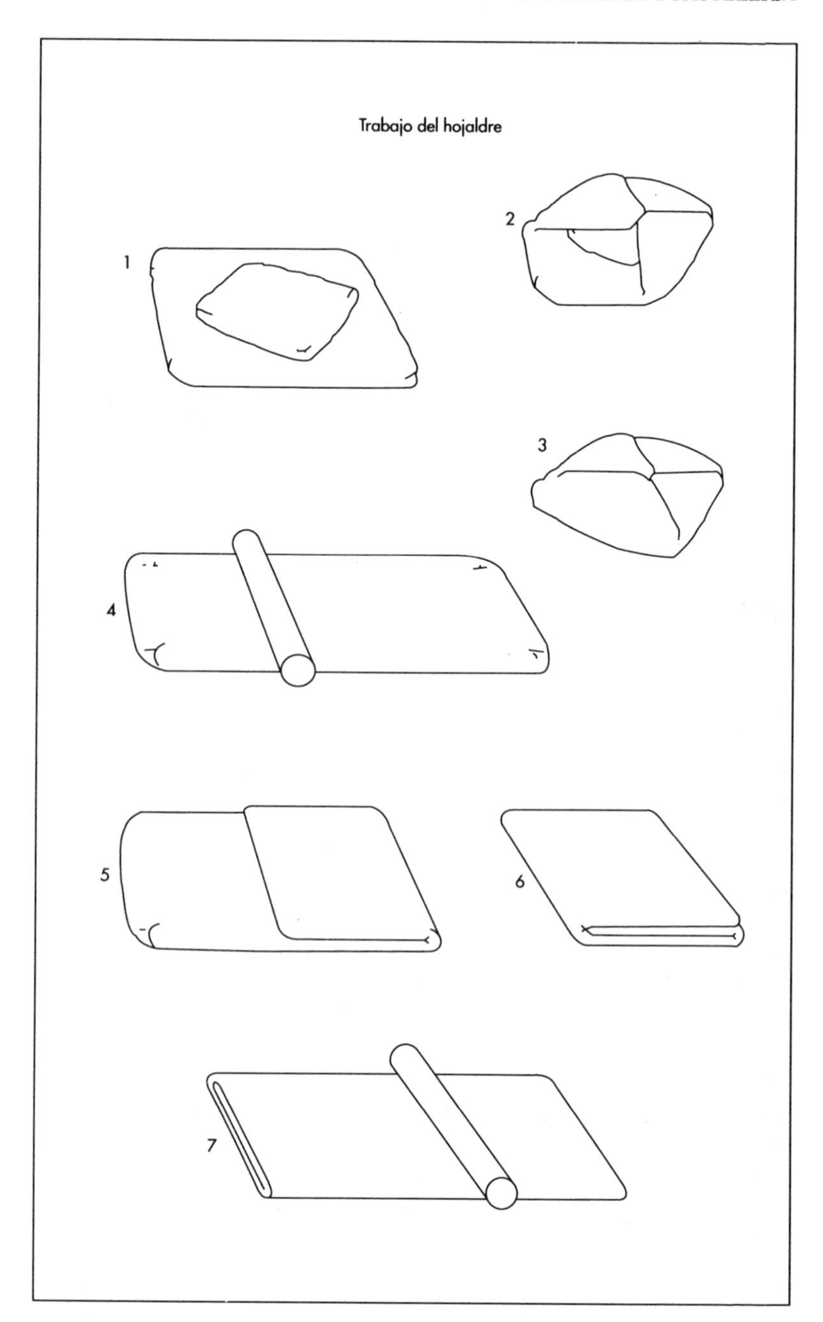
Trabajo del hojaldre
1
2
3
4
5
6
7

y bolverás a tender la hoja, que quede un poco gorda; y pondrás bocadillos de manteca en la mitad, y bolverás a doblar como la primera vez, y tenderás otra vez la hoja y echarás manteca por toda ella.»

Aquí, en vez de seguir dando vueltas, Montiño hacía un rollo con la masa, y lo extendía con el rodillo. El resultado debía parecerse al hojaldre actual, pero menos levado. Terminaba explicando:

«Esta masa es muy buena para hacer todo género de tortas, porque deshoja muy bien, y es masa suave: y si quisieres hacer algunas empanadillas de pescado, o de otras cosas tiernas, son muy buenas.»

El nombre de «bollo filete» me hace sospechar que la receta es de origen francés, porque en Francia se denomina *feuilleté*, de *feuille*, hoja, que Montió o sus maestros tradujeron por filete.

Fue el gran cocinero Antonio Carême quien, en tiempos de Napoleón, imagino que después de muchos experimentos, dio con la fórmula que, con pequeñas variantes, se practica hoy. A mí, la que da mejores resultados es la siguiente:

HOJALDRE (receta base) * * *

Ingredientes (para 1 kg. de masa)

- *500 gr. de harina*
- *2 dl. de agua fría*
- *12 gr. de sal*
- *500 gr. de mantequilla, en dos bloques: uno de 400 gr. y otro de 100 gr. este último se utilizará a temperatura ambiente*

Preparación

1. Mezclar la harina y la sal, hacer una fuente y poner en el centro los 100 gramos de mantequilla a temperatura ambiente. Verter en el centro el agua fría, mezclar todos estos ingredientes con la mano y amasar. Cuando la masa esté bien lisa y homogénea, sin grumos de mantequilla, formar una bola y hacer un corte en cruz en la parte de arriba. Guardar en la nevera una hora, envuelto en papel film, para que pierda correa. Con la masa, guardar el bloque de 400 gramos de mantequilla; en el momento de realizar la operación siguiente, la masa y la mantequilla deben estar a la misma temperatura.

(El amasado se puede hacer en la batidora mecánica, con el gancho de amasar, o en el robot).

2. Enharinar la mesa de trabajo, tomar el bloque de los 400 gramos de mantequilla y aplastarlo con el rodillo, hasta que esté flexible,

formando un cuadrilátero de aproximadamente 15 por 15 centímetros por 1 centímetro de espesor. Extender la masa de harina con el rodillo, dándole forma cuadrada, de aproximadamente 25 por 25 centímetros. Colocar en el centro la mantequilla, con las puntas al centro de los lados de la masa de harina, y cerrar como un sobre, envolviendo con la masa. Extender esta masa formando un rectángulo de 70 por 40 centímetros. Espolvorear de harina y replegarlo en tres (ésta será la primera vuelta). Darle un cuarto de vuelta sobre la mesa enharinada, de manera que el extendido se haga en sentido contrario al extendido anterior, espolvorear de harina y extender con el rodillo de nuevo suavemente hasta obtener un nuevo rectángulo de 70 por 40 centímetros. Espolvorear de harina y replegar en tres. Esta operación será la segunda vuelta. Envolverlo en un papel film o aluminio y guardarlo en la nevera 30 minutos para reposar.

3. Pasado este tiempo se le darán otras dos vueltas de manera idéntica (tercera y cuarta vuelta), guardándolo otros 30 minutos a una hora en la nevera.

4. Una vez pasado este tiempo, se le vuelve a dar otras dos vueltas más (quinta y sexta vuelta), dejándolo media hora de reposo. La masa de hojaldre estará lista para su uso.

Consejos

La incorporación de la mantequilla a la primera masa debe ser total. Si quedan grumos, al extender, la mantequilla suelta se extenderá, y al cocer y fundirse dejará un hueco sin masa.

La mesa, las manos y el rodillo han de estar lo más fríos posible. No se puede hacer hojaldre cuando la cocina esté caliente. La primera hora de la mañana es la mejor para confeccionar la masa de hojaldre. Si es verano, se habrá dejado, durante la noche, la cocina bien ventilada. Los pasteleros suelen disponer de mesas refrigeradas, pero en casa, el mármol o el granito son suficientes.

Se puede guardar la masa de hojaldre 3 días en la nevera y varias semanas en el congelador bien envuelto en papel film. Pero conviene guardarlo con cuatro vueltas y darle las dos últimas cuando se vaya a utilizar, después de descongelarlo, y dejarlo otros 30 minutos en la nevera después de estas dos últimas vueltas.

Una vez cortada la masa en la forma deseada y colocada en la placa de horno, conviene dejarla otros 30 minutos en la nevera antes de cocer, a fin de evitar que pierda la forma. Antes de cocer hay que pintar la masa con huevo (una yema desleída con un poquito de agua), pero hay que tener mucho cuidado al pintar, porque si el huevo baña los bordes, no subirá bien. La temperatura de cocción debe ser 220º.

Se pueden guardar en el congelador los hojaldres ya cortados (volovanes, hojaldritos, etc.) y cuando se vayan a utilizar pintarlos de huevo y meterlos al horno ya caliente a 220º.

La forma de los hojaldres individuales depende de la moda, que varía cada pocos años, según lo deciden los cocineros franceses (porque en esto de las presentaciones hay tanta moda como en la costura). Actualmente la forma más de moda es la ovalada, o rectangular. No sé lo que ocurrirá dentro de unos años.

Los recortes de hojaldre se deben recuperar, y se pueden utilizar para hacer palitos con queso, lazos, ochos, suelas, etc., que no requieren un deshojado tan regular.

MILHOJAS * * *

El milhojas se confecciona con una masa de hojaldre a la que en crudo, después de estirada, se ha sometido a múltiples pinchazos con un punzón o con el rodillo de púas. De esta manera, el vapor de agua escapa por los orificios, y la masa no sube al cocer. En cambio, al perder agua y no formarse cámaras de aire entre las capas de masa, el calor llega a toda la masa, que se tuesta completamente, formando láminas finas muy tostadas y juntas.

Cuando se usa el hojaldre para tapizar tartaletas hay que picarla profusamente con el mismo objeto.

MILHOJAS DE CREMA * * *

Ingredientes (para 8 personas)

- *300 gr. de masa de hojaldre (ver receta de* Hojaldre base*)*
- *1/2 l. de crema pastelera (ver receta)*
- *2 dl. de crema chantilly (ver receta)*
- *azúcar molido*

Preparación

1. Extender la masa de hojaldre muy fina sobre una placa de horno. Picarla bien para que no suba. Dejarla 30 minutos en la nevera.
2. Cocer a horno precalentado a 225º durante 10 minutos. Otros

15 minutos más a 200°. Cuando falten 5 minutos, darle la vuelta al hojaldre para que se cueza bien por la parte de abajo. Una vez cocido, sacar del horno y dejar enfriar.

3. Cortar los bordes de la masa, y con la ayuda de una regla formar tres bandas rectangulares.

4. Mezclar la crema pastelera y la crema chantilly. Montar el milhojas alternando crema y hojaldre. Espolvorear de azúcar molido. Se le puede quemar con una aguja formando unos rombos.

PITHIVIER * * *

Ingredientes (para 8 personas)

- *250 gr. de masa de hojaldre (ver receta de* Hojaldre base)
- *1 yema de huevo para dorar*
- *100 gr. de almendras fileteadas para decorar*

Relleno

- *125 gr. de almendra molida*
- *125 gr. de azúcar glace*
- *125 gr. de mantequilla*
- *25 gr. de harina*
- *1 huevo entero*
- *1/2 dl. de ron*
- *2 dl. de crema pastelera (ver receta)*

Preparación

1. Preparar el relleno: trabajar la mantequilla hasta obtener una pomada. Sin dejar de trabajar añadir la almendra molida, azúcar glace y harina. Luego el huevo y por último el ron. Añadir la crema pastelera

2. Extender la masa de hojaldre con el rodillo para formar un rectángulo de 50 por 25 centímetros. Cortar en dos cuadrados.

3. Montar el pastel: poner un cuadrado de masa sobre la placa de horno, extender el relleno en un círculo de 18 centímetros, y pintar alrededor un margen de 2 centímetros con la yema diluida con unas gotas de agua. Tapar con el segundo cuadrado de masa, pegando bien todo el borde, sin hacer huellas. Pintar por encima con el resto de la yema. Espolvorear con las almendras fileteadas. Enfriar 30 minutos en la nevera. A continuación cortar el pastel con un aro de 20 centímetros, o con un cuchillo bien afilado. Reservar el recorte para otros usos.

4. Cocer a horno precalentado a 220° durante 15 minutos, después bajar la temperatura a 200° y dejar otros 25 minutos. Sacar del horno. Servir tibia.

FRANCHIPANES * * *

Ingredientes (para 8 personas)
- *750 gr. de masa de hojaldre (ver receta de* Hojaldre base)
- *Relleno: la misma crema de almendras que en la receta anterior, sólo que adicionada de unas gotas de esencia de almendras amargas.*

Preparación

El mismo que para el pithivier, sólo que cortando el hojaldre en raciones individuales (usar el cortapastas) de bordes rizados de 10 cm. de diámetro.

CANUTILLOS DE HOJALDRE * * *

Ingredientes (para 8 personas)
- *1/2 kg. de masa de hojaldre (ver receta de* Hojaldre base)
- *1/2 kg. de crema pastelera, o de crema chantilly (ver recetas de* Hojaldre base)

Preparación

1. Estirar la masa sobre la mesa enharinada al grueso de una moneda de 100 pesetas, y cortar en tiras de 2 centímetros de ancho. Forrar en espiral con estas tiras los moldes de canutillo, pintarlos de huevo y cocerlos a horno precalentado a 200° durante 15 minutos.
2. Una vez cocidos, dejarlos enfriar y retirar el molde.
3. Rellenarlos con la crema o la nata. Los canutillos rellenos de crema se pueden calentar al horno justo antes de servirlos y se espolvorean de azúcar glace.

HOJALDRITOS GLASEADOS * * *

Ingredientes (para 8 personas)

- *250 gr. de masa de hojaldre (ver receta de* Hojaldre base)
- *una pizca de harina*
- *4 cucharadas de glasa real (ver receta)*

Preparación

1. Extender la masa de hojaldre sobre una plancha enharinada en un espesor de 3 mm.
2. Formar dos rectángulos de 13 por 19 centímetros y guardar en el congelador por 15 minutos.
3. Sacarlo, pintar con glace real en capa fina y uniforme. Cuando se haya secado un poco, se recortan los bordes de forma regular con un cuchillo mojado en agua, y luego, cada plancha se corta en rectángulos pequeños de 1,5 por 4 centímetros y se colocan sobre la placa de horno.
4. Cocer a horno precalentado a 200° durante 12 minutos. Una vez cocidos dejarlos sobre una rejilla para que se enfríen. Están más ricos tomados recientes. Servir tal cual para acompañar el café.

PALMERAS * * *

Ingredientes (para 8 personas)

- *1/2 kg. de masa de hojaldre de cuatro vueltas (ver receta de* Hojaldre base)
- *150 gr. de azúcar glas*
- *glaseado de albaricoque o glaseado de azúcar (ver receta de* Glasa de albaricoque) *(facultativo)*

Preparación

1. Sacar el hojaldre de la nevera con cuatro vueltas y darle las dos últimas vueltas espolvoreando la mesa con el azúcar en lugar de harina. Dejar reposar la masa una hora en la nevera.
2. Partir la masa en cuatro trozos y extender cada uno en rectángulos de 15 por 25 centímetros. Doblar los bordes más largos hacia el centro como un libro, y repetir la operación. Dejar 5 minutos en el congelador.
3. Cuando esté frío, se corta en rebanaditas de medio centímetro de grueso, que se ponen tumbadas sobre la placa de horno humede-

cida y suficientemente separadas para que al cocerse no se peguen unas a otras.

4. Cocer a horno precalentado a 180° durante 8 minutos (hasta obtener un bonito color).
5. Al sacar del horno, dejarlas enfriar sobre una rejilla.
6. Si se quiere se pueden cubrir de glasa de albaricoque.

NOTA: La masa de las palmeras se puede dejar preparada en el congelador. Cuando se vaya a utilizar se saca del congelador y se espera a que la masa se haya ablandado lo suficiente como para cortarlas. Están mucho más ricas recientes. Pequeñas son exquisitas como dulces para el café.

MASAS DE LEVADURA

La fermentación de la masa de pan de harina es un descubrimiento antiquísimo: sólo hace falta recordar cómo Jehová ordenó a Moisés que los israelitas, antes de salir de Egipto, acompañasen el cordero y las lechugas amargas con pan ázimo, es decir, sin fermentar, lo que se debía a la precipitación de la marcha, y demuestra que lo usual era fermentar el pan con levadura.

Un dato curioso: afirman los franceses que la tradición de fermentar el pan se perdió después de los romanos, y que fue un panadero parisiense quien tuvo la ocurrencia, en 1665, de fermentar la masa de pan, y a esta novedad la llamó «pan de Segovia». Aparte de lo sospechoso del nombre, resulta que en el libro *Arte de Cocina*, que ya hemos comentado, Martínez Montiño da varias recetas de pan con levadura como la cosa más natural, cincuenta años antes del «invento» parisiense. No sólo esto: a través de las obras de arte y de la historia, han quedado múltiples testimonios de que el pan fermentado fue alimento común en Europa durante toda la Edad Media. Hoy sigue siendo la base de la alimentación de media humanidad.

Porque el buen pan, simple y sencillo, bajo mil diferentes interpretaciones, es y sigue siendo, solo, acompañado o como acompañante, uno de los más apetitosos manjares, y al alcance de todos. ¿Se puede imaginar algo más rico que un pedazo de pan untado en yema de huevo frito? ¿Y el pan con aceite de oliva? ¿O con mantequilla?, o con jamón, o con chorizo, o con queso...

Se dice que los panecillos dulces con leche y huevo aparecieron en Viena, hacia el siglo XVI.

Los bollos, brioches y savarinas se hacían antes por el procedimiento denominado de «dos masas», amasando parte de la harina con la levadura y juntándola luego con el resto de la masa. Hoy, el perfeccionamiento de los hornos y la comodidad del amasado mecánico han hecho inútil esta complicación.

Parto de la suposición de que quien se decida a confeccionar masas de levadura dispone al menos de una batidora mecánica fija, con útil de amasar.

PAN * * *

Ingredientes (para 8 personas)

- *1 kg. de harina de panadería*
- *30 gr. de levadura*
- *10 gr. de sal*
- *1/4 l. de agua (aproximadamente)*

Preparación

1. Formar una fuente con la harina, y verter en el centro la levadura diluida en el agua. Mezclar bien y amasar, añadiendo un poquito de agua con la sal, y agregando harina según la que se vaya absorbiendo, hasta formar una masa lisa que no se pegue en los dedos. Amasar muy bien para que tome correa y formar una bola.
2. *Primera fermentación:* Poner en un bol, tapando con una servilleta y reservar en sitio templado (24º a 30º es la temperatura ideal), durante 1 a 2 horas, según sea la temperatura.
3. *Romper la masa:* Se toma la masa, que habrá levado bastante, con las manos, y se rompe, desgajándola y desbaratándola en varios trozos. Se vuelve a recomponer y se forma una bola.
4. *Segunda fermentación:* Poner de nuevo en el bol, tapado, y dejar fermentar otras dos horas.
5. *Formar los panes:* Se toman porciones del tamaño de una naranja grande, se aplastan en forma de disco grueso y se enrollan. (Si se quiere hacer panes individuales, las porciones serán menores, del tamaño de un huevo grande.) Se pintan de agua, y se practican 2 ó 3 cortes oblicuos.
6. Se cuecen durante 40 minutos a 200º.

PAN ILUSTRADO * * *

Ingredientes (para 8 personas)
- *1 kg. de harina*
- *10 gr. de sal*
- *25 gr. de azúcar*
- *1/4 l. de agua*
- *30 gr. de levadura*
- *40 gr. de mantequilla*

Preparación

Mismo procedimiento que el anterior.

PAN DE MIGA * * *

Ingredientes (para 8 personas)
- *1/2 kg. de harina*
- *1 huevo*
- *25 gr. de levadura*
- *40 gr. de mantequilla*
- *25 gr. de azúcar*
- *10 gr. de sal*
- *1,25 dl. de leche*
- *1/2 l. de agua*
- *mantequilla para untar el molde*

Preparación

1. Amasar en la batidora, con el útil de amasar, la harina, el huevo, la levadura, que se habrá disuelto en leche templada, el agua, el azúcar, la sal y la mantequilla fundida. Dejar que se amase a velocidad media unos 10 minutos.
2. *Primera fermentación:* Dejar reposar la masa en sitio templado (24º) en un bol, tapado con una servilleta, unas dos horas, hasta que la masa haya doblado de volumen.
3. Una vez pasado este tiempo, romper la masa con las manos desbaratándola en varios trozos, recomponerla y meterla en el molde cuadrado especial, bien untado de mantequilla.
4. *Segunda fermentación:* Dejar de nuevo en sitio templado (24º) durante 30 minutos, hasta que doble otra vez el volumen.
5. Cocer 40 a 45 minutos a 200º.

NOTA: Según se prefiera la forma más cuadrada y la miga más prieta, se podrá cocer con o sin tapa.

PAN DE NUECES * * *

Ingredientes (para 8 personas)

- *1/4 kg. de harina*
- *1/4 kg. de harina integral*
- *25 gr. de levadura*
- *60 gr. de mantequilla fundida*
- *50 gr. de azúcar moreno de caña*
- *5 gr. de sal*
- *1/4 l. leche tibia*
- *1/2 dl. de agua templada*
- *50 gr. de nueces picadas*
- *mantequilla para untar el molde*

Preparación

1. Amasar en la batidora, con el útil de amasar, las harinas, la levadura, que se habrá disuelto en leche templada, el agua, el azúcar, la sal y la mantequilla fundida y, por último, las nueces. Dejar que se amase a velocidad media unos 10 minutos.
2. *Primera fermentación:* Dejar reposar la masa en sitio templado (24°) en un bol, tapado con una servilleta, una hora, hasta que la masa haya doblado de volumen.
3. Una vez pasado este tiempo, romper la masa con las manos desbaratándola en varios pedazos, y meterla en el molde rectangular, bien untado de mantequilla, cubierto con una servilleta.
4. *Segunda fermentación:* Dejar de nuevo en sitio templado (24°) durante 50 minutos, hasta que doble otra vez el volumen.
5. Cocer 35 minutos a 200°.

MASA DE BRIOCHE * * *

Ingredientes (para 8 personas)

- *500 gr. de harina*
- *350 gr. de mantequilla*
- *6 huevos*
- *30 gr. de azúcar*
- *15 gr. de levadura*
- *1/2 dl. de leche tibia*
- *15 gr. de sal*
- *mantequilla para untar el molde*
- *1 yema de huevo para dorar*

Preparación

1. Mezclar y amasar en la batidora (con el gancho de amasar) la harina, sal, azúcar, y añadir uno a uno los huevos y la levadura di-

suelta en la leche. Trabajar 10 minutos hasta que quede una masa lisa y elástica. Añadir la mantequilla en pomada a cucharadas. Trabajar otros 5 minutos hasta que se incorpore perfectamente. La masa debe quedar lisa, brillante y algo elástica.

2. *Primera fermentación:* Poner la masa en un bol tapado con una servilleta y dejar en lugar templado 2 horas, hasta que doble el volumen. La temperatura ideal es 24° a 30°.

3. *Descanso en frío:* Romper la masa con la mano, amasar ligeramente, y volver a dejar en la nevera, cubierto, durante otras 6 horas.

4. *Segunda fermentación:* Pintar el molde de mantequilla, rellenarlo de la masa, pintar ésta con la yema y dejar reposar a 24°, entre 20 y 30 minutos, dependiendo del tamaño de los moldes, hasta que doble el volumen.

5. Volver a pintar con la yema y cocer al horno precalentado a 180°. El tiempo depende del tamaño de los moldes. Comprobar la cocción con la aguja. Sacar del horno, desmoldar y dejar enfriar.

La masa de brioche se congela bien en crudo, después de la primera fermentación, durante unos días, cubierta de un papel transparente. Cuando se vaya a utilizar, dejarla hasta que se descongele en la nevera para que vaya cogiendo progresivamente el calor y seguir el resto igual que el anterior.

BRIOCHE KOUGELHOFF * * *

Ingredientes (para 8 personas)

- *400 gr. de masa de brioche (ver receta)*
- *100 gr. de pasas maceradas en ron*
- *50 gr. almendras fileteadas*
- *50 gr. de azúcar glace para espolvorear*
- *1 l. de sirope de savarina*
- *1 dl. de ron*

Preparación

1. Untar de mantequilla un molde de Kougelhoff. Espolvorear de almendras fileteadas.

2. Extender con el rodillo la masa de brioche sobre la mesa enharinada en forma rectangular. Repartir las pasas, que se habrán tenido a remojo en ron, y enrollarla en cilindro. Formar una rosca gorda y meter en el molde con la unión hacia arriba para que al desmoldarlo no se vea.

3. Dejar reposar hasta que aumente de volumen y cocerlo a 200° unos 40 minutos. Antes de sacarlo, comprobar la cocción con la aguja, para cerciorarse de que está cocido. Desmoldarlo sobre una rejilla y espolvorear de azúcar glace.

CARACOLAS * * *

Ingredientes (para 8 personas)

- *400 gr. de masa de brioche (ver receta)*
- *100 gr. de pasas maceradas en ron*
- *200 gr. crema de almendras (ver receta)*
- *50 gr. azúcar glas para espolvorear*
- *glasa de albaricoque (ver receta)*

Preparación

1. Extender la masa de brioche sobre la mesa enharinada en forma rectangular, lo más fina posible (5 milímetros). Cubrir con la crema de almendras. Repartir las pasas, que se habrán tenido a remojo en ron, y enrollar la masa en cilindro.

2. Partir con un cuchillo afilado en rodajas de unos 2 centímetros de ancho. Colocarlas sobre una placa de horno untada de mantequilla, dejando sitio para que aumenten.

3. Dejar reposar hasta que aumente de volumen durante una hora en sitio templado (24 a 30°).

4. Cocer a 200° durante 12 minutos. Dejar enfriar las caracolas sobre una rejilla y pintar con la glasa de albaricoque.

CORONA DE BRIOCHE CON PASAS * * *

Ingredientes (para 8 personas)

- *400 gr. masa de brioche (ver receta)*
- *100 gr. de pasas maceradas en ron*
- *50 gr. azúcar glace para espolvorear*
- *glasa de albaricoque (ver receta)*

Preparación

1. Extender la masa de brioche sobre la mesa enharinada en forma rectangular, lo más fina posible (5 milímetros). Repartir las pasas, que se habrán tenido a remojo en ron, y enrollar la masa.

2. Partir con un cuchillo afilado en siete rodajas iguales. Colocarlas haciendo un círculo pegado a los bordes y uno en el centro, en un molde de genovesa de 5 centímetros de alto, bien untado de mantequilla y enharinado.

3. Dejar reposar hasta que aumente de volumen durante una hora en sitio templado (24 a 30º).

4. Cocer a 200º durante 30 minutos. Desmoldar en caliente y pintar por encima con la glasa de albaricoque.

SAVARINA * * *

Ingredientes (para 8 personas)

- *250 gr. de harina*
- *75 gr. de mantequilla*
- *3 huevos*
- *10 gr. de azúcar*
- *10 gr. de levadura*
- *1/2 dl. de leche tibia*
- *una pizca de sal*
- *mantequilla para untar el molde*
- *sirope de savarina confeccionado con 700 gr. de azúcar, 1l. de agua y 2 cucharadas de ron*

Preparación

1. Mezclar y amasar en la batidora (con el gancho de amasar) la harina, sal, azúcar y añadir uno a uno los huevos y la levadura disuelta en la leche. Trabajar 10 minutos hasta que quede una masa lisa y elástica. Añadir la mantequilla en pomada a cucharadas. Trabajar otros tres minutos hasta que se incorpore perfectamente.

2. *Primera fermentación:* Poner la masa en un bol, tapado con una servilleta y dejar en lugar templado 40 minutos, hasta que esponje (no debe fermentar más tiempo, porque el bollo después se disgregaría con facilidad).

3. Pintar de mantequilla y enharinar un molde de savarina. Romper la masa con la mano, amasar ligeramente, formar un cilindro y colocarlo en el molde.

4. *Segunda fermentación:* Dejar reposar 30 minutos, deberá aumentar de volumen visiblemente.

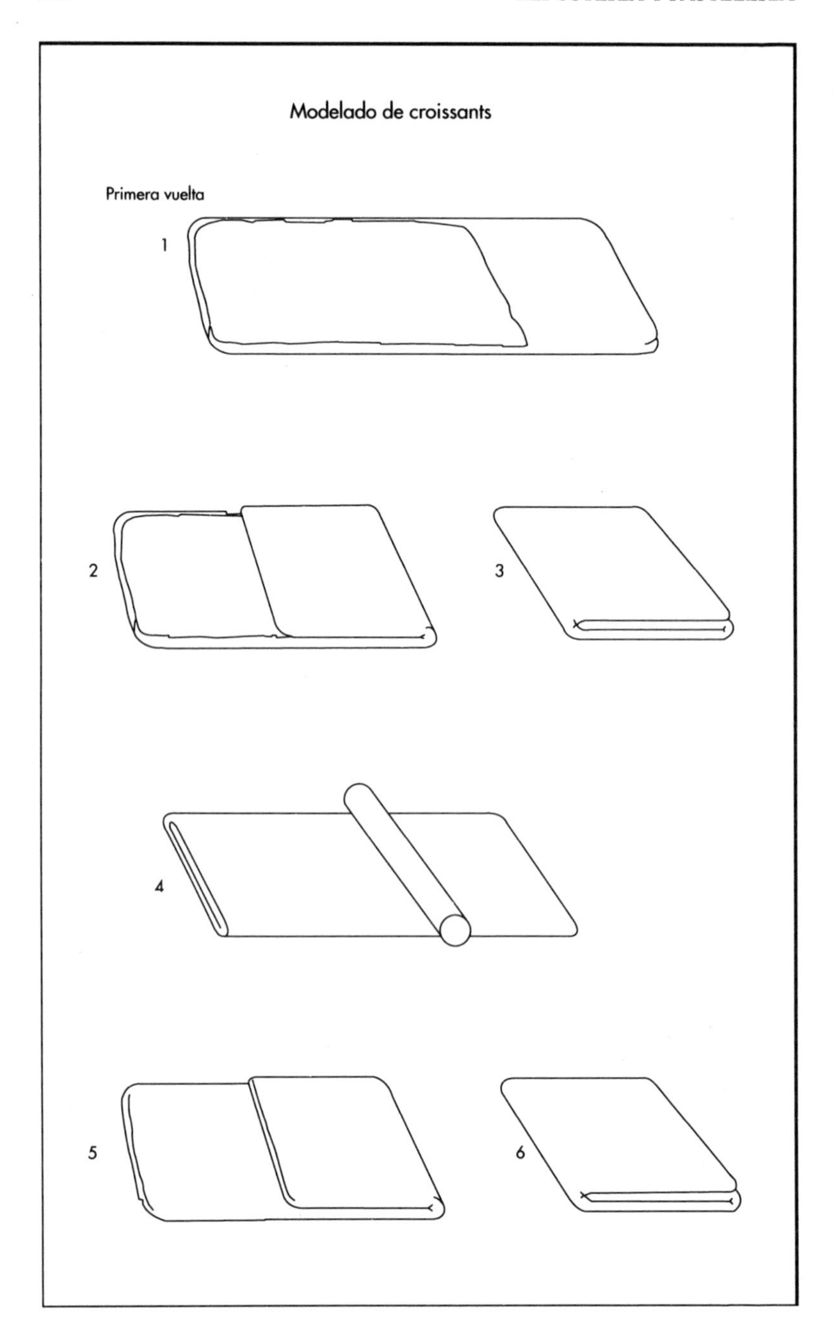
Modelado de croissants
Primera vuelta
1
2
3
4
5
6

5. Cocer 15 minutos en horno precalentado a 180°. Comprobar la cocción pinchando con la aguja. Sacar del horno, desmoldar y dejar enfriar.

6. Preparar el almíbar (ver receta) y, cuando esté templado, a voluntad, agregarle 1 dl. de licor de naranja, ron o kirsch (a los niños les gusta más sin licor).

7. Volver con cuidado la savarina al molde, que se habrá lavado previamente, e ir vertiendo el almíbar, aún caliente, hasta cubrirlo, sin que se vean salir burbujas de aire. Dejar 10 minutos empapando, y desmoldar sobre la rejilla para que escurra completamente. Napar con la glasa de albaricoque.

8. Trasladar a una fuente redonda, rellenar con la crema chantilly (ver receta) y adornar con frutas confitadas.

CROISSANTS (receta base) * * *

Cuenta la leyenda que unos panaderos de Viena, durante el sitio de los turcos en 1683, estaban trabajando durante la noche cuando oyeron los característicos golpes de la perforación de una mina bajo el suelo de la tahona. Advertidos los centinelas, los sitiados pudieron tomar las medidas necesarias para neutralizar el ataque, salvando con ello la ciudad. Después de la retirada de los turcos, los vieneses quisieron homenajear a los panaderos con una fiesta, y éstos, para la ocasión, crearon los famosos bollos en forma de media luna creciente (en francés *croissant*).

Ingredientes (para 8 personas)

- *500 gr. de harina*
- *20 gr. de levadura*
- *10 gr. de sal*
- *40 gr. de azúcar*
- *1 dl. de leche*
- *2 dl. de agua*
- *300 gr. de mantequilla*
- *1 yema de huevo*

Preparación

1. *De víspera:* Poner la harina en la batidora con el útil de amasar, e incorporar a pequeña velocidad la sal, el azúcar, el agua, la levadura disuelta en la leche y 40 gramos de mantequilla derretida. Mezclar todo hasta que se forme una bola (ocurre casi al instante, no se debe amasar más) y tapar con un paño, dejando a la temperatura de ambiente templado (entre 24 y 30° unos 30 minutos). Una vez haya

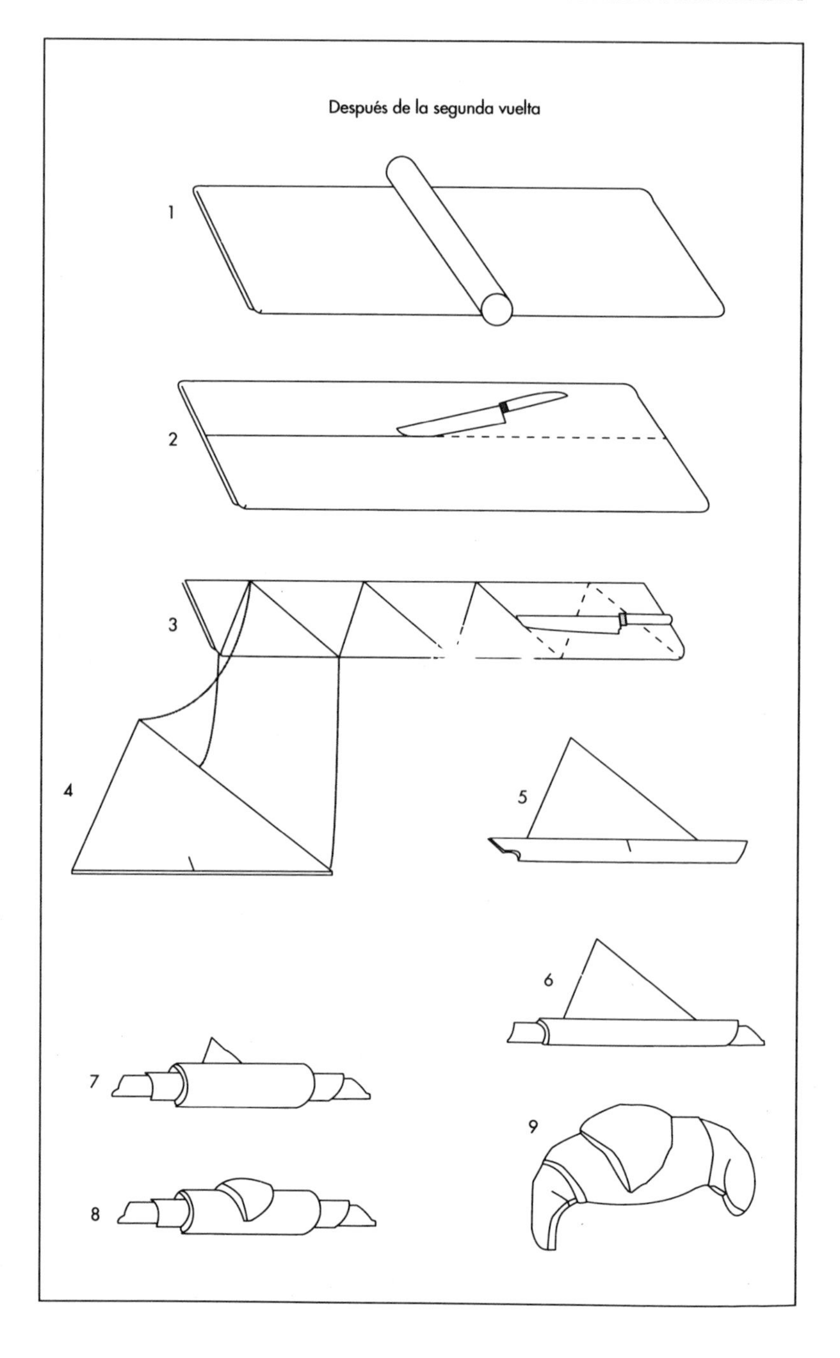
Después de la segunda vuelta
1
2
3
4
5
6
7
8
9

aumentado de volumen, romper la masa, para quitarle el exceso de gas carbónico. Cubrir y dejarlo en la nevera toda la noche.

2. *A la mañana siguiente:* Sacar la masa de la nevera y ponerla sobre la mesa enharinada. Extenderla con el rodillo hasta formar un rectángulo de aproximadamente 50 por 80.

3. *Primera y segunda vueltas:* Extender 130 gramos de mantequilla, en pomada, sobre dos tercios de la longitud; replegar el tercio sin mantequilla hacia el centro y cerrar con el otro tercio. Dar un cuarto de vuelta y repetir la operación, pero sin incorporar más mantequilla. Dejar la masa una hora en la nevera.

4. *Tercera y cuarta vueltas:* Repetir exactamente la operación anterior, incorporando en la tercera vuelta otros 130 gramos de mantequilla. Dejar otra hora en la nevera.

5. *Formar los croissants:* La masa ya está terminada. Extender la masa hasta obtener un rectángulo de 75 por 40 centímetros. Con un cuchillo, partir la masa por la mitad a lo largo, ayudándose de una regla, para obtener dos bandas regulares. Después formar los triángulos.

6. Colocar los triángulos separadamente e irlos enrollando desde la parte más ancha hasta el final, siempre a partir de la base. Colocarlos en la placa de horno untada de mantequilla un poco separados, porque van a aumentar. Dorarlos con la ayuda de un pincel y dejarlos en sitio templado (entre 24º y 30º) una hora.

7. Una vez listos, volverlos a pintar de huevo y meterlos a horno precalentado a 225º unos 15 minutos. Una vez cocidos, dejarlos sobre una rejilla hasta que se enfríen.

NOTA: Se pueden guardar congelados justo después de haberles dado la forma. Para descongelarlos, se dejan en un lugar templado unas tres horas, hasta que hayan aumentado el volumen.

Al arrollar los croissants se pueden rellenar con una pastilla de chocolate amargo o con crema. A mí me gustan más sin relleno.

BOLLOS DE LECHE * * *

Ingredientes (para 8 personas)

- *1/2 kg. de harina*
- *1 huevo*
- *10 gr. de sal*
- *50 gr. de azúcar*
- *20 gr. de levadura*
- *2 dl. de leche templada*
- *125 gr. de mantequilla*

Preparación

1. En la batidora, con el útil de amasar, poner la harina, añadir el huevo, la levadura, que se habrá disuelto en un poco de leche templada, azúcar y sal. Dejar que se amase a velocidad media unos 10 minutos, incorporar luego la mantequilla en pomada en pedazos como una nuez y dejar reposar la masa en sitio templado (24°) unas dos horas, hasta que la masa haya doblado de volumen.

2. Una vez pasado este tiempo, romper la masa con las manos, desmoronándola y aplastándola un poco.

3. *Moldeado de los bollos:* Cortar la masa en trocitos del tamaño de un huevo de gallina y darles forma redondeada con las manos. Colocarlos sobre placas de horno untadas de mantequilla, espaciándolos 2 cm. unos de otros. Pintar de yema disuelta en un poco de agua. Dejar reposar 30 minutos en lugar templado (24°). Una vez hayan doblado de volumen, volver a pintarlos de huevo y espolvorearlos de azúcar y darles un corte a lo largo en el centro.

4. Cocer a horno precalentado a 200° durante 15 minutos. Una vez cocidos, retirarlos de las bandejas y dejar enfriar.

PAN DE REYES * * *

Ingredientes (para 8 personas)

- *500 gr. de harina*
- *3 huevos*
- *15 gr. de levadura de panadería*
- *ralladura de media naranja*
- *ralladura de medio limón*
- *100 gr. de mantequilla*
- *100 gr. de azúcar*
- *1/2 dl. de ron Negrita*
- *1/2 dl. de agua de azahar*
- *10 gr. de sal*
- *50 gr. de azúcar*
- *75 gr. de almendras fileteadas*
- *100 gr. de frutas escarchadas*

Preparación

1. Mezclar la harina, huevos y levadura.

2. En un cazo poner al fuego la ralladura de naranja y limón, la mantequilla, azúcar, ron, sal y agua de azahar. Cuando se deshaga la mantequilla se vierte sobre la mezcla de harina, huevos y levadura y se amasa con las manos o con la batidora hasta obtener una masa homogénea.

3. Dejar reposar una hora en un sitio templado, tapado con un paño.

4. Una vez haya aumentado de volumen, untar de mantequilla una placa de horno. Poner la masa encima y, con las manos, darle forma de corona, poniendo en el agujero una pelota de papel de plata para que no se junte al cocerse.

5. Pintar de huevo todo el roscón, ponerle encima las frutas escarchadas fileteadas y dejar reposar otra media hora.

6. Volver a pintar de huevo, espolvorear de azúcar y almendras y cocer a horno precalentado a 200º durante 30 minutos.

BLINIS (panecillos rusos asados a la plancha) * *

Ingredientes (para 8 personas)

- *3 yemas de huevo*
- *1/2 cucharada de aceite*
- *3 dl. de leche templada*
- *20 gr. de levadura*
- *5 gr. de sal*
- *75 gr. de mantequilla derreterida*
- *250 gr. de harina*
- *3 claras a punto de nieve*
- *una pizca de azúcar*

Preparación

1. Poner en la batidora con el gancho de amasar la harina e ir añadiendo las yemas, aceite, leche templada, sal, mantequilla derretida y por último la levadura, que se habrá disuelto en un poco de leche.

2. Se mezcla bien, sin que queden grumos, y se deja reposar la masa tapada, una hora más o menos, en sitio templado (deberá doblar el volumen).

3. Se montan las tres claras a punto de nieve, añadiendo la pizca de azúcar, y se mezcla con la masa anterior. Se deja reposar otro rato hasta que suba otra vez.

4. Se untan de mantequilla las sartenes especiales de blinis, y cuando se haya derretido se van haciendo los blinis, untando cada vez de mantequilla.

NOTA: Los blinis son el acompañamiento ideal para el caviar y el salmón ahumado.

Vacherin de fresas

MERENGUES Y RUSOS

Mi tarta preferida es el vacherin de fresas, y es una pena que no sea más popular, debido a que en unas pocas horas se estropea; por eso no se vende normalmente en las pastelerías. La base para la elaboración del vacherin, y de otros deliciosos pasteles y tartas, es el merengue francés o merengue duro, cuya receta base expongo a continuación:

MERENGUE FRANCÉS (receta base) **

Ingredientes (para 8 personas)

- *6 claras de huevo*
- *175 gr. de azúcar y*
- *175 gr. de azúcar glace mezclados*
- *azúcar glace para espolvorear*

Preparación

1. Montar las claras a punto de nieve.
2. Sin dejar de batir, incorporar el azúcar a las claras hasta obtener un merengue. Batir aún 5 minutos.
3. Disponer sobre papel de aluminio o sulfurizado, sobre la placa de horno, utilizando la manga pastelera, según la receta y espolvorear de azúcar glace.
4. Cocer durante una hora y media en horno precalentado a 150°. Dejar enfriar dentro del horno. Cuando esté frío, separar el merengue, que estará duro y quebradizo, del papel de aluminio, y utilizar según la receta.

VACHERIN DE FRESAS * *

Ingredientes (para 8 personas)

- *Merengue francés de 6 claras (ver receta)*
- *1/2 litro de crema chantilly (ver receta)*
- *Fresas, frambuesas o cualquier otra fruta*

Preparación

1. Preparar el merengue francés como se indica en la receta.
2. Cubrir de papel de aluminio dos placas de horno y dibujar sendos círculos de 22 centímetros de diámetro.
3. Rellenar los círculos con el merengue ayudándose de la manga pastelera con boquilla 1,5 centímetros, haciendo una espiral empezando por la parte de fuera y terminando en el centro. Espolvorear de azúcar glace.
4. Cocer las dos placas a la vez en horno precalentado a 150° durante una hora y media. Dejar templar dentro del horno. Retirar del horno cuando esté templado y dejar enfriar del todo. Retirar el papel de aluminio.
5. Limpiar las fresas, quitarles los rabos, reservar las que estén más bonitas y filetear el resto. Rellenar la manga pastelera con la crema chantilly.
6. *Montar el pastel:* Disponer uno de los discos de merengue sobre la fuente de servir. Cubrir con una capa fina de crema chantilly, colocar encima las fresas fileteadas y echar unos chorretones de nata.
7. Colocar encima el segundo disco de merengue, con la parte lisa hacia arriba, cubrir con una capa de crema chantilly y adornar con la crema chantilly y las fresas reservadas. Guardar en la nevera.

NOTA: Esta tarta no conviene dejarla muchas horas preparada, pues se ablanda el merengue.

BOCADITOS DE FRESAS O FRAMBUESAS (Limón y frambuesa, naranja y menta)* *

Con la misma receta se pueden confeccionar pastelitos de un solo bocado, haciendo niditos de merengue con la boquilla de medio centímetro y rellenándolos con nata y una fresa o una frambuesa encima. También se pueden confeccionar pasteles de ración, haciendo el nido más grande y siguiendo el mismo procedimiento.

RUSO DE ALMENDRAS * *

Ingredientes (para 8 personas)

- *Merengue francés de 6 claras (ver receta)*
- *75 gr. de almendras fileteadas*
- *1 l. de crema de mantequilla (ver receta)*

Preparación

1. Hacer dos discos de merengue francés como en la receta de *Vacherin de fresas.*
2. Rellenar con crema de mantequilla y almendras fileteadas. El merengue deberá quedar totalmente oculto bajo la crema. Esparcir por encima más almendras fileteadas.

RUSO AL PRALINÉ * *

Exactamente igual que el anterior, sólo que incorporando 150 gramos de praliné molido a la crema de mantequilla.

PASTELITOS RUSOS * *

Se pueden confeccionar pasteles individuales haciendo discos de 10 centímetros de diámetro (dos por pastel) con la manga y boquilla de 0,5 centímetros de diámetro, y rellenándolos de un espiral de crema y almendras fileteadas tostadas.

SUGERENCIAS PARA OTRAS TARTAS DE MERENGUE

Con placas de merengue francés, en redondo o cuadrado, se pueden hacer otros muchos pasteles riquísimos, rellenando con crema de castañas y adornando con marron glacé, con manzanas o plátanos y crema chantilly, con mousse de chocolate y avellanas tostadas picadas, etc.

Remover la masa al fuego
hasta que se despegue
de las paredes del cazo
Incorporar los huevos
revolviendo.
La masa se aligera
y se hace untuosa.

PASTA CHOUX

Suele atribuirse a Popelini, pastelero de Catalina de Médicis, la invención, hacia 1540, de la pasta «choux» (*choux* en francés quiere decir repollo, y pienso que el nombre se debe a la semejanza de forma de repollito que adquiere, al cocer, el pastelito). De hecho, la masa de la pasta choux debe ser mucho más antigua, y es prácticamente idéntica a la masa de buñuelos tradicional. En el *Arte de Cocina* de Martínez Montiño (hacia 1612), ya citado, aparece la siguiente receta, que se podrá comparar con la receta base que se ofrece más abajo:

«*Hojaldre con leche*

Tomarás media azumbre de leche, y ponle al fuego en un cazo, y echale un poco de manteca fresca de vaca y un poco de sal, y quando empiece a cocer, echale harina de trigo floreada, y menealo con el cucharon, y ha de quedar una masa un poco dura, y cuecela muy bien sobre la lumbre, y sacala luego al tablero, y ponle media docena de huevos. Luego iras sobandola, y poniendole manteca hasta que esté blanda; luego ponle media libra de azucar molido, y cernido.

Luego pondras unas obleas en una tortera, y echa la masa dentro, y pon tu ojaldre à cocer en el horno; y quando esté quaxada harás los picos, como está dicho en los de atrás, y acabala de cocèr, y echale un poco de almibar por encima, y buelvela otro poquito al horno, para que se acabe de enxugar: son muy buen gusto estos ojaldres.

Y advierte, que en este ojaldre podràs meter, si quisieres, en lugar de torreznos algunas cosas de conservas, como son cascos de membrillos, ó cermeñas, o alberchigos o albaricoques.»

PASTA CHOUX (receta base) * *

Ingredientes (para 8 personas)

- *1/4 l. de líquido (mitad leche, mitad agua)*
- *140 gr. de harina*
- *110 gr. de mantequilla*
- *5 gr. de sal*
- *5 gr. de azúcar*
- *4 huevos*

Preparación

1. Calentar hasta ebullición en un cazo el agua, la leche, la sal, el azúcar y la mantequilla.
2. Cuando hierva a borbotones, añadir de golpe la harina, y hacer cocer, removiendo con la cuchara de madera hasta que la masa deje de pegarse a las paredes del cazo. Retirar del fuego.
3. Dejar pasar unos minutos y añadir los huevos de uno en uno, trabajando la masa hasta que se incorporen bien. Este trabajo puede hacerse en la batidora fija con el útil de amasar. Quedará la masa espesa pero fluida, preparada para utilizar, según la receta. Para manejar esta masa se usa una manga pastelera.
4. *Cocción:* Pintar una fuente de horno de mantequilla. Con la ayuda de la manga pastelera ir poniendo la masa en la forma que convenga a la receta, pintar de huevo y cocer a horno precalentado a 200° durante 15 minutos y luego otros 15 ó 30 minutos más a 175° si son piezas grandes, y 5 minutos si son pequeñas. Deben quedar un poquito blandos y jugosos, pues la masa choux seca no está buena.

PETITS CHOUX, O BOCADITOS DE NATA O CREMA * *

Ingredientes (para 8 personas)

- *1/2 kg. de masa de pasta choux, (ver receta)*
- *7 dl. de crema chantilly o de crema pastelera (ver recetas correspondientes)*
- *1 yema de huevo adicionada de unas gotas de agua para dorar*
- *azúcar glas para espolvorear*

Preparación

1. Confeccionar la pasta choux según la receta.
2. Utilizando la manga pastelera, hacer montoncitos de masa del

tamaño de una nuez sobre la placa de horno untada de mantequilla, dejando separación entre unos y otros porque se hinchan al cocer. Dorar con yema de huevo.

3. Cocer al horno como se indica en la receta.
4. Cuando estén fríos, abrirlos por la mitad y rellenarlos con la crema elegida.
5. Espolvorear con azúcar glace.

NOTA: También se pueden rellenar, inyectando la crema por la parte inferior, con la manga pastelera y una boquilla en punta.

PROFITEROLES * *

Consisten en unos petits choux rellenos de helado de vainilla (o de crema chantilly) (ver receta) y acompañados de crema de chocolate caliente (ver receta).

RELÁMPAGOS O ECLAIRES * *

Ingredientes (para 8 personas)

- *1/2 kg. de masa de pasta choux, (ver receta de* Almíbar y caramelo)
- *1/2 l. de crema pastelera, (ver receta) o crema de chocolate (ver receta de* Almíbar y caramelo) *o crema pastelera aromatizada de moka*
- *1 yema de huevo adicionada de unas gotas de agua para dorar*
- *fondant blanco, (ver receta de* Almíbar y caramelo) *baño de chocolate (ver receta de* Almíbar y caramelo) *o caramelo a punto de lámina quebradiza (ver receta de* Almíbar y caramelo)

Preparación

1. Confeccionar la pasta choux según la receta.
2. Utilizando la manga pastelera, hacer bastoncitos de masa, de unos 7 centímetros de longitud, sobre la placa de horno untada de mantequilla, dejando separación entre unos y otros porque se hinchan al cocer. Dorar con yema de huevo.
3. Cocer al horno como se indica en la receta.

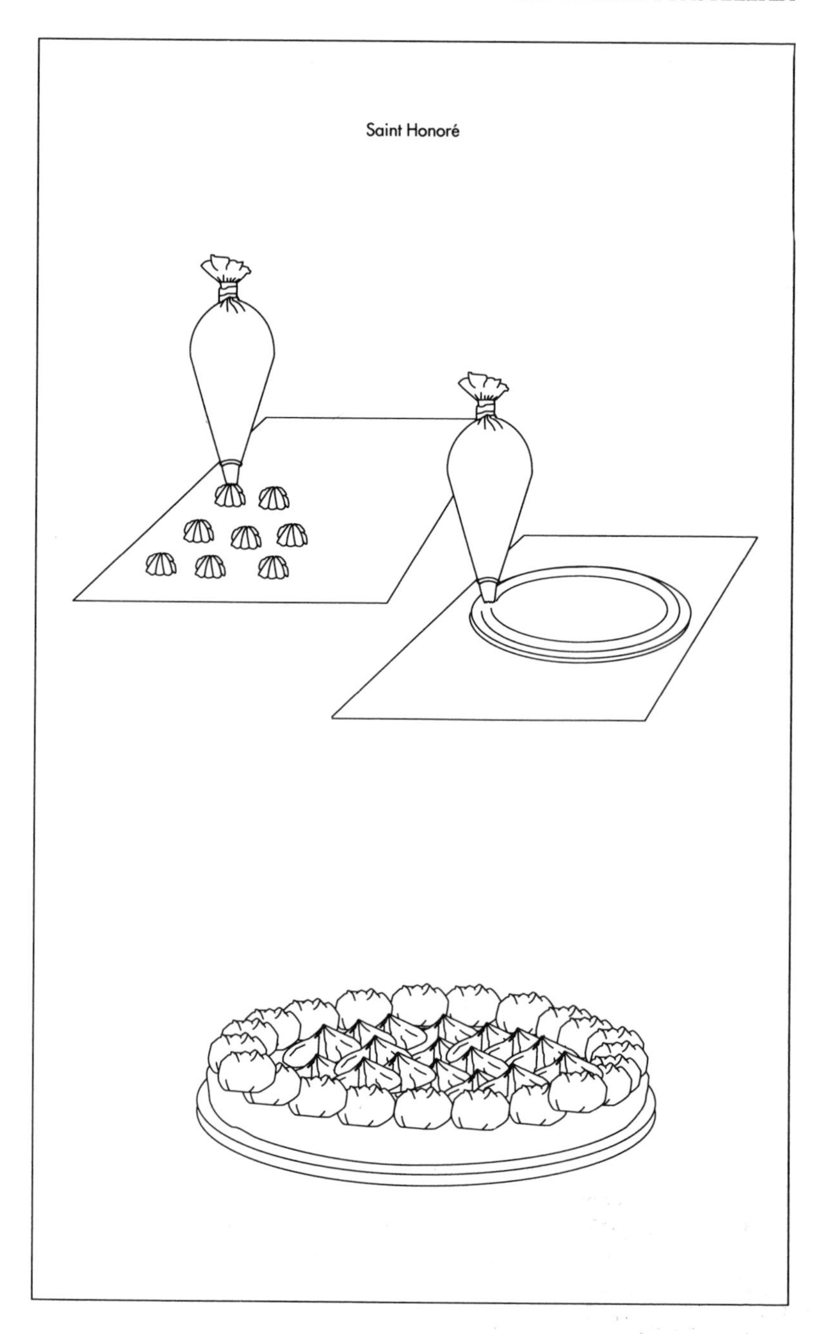
Saint Honoré

4. Cuando estén fríos, cortarlos por la mitad y rellenarlos con la crema elegida.

5. Napar por encima con el baño adecuado: para el relleno de crema pastelera, fondant blanco; para el relleno de crema de chocolate, baño de chocolate; para el relleno de café, caramelo.

SAINT HONORÉ * *

Ingredientes (para 8 personas)

- *1/2 kg. de pasta choux (ver receta)*
- *250 gr. de masa quebrada (optativo 250 gr. de masa de hojaldre)*
- *1 yema de huevo*
- *1/4 l. de crema chantilly (veer receta)*

Caramelo

- *200 gr. de azúcar*
- *1/2 dl. de agua*
- *zumo de medio limón*

Crema Chiboust *(ver receta)*

- *1/2 litro de crema pastelera (ver receta)*
- *merengue italiano de 3 claras (ver receta)*
- *3 hojas de gelatina (5 gr.)*

Preparación

1. Extender la masa quebrada (o el hojaldre) con el rodillo y colocarla en la fuente de horno. Cortar un disco, ayudándose de un molde de 22 centímetros de diámetro. Picar bien (sobre todo si es hojaldre).

2. Pintar de yema de huevo todo el borde del disco de masa. Poner la pasta choux en una manga pastelera con una boquilla de 1 centímetro de diámetro y hacer sobre el disco una rosca de pasta choux a medio centímetro del borde.

3. En otra placa de horno, ligeramente untada de mantequilla, moldear petits choux. Dorarlos con la yema.

4. Cocer el Saint Honoré y los petits choux pequeños a horno precalentado a 200° durante 15 minutos, bajar la temperatura a 175°, sacar a los 5 minutos la placa de petits choux y a los 15 la del Saint Honoré. Dejar enfriar.

5. Rellenar los petits choux con crema chantilly.

6. Preparar el caramelo a 145°, a punto de lámina quebradiza.

7. Pegar los petits choux sobre los bordes del Saint Honoré con el caramelo líquido, dándole forma de corona. Una vez colocados los petits choux, rellenar el Saint Honoré con la crema chiboust, ayudándose de la manga pastelera con boquilla rizada.

PARÍS-BREST * *

Ingredientes (para 8 personas)

- *1/2 kg. de pasta choux (ver receta)*
- *50 gr. de almendras fileteadas*

CREMA PARÍS-BREST

- *1/2 l. de crema pastelera (ver receta)*
- *75 gr. de praliné en polvo*
- *100 gr. de mantequilla*

Preparación

1. Calentar el horno a 220°.

2. Untar una placa de horno de mantequilla. Con la ayuda de la manga pastelera y con boquilla de 1 cm. de diámetro, hacer una rosca de pasta de unos 18 cm. de diámetro. Hacer otra segunda rosca, pegando, en el interior de la primera, y después una tercera a caballo entre las dos. Pintar de yema de huevo con un poco de agua y espolvorear de almendras fileteadas.

3. Cocer 15 minutos a 220° y otros 30 minutos más a 175°.

4. Dejar enfriar. Abrir por la mitad y rellenar con la crema. Espolvorear de azúcar molido.

Preparación de la crema París-Brest

1. Preparar la crema pastelera e incorporarle el praliné y la mantequilla en pomada, batiendo durante 2 minutos a poca velocidad para obtener una crema ligera.

PASTAS Y GOLOSINAS

PASTAS DE MANTEQUILLA (receta base)*

La pastas de mantequilla se confeccionan con masa quebrada, variando las proporciones de mantequilla, huevo y azúcar, adicionando, según los casos, otros ingredientes y cortándolas y decorándolas con glasas diversas.

En todos los casos se empieza por migar la harina con la mantequilla en la forma indicada para la confección de masa quebrada de tarteleta (ver dibujo pág. 230).

Ingredientes (para 8 personas)

- *200 gr. de mantequilla*
- *250 gr. de harina*
- *100 gr. de azúcar glace tamizada*
- *2 yemas de huevo*
- *1 pizca de sal*
- *vainilla en polvo*

Preparación

1. Migar la harina con la mantequilla, incorporar el azúcar glace tamizado y la vainilla. Incorporar las dos yemas de huevo; en cuanto se haya hecho una masa compacta, fresar, y rehacer la bola, sin amasar.
2. Envolver en papel film y dejar una hora en la nevera.
3. Sobre una mesa enharinada dividir la masa en dos partes (es más cómodo trabajar con cantidades pequeñas). Extender con el rodillo dejando un grosor de medio centímetro y cortar con un cortapastas (puede ser redondo, en forma de corazón, etc.).

Recoger los recortes, recomponer con ellos la masa, extender y cortar. Colocar las pastas sobre la placa de horno tapizada de papel de aluminio (no hace falta untarla de mantequilla, pues la masa ya tiene mucha). Pintar de huevo, guardar 10 minutos en la nevera y cocer a horno precalentado a 200º unos 10 minutos. Una vez cocidas, sacarlas de la bandeja de horno y colocarlas sobre una rejilla de pastelería para enfriarlas. Guardar en una caja hermética, aunque siempre están más ricas recién hechas.

PASTAS DE MANTEQUILLA (2)*

Ingredientes (para 8 personas)

- *140 gr. de mantequilla*
- *250 gr. de harina*
- *100 gr. de azúcar glace tamizada*
- *1/2 dl. de leche*
- *una pizca de sal*
- *vainilla en polvo*
- *30 gr. de almendras en polvo*

Preparación

La misma que en la receta anterior.

PASTAS DE MANTEQUILLA (3)*

Ingredientes (para 8 personas)

- *200 gr. de harina*
- *200 gr. de mantequilla*
- *125 gr. de azúcar*
- *1 huevo*
- *una cucharadita de polvo royal*
- *una pizca de sal*
- *una pizca de vainilla*

Preparación

El mismo procedimiento que las anteriores, mezclando bien al principio la harina con el polvo royal. Quedan muy esponjosas.

PASTAS DE MANTEQUILLA (4)*

Ingredientes (para 8 personas)
- *250 gr. de harina*
- *125 gr. de mantequilla*
- *125 gr. de azúcar*
- *1/2 dl. de leche*
- *una pizca de vainilla*
- *una pizca de sal*

Preparación

La misma que las anteriores.

ADORNOS, BAÑOS Y GLASEADOS PARA PASTAS DE MANTEQUILLA *

Antes de cocer

Espolvorear de azúcar.

Pintar de huevo y espolvorar almendras o pistachos picados o almendras fileteadas. Adornar con media nuez en el centro.

Corteza de naranja cocida 10 minutos en jarabe de granadina.

A los 8 minutos de horno

Bañar por encima (sin llegar a los bordes), con una mezcla de glasa de frutas (albaricoque, fresa, frambuesa) adicionada de azúcar glace, mitad y mitad, o con glasa simple de naranja o limón.

Volver al horno otros 8 minutos.

A los 12 minutos de horno

Recubrir de fondant de azúcar, blanco o aromatizado y coloreado.

Volver al horno otros 6 minutos.

Cuando están cocidas

Baño de chocolate.

Glasa real, que se puede aromatizar con esencia de fresa o limón y teñir con el colorante correspondiente.

Espolvorear de azúcar glace.

Otras formas

Se puecen hacer lacitos, ochos, rosquillas, etc.

PASTAS DE JENGIBRE * *

Ingredientes (para 8 personas)

- *280 gr. de mantequilla*
- *300 gr. de azúcar*
- *1,5 dl. de melaza de caña o*
- *125 gr. de azúcar negra*
- *1 cucharada de agua*
- *750 gr. de harina*
- *2 huevos*
- *10 gr. de clavo molido*
- *10 de jengibre*
- *10 gr. de canela*
- *5 gr. de bicarbonato*

Preparación

1. Batir bien la mantequilla en pomada con el azúcar.
2. Añadir los huevos de uno en uno y el azúcar de caña.
3. Añadir luego las especias, el bicarbonato y, por último, la harina, removiendo bien. Debe quedar una masa que no se pegue a las manos.
4. Dejar reposar 2 horas en la nevera.
5. Pintar tres fuentes de horno con mantequilla.
6. Sobre una mesa enharinada extender la masa con el rodillo, dejándolo a una altura de medio centímetro. Cortar con el cortapastas y ponerlas sobre las fuentes de horno. Amasar ligeramente los recortes para aprovecharlos.
7. Cocer a horno precalentado a 180° unos 12 minutos.
8. Una vez cocidas, colocarlas sobre una rejilla para que se enfríen.

NOTA: Estas pastas, que son muy navideñas, sirven para hacer muñequitos y adornos para el árbol, decoradas con glasa real teñida de rosa, amarillo o verde.

LENGUAS DE GATO * *

Ingredientes (para 8 personas)

- *125 gr. de mantequilla*
- *125 gr. de azúcar*
- *125 gr. de harina*
- *3 claras de huevo*
- *vainilla en polvo*
- *mantequilla para untar los moldes*

Preparación

1. Fundir la mantequilla en el microondas y dejarla templar.
2. En un bol poner el azúcar, vainilla en polvo y la harina, añadir las claras de huevo sin batir, mezclar a mano. Incorporar la mantequilla derretida y templada y volver a mezclar a mano sin batir.
3. Cubrir la placa de horno con papel de aluminio, pintar de mantequilla derretida, y con la ayuda de la manga pastelera y boquilla de 1 centímetro, ir marcando las lenguas de gato, distanciándolas unas de otras pues al cocer ensanchan.
4. Meter a horno precalentado a 180º unos minutos, hasta que obtengan un bonito color.
5. Una vez cocidas, retirarlas de las placas de horno y dejarlas enfriar.

TULIPAS * *

Con esta misma masa se pueden confeccionar unos cuenquitos de pasta muy ricos, que sirven para presentar y acompañar helados, compotas, mousses, etc.

Ingredientes (para 8 personas)

- *125 gr. de mantequilla*
- *125 gr. de azúcar*
- *125 gr. de harina*
- *3 claras de huevo*
- *vainilla en polvo*
- *mantequilla para untar los moldes*

Preparación

1. Preparar la masa de manera idéntica a la receta anterior.
2. Recortar cuadrados de papel de aluminio de unos 30 por 30 centímetros. Pintarlos bien de mantequilla. Disponer boca abajo unos boles sin asa en la mesa junto al horno.
3. Verter una cucharada de masa en el centro de cada uno de los cuadrados de papel de aluminio. Con ayuda de una espátula, extender la masa formando círculos muy finos de masa, como de unos 18 centímetro de diámetro.
4. Ir cociendo en el horno precalentado a 220º un par de minutos, hasta que la oblea tenga un bonito color dorado.
5. Retirar del horno, separar del papel de aluminio, y con un movimiento rápido colocar cada una de estas obleas sobre los tazones, dando forma con la mano pero sin apretar mucho para que no se

rompan. En seguida, según se enfrían, van perdiendo flexibilidad y conservan la forma del tazón.

NOTA: Si el tiempo es seco se conservan bastante bien de un día para otro, pero están mejor recientes.

TEJAS DE ALMENDRAS * * *

Ingredientes (para 8 personas)

- *80 gr. de almendras fileteadas*
- *120 gr. de azúcar*
- *30 gr. de harina*
- *3 claras de huevo sin batir*
- *30 gr. de mantequilla mantequilla para untar los moldes*

Preparación

1. Mezclar el azúcar, la mantequilla derretida en el microondas y las claras, sin batir. Añadir las almendras y dejar reposar una hora en la nevera.
2. Untar muy bien las placas de mantequilla e ir depositando con una cucharilla montoncitos de masa, extendiéndolos bien; cocer a horno precalentado a 200° unos minutos, hasta que tengan un bonito color dorado.
3. Una vez doradas, sacarlas de las bandejas con la ayuda de una espátula ancha y colocarlas en el molde especial de tejas, para que adquieran la forma característica. Una vez frías pierden la flexibilidad y conservan la forma del molde.

NOTA: Hay que tomarlas recién hechas, pues están mejor.

POLVORONES SEVILLANOS * * *

Ingredientes (para 8 personas)

- *500 gr. de harina*
- *250 gr. de manteca de cerdo*
- *300 gr. de azúcar glace*
- *2 cucharaditas de canela*

Preparación

1. Esparcir la harina sobre una placa de horno totalmente seca. Tostar al horno unos minutos, hasta que empiece a emanar el olor característico de harina tostada, pero sin que tome color. Dejar enfriar completamente.
2. Amasar los ingredientes hasta obtener una masa fina.
3. Extender la masa con rodillo de un grosor de 1,5 centímetros.
4. Cortar con cortapastas redondo de 4 centímetros.
5. Precalentar el horno a 200° y cocer un minuto aproximadamente.
6. Espolvorear de azúcar glace y envolver en papel de seda. Se conservan varias semanas.

POLVORONES CON AGUA DE AZAHAR * * *

Ingredientes (para 8 personas)

- *300 gr. de harina*
- *300 gr. de azúcar*
- *300 gr. de manteca de cerdo*
- *100 gr. de almendras tostadas y molidas*
- *1/2 dl. de agua de azahar*
- *una cucharadita de canela en polvo*
- *una pizca de sal*
- *azúcar glace para espolvorear*

Preparación

1. Esparcir la harina sobre una placa de horno totalmente seca. Tostar al horno unos minutos, hasta que empiece a emanar el olor característico de harina tostada, pero sin que tome color. Dejar enfriar completamente.
2. Tostar las almendras en el horno y triturarlas.
3. Amasar los ingredientes hasta obtener una masa fina.
4. Extender la masa con rodillo de un grosor de 1,5 centímetros.
5. Cortar con cortapastas redondo de 4 centímetros.
6. Precalentar el horno a 200° y cocer un minuto aproximadamente.
7. Espolvorear de azúcar glas y envolver en papel de seda. Se conservan varias semanas.

ROSQUILLAS LISTAS * *

Ingredientes (para 8 personas)
- *800 gr. de harina*
- *200 gr. de azúcar*
- *2,5 dl. de aceite de oliva frito y frío*
- *1 copa de anís*
- *6 huevos*
- *1 cucharadita de anís en grano*
- *1 cucharadita de levadura en polvo*

BAÑO A LAS ROSQUILLAS
- *300 gr. de azúcar glace*
- *2 claras*
- *1 cucharadita de limón*

Preparación

1. Batir los huevos con el azúcar. Añadir el aceite frito y frío, anís y la levadura. Añadir poco a poco batiendo la harina tamizada, mezclando todo bien. Debe quedar una masa que no se pegue a las manos.
2. Formar las rosquillas partiendo de una bolita, aplanando, dejándolas sobre placas de horno untadas de aceite o mantequilla.
3. Pintarlas de huevo y dejar reposar la masa una hora.
4. Cocerlas a horno precalentado a 200° durante 15 minutos.

Preparación del baño de las rosquillas

1. Batir 10 minutos en la máquina el azúcar glas, las claras y zumo de limón.
2. Una vez cocidas y frías las rosquillas, bañarlas con esta mezcla y dejarlas secar a la entrada del horno con cuidado de que no cojan color.

BOMBONES DE CHOCOLATE A LA NARANJA *

Ingredientes (para 8 personas)
- *200 gr. de chocolate amargo de la mejor calidad*
- *ralladura de naranja confitada*

Preparación

1. Fundir el chocolate al microondas o al baño María.
2. Sacarlo y batirlo un poco.
3. Ir rellenando hasta la mitad los moldes especiales de bombones. Encima de cada uno poner un poco de naranja confitada y cubrir con el chocolate.
4. Dejar enfriar completamente unas horas en la nevera y desmoldar.

NOTA: Se conservan bien en la nevera, envueltos en papel transparente.

BOMBONES CASEROS *

Con chocolate fundido se pueden confeccionar otros bombones fáciles, por ejemplo:

Sobre una hoja de papel de aluminio se extienden cucharaditas de chocolate fundido. Sobre cada una de ellas, poner una avellana tostada, una almendra tostada y dos pasas sin pipas. Hacer enfriar en la nevera.

Mezclar 100 gramos de almendras tostadas y machacadas, o nueces troceadas, con 100 gramos de chocolate fundido.

Hacer montoncitos y dejarlos sobre una hoja de papel de aluminio. Hacer enfriar en la nevera.

Bañar frutas confitadas cortadas en dados con chocolate fundido, poner sobre papel de aluminio y dejar enfriar en la nevera.

Bañar uvas o fresas, bien limpias, pero dejando el rabo, en chocolate fundido, dejar sobre una hoja de papel de aluminio, hacer enfriar en la nevera, poner en cápsulas de papel.

NOTA: Todos estos bombones domésticos de chocolate fundido deberán guardarse en la nevera y resguardarse del calor.

TRUFAS DE CHOCOLATE *

Ingredientes (para 8 personas)

- *1 dl de nata líquida*
- *50 gr. de mantequilla*
- *100 gr. de azúcar glace*
- *2 yemas de huevo*
- *330 gr. de chocolate amargo*
- *1/2 dl. de calvados u otro licor*

BAÑO DE CHOCOLATE

- *200 gr. de chocolate amargo*
- *cacao en polvo*

Preparación

1. Deshacer en el microondas los 330 gramos de chocolate.
2. En un bol poner las dos yemas de huevo y 50 gramos de azúcar y batir hasta obtener una crema blanca.
3. Aparte, calentar hasta ebullición la nata, la mantequilla y el resto del azúcar (50 gramos) y dejar hervir. Retirar del fuego.
4. Verter esta crema hirviendo sobre las yemas, batiendo; mezclar bien y luego mezclarlo con el chocolate.
5. Batir muy bien hasta que esté el chocolate bien incorporado y añadir el licor, continuar batiendo hasta que la masa esté lisa y brillante.
6. Dejar en la nevera una hora hasta que la masa quede pastosa.
7. Con la ayuda de la manga pastelera y boquilla de 1,5 centímetros ir formando las trufas, dejándolas sobre un papel film. Meterlas en la nevera dos horas, pues la masa debe estar completamente dura para poder tornearlas.
8. Sacar las trufas de la nevera y redondearlas.
9. Fundir 200 gramos de chocolate en el microondas. Dejar enfriar un poco e ir pasando las trufas por el chocolate hasta que estén cubiertas. Depositarlas en una fuente con cacao amargo y rebozarlas. Guardar en la nevera.

TRUFAS DE CHOCOLATE DE VITORIA *

Ingredientes (para 8 personas)

- *1 bote de leche condensada de 370 gr.*
- *100 gr. de mantequilla*
- *400 gr. de chocolate negro*
- *licor (ron, coñac, armagnac, u otro cualquiera)*
- *cacao amargo para espolvorear*

Preparación

1. Fundir el chocolate en el microondas. Incorporar la mantequilla blanda a cucharadas, mezclar bien e incorporar a continuación la leche condensada y el licor. Mezclar todo bien y dejarlo una noche en la nevera.
2. Al día siguiente se hacen bolitas y se rebozan en cacao.

TRUFAS A LA NARANJA *

Los mismos ingredientes y procedimiento que en la receta anterior, pero eliminando el licor y añadiendo la ralladura de dos naranjas.

YEMAS DE SANTA TERESA * *

Ingredientes (para 8 personas)

- *12 yemas de huevo*
- *175 gr. de azúcar*
- *1,25 dl. de agua*
- *un trozo de canela en rama*
- *corteza de un limón*
- *azúcar glas*

Preparación

1. Poner en un cazo el azúcar con el agua, canela y limón. Dejar que cueza hasta obtener el punto de hebra fuerte.
2. Poner las yemas de huevo en un bol, batirlas un poco y pasarlas por el colador a un cazo, verter el almíbar y poner al fuego sin dejar de mover con una cuchara de madera, hasta que se forme una pasta que se desprenda de las paredes del cazo.

3. Dejar enfriar en una fuente.
4. Una vez fría la masa, formar un rollito sobre la mesa espolvoreada de azúcar. Cortar en trozos y redondearlos, y pasarlos por azúcar glace.

Depositarlas en cápsulas de papel.

PASTAS DE FRUTA, JALEAS, CONFITURAS Y MERMELADAS

PASTAS DE FRUTA, JALEAS, CONFITURAS Y MERMELADAS

Las virtudes del azúcar como conservante de la fruta son conocidas desde la antigüedad, aunque normalmente, por ser la miel más abundante, se utilizaba ésta para hacer conservas, tal como refiere Plinio. Así, la palabra «mermelada» procede del latín *melimelo,* que quiere decir manzana con miel. En Europa, salvo en España, las conservas de fruta a base de azúcar no se generalizaron hasta que éste se abarató, a partir del siglo XVII.

Lo que empezó siendo una forma de conservar el exceso de fruta en el momento de la recolección se convirtió en manjar exquisito, y hoy día, a pesar de que tenemos medios para disponer de frutas frescas todo el año, merece la pena hacer la propia conserva, aprovechando la temporada en que la fruta está más barata.

Aquí me voy a referir a cuatro formas de conserva, que son las más comunes: pasta (o carne) de frutas, jalea, confitura y mermelada. A cada fruta le conviene más una forma que otra, y también depende del gusto personal. Daré las fórmulas generales para cada una de éstas, y luego representaré en un cuadro las peculiaridades y preferencias respecto de cada tipo de fruta.

La fruta a utilizar para la confección de conservas debe ser madura, en sazón, pero no debe estar en ningún caso en mal estado ni dañada, pues con ello disminuirá la calidad del producto. Es importante que los recipientes para conservación de mermeladas se encuentren perfectamente limpios y estériles. Los recipientes más cómodos para jaleas y mermeladas son los de mermelada, con tapa tipo *twist-off*. Después de bien lavados, se colocan los tarros con las tapas en la olla express, sobre la rejilla, con agua en el fondo. Se cierra la olla, y desde el momento en que empieza a silbar se dejan pasar 10 minutos. Se hace salir el vapor, se deja enfriar la olla para abrirla y se colocan los tarros boca abajo sobre un trapo limpio recién planchado en húmedo. En el momento de llenarlos conviene que aún estén calientes o por lo menos templados, para que no se quiebren por la diferencia de temperatura.

Quiero también advertir que las recetas que a continuación se presentan no tienen en cuenta las prescripciones para elaboración industrial, por lo que son para consumo propio doméstico y en ningún caso para comercializar.

PASTA DE FRUTAS

Se llama pasta de frutas al producto del cocimiento de fruta en el que ésta ha sido totalmente triturada y pasada por el tamiz, hasta que por acción del azúcar y de la pectina contenida en la fruta, o adicionada, la masa adquiere en frío consistencia semisólida. En los productos comerciales no puede adicionarse más que un 5 por 100 de pectina.

La pasta más común en España es la de membrillo. Pueden elaborarse pastas de otras frutas, conviniendo, en el caso de que éstas sean bajas en pectinas (cerezas, fresas), cocer conjuntamente con la fruta mondas y corazones de membrillo o de manzana, que se pondrán en un saquito de tarlatana que se retirará al terminar la cocción.

PASTA DE FRUTAS (receta base)*

Ingredientes
- *2 kg. de fruta fresca (membrillo)*
- *1 kg. de azúcar*

Preparación

1. Mondar, limpiar y trocear los membrillos, reservar las mondas e introducirlas en un saco de tarlatana.

2. Colocar todo junto en una marmita, cubierto justamente de agua, calentar hasta ebullición y hacer cocer 20 minutos.

3. Escurrir la fruta, pasarla por el pasapurés fino y pesarla. (Reservar el agua de cocción y la mondas para hacer jalea.)

4. Volver la pulpa a la marmita, agregar el mismo peso de azúcar. Calentar a fuego suave hasta ebullición, rascando el fondo con una

cuchara de madera para que no se pegue, y hacer cocer durante aproximadamente media hora, sin dejar de mover el fondo de vez en cuando. Para verificar la cocción, tomar un poco de pasta entre el índice y el pulgar y separarlos rápidamente. Estará a punto si se oye un ruido seco. Eliminar bien la espuma que se forma en la superficie.

5. Verter en latas forradas de papel film, alisando por encima, y tapando con papel film. Dejar enfriar.

6. Guardar en lugar fresco, oscuro y seco. Se conserva varios meses. Antes de consumir, verificar la ausencia de mohos.

Si se quieren hacer pastillas, se vierten en moldes cuadrados sin fondo sobre el mármol o sobre una bandeja de plástico untada de aceite refinado, se deja enfriar y, cuando esté cuajado, se corta en cuadraditos que se rebozan en azúcar. Así se conservan varios días.

JALEA

Se denomina jalea al producto obtenido del cocimiento del jugo o infusión de frutas ricas en pectina, con adición de azúcar.

Hay, por tanto, dos tipos de jaleas: las elaboradas con el zumo de la fruta (grosellas, frambuesas) y la elaborada con el cocimiento de las mondas y corazones (membrillo y manzana). El zumo de grosella y el cocimiento de mondas de manzana se puede combinar con zumos de frutas que, de por sí, no contengan suficiente cantidad de pectina para convertirse en jalea.

JALEA A PARTIR DE ZUMOS (receta base) *

Ingredientes

- *1 l. de zumo de fruta (de grosella) totalmente filtrado y límpido*
- *1 kg. de azúcar*

Preparación

1. Calentar hasta ebullición el zumo con el azúcar, hacer hervir durante un cuarto de hora. Para verificar la cocción, tomar un poco de líquido entre el índice y el pulgar, separarlos rápidamente. Estará a punto si se oye un ruido seco. Eliminar bien la espuma que se forma en la superficie.

2. Verter en frascos esterilizados en la olla a presión, cubrir con papel film que previamente se habrá humedecido con alcohol y cerrar perfectamente. Comprobar que la jalea ha cuajado al enfriarse,

antes de guardar. En caso contrario, volver a dar un cocimiento.

3. Guardar en lugar oscuro, fresco y seco. Se conserva varios meses. Antes de consumir, verificar la ausencia de mohos.

JALEA A PARTIR DEL COCIMIENTO DE MONDAS (receta base)*

Ingredientes

- *1/2 kg. de mondas y corazones de manzana*
- *1 l. de agua*
- *1 kg. de azúcar (aproximadamente)*

Preparación

1. Calentar hasta ebullición en una olla las mondas y corazones, hacer hervir destapado durante media hora. Retirar.
2. Filtrar el cocimiento por un paño, retorciendo para extraer bien el jugo, y medir.
3. Calentar hasta ebullición el cocimiento agregando azúcar, a razón de un kilo por litro. Hacer hervir durante un cuarto hora. Para verificar la cocción, tomar un poco de líquido entre el índice y el pulgar, separarlos rápidamente. Estará a punto si se oye un ruido seco. Eliminar bien la espuma que se forma en la superficie.
4. Verter en frascos esterilizados en la olla a presión, cubrir con papel film que previamente se habrá humedecido con alcohol, y cerrar perfectamente.
5. Guardar en lugar oscuro, fresco y seco. Se conserva varios meses. Antes de consumir verificar la ausencia de mohos.

Para elaborar jalea de fresas, de cerezas o de melocotón, sustituir el agua por zumo filtrado por un paño y límpido.

CONFITURAS

La confitura se obtiene haciendo cocer frutos enteros o troceados en almíbar. La proporción de azúcar y de fruta depende de la acidez de ésta. La confitura más popular es la de albaricoque. La proporción de agua depende de la humedad natural de la fruta.

CONFITURA (receta base)*

Ingredientes

- *1 kg. de albaricoques pesados sin huesos ni rabos y limpios*
- *1 kg. de azúcar*

Preparación

1. Lavar los albaricoques, limpiarlos, quitarles el hueso, partirlos en cuartos y pesarlos.
2. Preparar un almíbar con el mismo peso de azúcar en igual peso de agua, hasta boulé.
3. Incorporar la fruta, revolviendo con la espumadera.
4. Desde que vuelva a hervir, contar unos 20 minutos, espumando de vez en cuando. Se sabrá que está a punto vertiendo unas gotas del líquido sobre un plato de loza frío, lo que dará idea de la consistencia. Eliminar bien la espuma que se forma en la superficie.

5. Verter en frascos esterilizados en la olla a presión, cubrir con papel film que previamente se habrá humedecido con alcohol y cerrar perfectamente.

6. Guardar en lugar oscuro, fresco y seco. Se conserva varios meses. Antes de consumir, verificar la ausencia de mohos.

MERMELADAS

Se denomina mermelada a la conserva de fruta en azúcar de consistencia líquida, en la que no se puede distinguir la forma de las frutas. La proporción de azúcar, que también en este caso varía con la acidez de la fruta, es en principio algo menor que en el caso de la confitura. Cuando la fruta es muy dulce (por ejemplo, moras, se agrega zumo de limón).

Hay dos modos distintos de preparar mermelada, y cada uno de ellos conviene a un tipo distinto de fruta. La primera de ellas consiste en hacer macerar la fruta, ya partida, con el azúcar, y luego cocerla; la segunda consiste en cocer primero la fruta en agua, reducirla a pulpa y después cocer ésta con el azúcar. Este segundo método conviene más cuando las frutas tienen pipas que conviene eliminar total o parcialmente o mondas que hay que triturar bien.

MERMELADA DE FRESAS (receta base, modo primero) *

Ingredientes

- *1 kg. de fresón maduro, bien limpio y cortado en trozos*
- *1 kg. de azúcar*
- *zumo de 1 limón*

Preparación

1. Colocar la fruta el zumo de limón y el azúcar en la olla en capas sucesivas. Guardar en sitio fresco 24 horas.

2. Calentar hasta ebullición a fuego suave, removiendo el fondo con la espátula para que no se pegue, y hacer hervir durante media hora. Se sabrá que está a punto vertiendo unas gotas del líquido sobre un plato de loza frío, lo que dará idea de la consistencia. Eliminar bien la espuma que se forma en la superficie.

3. Verter en frascos esterilizados en la olla a presión, cubrir con papel film que previamente se habrá humedecido con alcohol, cerrar perfectamente.

4. Guardar en lugar oscuro, fresco y seco. Se conserva varios meses. Antes de consumir, verificar la ausencia de mohos.

MERMELADA DE CIRUELAS CLAUDIAS (receta base, modo segundo) *

Ingredientes

- *2 kg. de ciruelas claudias*
- *1 limón*
- *1 kg. de azúcar aprox.*

Preparación

1. Lavar las ciruelas, quitarles los rabos y vaciarles el hueso.

2. Poner a cocer a fuego lento, añadiendo un poco de agua para que no se peguen, removiendo con la espátula de madera. Cuando están blandas, retirar.

3. Pasar por el pasapurés con la rejilla gruesa, apretando bien. Pesar.

4. Calentar hasta ebullición a fuego suave, removiendo el fondo con la espátula para que no se pegue, añadir el zumo de limón y el azúcar, a razón de 800 gramos por kilo de pulpa de fruta, y hacer hervir durante 20 minutos. Se sabrá que está a punto vertiendo unas gotas del líquido sobre un plato de loza frío, lo que dará idea de la consistencia. Eliminar bien la espuma que se forma en la superficie.

5. Verter en frascos esterilizados en la olla a presión, cubrir con papel film que previamente se habrá humedecido con alcohol y cerrar perfectamente.

6. Guardar en lugar oscuro, fresco y seco. Se conserva varios meses. Antes de consumir, verificar la ausencia de moho.

FRUTA		ALBARICOQUE	CEREZA	FRESA	FRAMBUESA	GROSELLA	CIRUELA	MEMBRILLO	MANZANA	MELOCOTÓN	NARANJA	PIÑA
TEMPORADA		JUNIO-JULIO	JUNIO-JULIO	MAYO-JULIO	AGOSTO-SEPT.	JUNIO-JULIO	JULIO-SEPT.	OCT.-NOV.	AGO.-OCT.	JULIO-SEPT.	DIC.-ABRIL	TODO EL AÑO
APROPIADA PARA PREPARAR	Confitura Mermelada Jalea Pasta	Confitura Mermelada	Confitura	Confitura Mermelada	Mermelada Jalea	Confitura Jalea	Confitura Mermelada	Jalea Pasta	Jalea Pasta	Mermelada	Confitura Mermelada	Mermelada
COMBINA CON	Confitura Mermelada Jalea Pasta	Vainilla Almend. amar.	1/3 Grosella	Frutos Rojos Piña	Melocotón		Albaricoque					Fresa
PROPORCIÓN FRUTA/AZÚCAR	Confitura Mermelada Jalea Pasta	1 kg./1 kg. 1 kg./1 kg.	1 kg./1 kg. 1 kg./1 kg.	1 kg./1 kg. 1 kg./1 kg.	1 kg./1 kg. 1 l./1 kg.	1 kg./1 kg. 1 l./1 kg.	1 kg./0,8 kg. 1 kg./1 kg.	1 l. infusión/1 kg. 1 kg./1 kg.	1 l. infusión/1 kg. 1 kg./1 kg.	1 kg./1 kg.	1 l. zumo/1 kg. 1 kg./1 kg.	1 kg./1 kg.
TIEMPO DE COCCIÓN CON EL AZÚCAR	Confitura Mermelada Jalea Pasta	20 min. 20 min.	20 min. 20 min.	20 min. 20 min.	15 min. 15 min.	15 min. 3 min.	20 min. 20 min.	1/2 hora 1 hora	1/2 hora 1 hora	15 min.	20 min.	20 min.
OBSERVACIONES			Añadir pectina	Añadir pectina y zumo de limón	Añadir zumo de limón		Añadir zumo de limón		Añadir zumo de limón	Añadir zumo de limón	Macerar 24 horas en crudo	

REFRESCOS

REFRESCOS

Los romanos solían servir vino y zumos de frutas con nieve de los montes. En los países cálidos siempre ha sido costumbre enfriar las bebidas, pero en el norte de Europa no se sentía ninguna necesidad de hacerlo.

Por eso, cuando en 1538 se reunieron en Niza el papa Paulo III, el emperador Carlos V y el rey de Francia Francisco I, el médico de este último se alarmó por la salud de su amo cuando se sirvió vino azucarado con hielo.

La cerveza se sirve fría en el continente europeo, y el hielo se usa profusamente en los Estados Unidos; pero aún hoy día, las clases elevadas inglesas consideran vulgar servir las bebidas heladas y prefieren el té para apagar la sed, bebiendo la cerveza y el whisky del tiempo.

Algo de razón tienen los ingleses: la ingestión apresurada de un líquido frío en medio de la digestión, sobre todo después de una comida copiosa, puede producir efectos catastróficos en el estómago. Pero si sólo nos guiáramos por los efectos colaterales y no por el gusto, la vida sería más aburrida.

GRANIZADO *

Para la preparación de los granizados se utiliza sirope de granizado, con dos partes de líquido y una de azúcar.

Ingredientes

- *1 l. de néctar de fruta (zumo con agua) las proporciones de zumo y agua varían según la fruta, como se indicará a continuación)*
- *1/2 kg. de azúcar*

Preparación

1. Mezclar el néctar con el azúcar calentar hasta ebullición. Dejar enfriar, y refrigerar en el frigorífico.

2. Si se dispone de sorbetera, helar hasta que esté pastoso. Reservar helado.

Si no se dispone de sorbetera, meter en el congelador. Al cabo de una hora, triturar. Antes de servir, volver a triturar.

PROPORCIONES DEL NÉCTAR *

Limón: 1 de zumo por 3 de agua.

Naranja: 3 de naranja por 1 de agua.

Pomelo: 2 de zumo por 2 de agua.

Frambuesa: 2 de zumo de frambuesas por 1,5 de agua, más 0,5 de zumo de limón.

BATIDO DE VAINILLA *

Ingredientes (para 1 l.)

- *5 dl. de leche helada*
- *1,5 dl. de nata*
- *100 gr. de azúcar*
- *1/4 kg. de helado de vainilla*

Preparación

Batir bien todos los ingredientes y servir inmediatamente.

Con las mismas proporciones se pueden hacer batidos de otros sabores, con helado (no sorbete) de chocolate, caramelo, fresa, frambuesa, etc.

LECHE MERENGADA *

Ingredientes

- *1 l. de leche*
- *150 gr. de azúcar*
- *corteza de 1/2 limón*
- *canela en polvo para espolvorear*
- *2 claras de huevo a punto de nieve*

Preparación

1. Calentar hasta ebullición la leche con el azúcar y la corteza de medio limón. Dejar cocer 3 minutos, removiendo con una espátula de madera.

2. Meter en la nevera.

3. Cuando esté frío, poner en la sorbetera, añadiendo a medio cuajar dos claras de huevo batidas a punto de nieve.

(Si no se tiene sorbetera, se pone en el congelador y cuando empiece a cuajarse se saca y se tritura con batidora de mano, para que quede como granizado).

Se sirve en copas, espolvoreando por encima canela molida.

HORCHATA VALENCIANA *

Ingredientes

- *1 l. de leche*
- *canela*
- *250 gr. de azúcar*
- *250 gr. de chufas*

Preparación

1. Lavar bien las chufas y dejarlas a remojo 24 horas, cambiándoles el agua varias veces.

2. Triturarlas en la máquina, añadiéndoles el azúcar y la leche. Dejar unas horas a remojo en la nevera y colar pasándolas por un paño. Hervir y enfriar.

3. Meter en la sorbetera para que se endurezca un poco, pero sin llegar a cuajar. Si no se tiene sorbetera, se mete en el congelador y cuando se empiece a endurecer meter en la trituradora.

4. Servir bien frío, en vasos altos, espolvoreando canela por encima.

SANGRÍA *

Ingredientes

- *1 botella de buen vino tinto de crianza*
- *2 dl. de zumo de limón*
- *1 botella de cava brut*
- *1 l. de agua*
- *1 kg. de hielo*
- *250 gr. de azúcar*
- *un palo de canela en rama*
- *ralladura de dos limones*
- *3 limones cortados en rodajas*
- *3 naranjas cortadas en rodajas*

Preparación

1. Calentar hasta ebullición 2 dl. de agua y hacer una infusión con la canela y la ralladura de limón. Agregar el azúcar y disolver completamente.
2. En un bol de cristal de 5 litros de capacidad mezclar la anterior infusión con el vino, el agua restante (8 dl.) y el zumo de limón. Añadir las rodajas de fruta y poner a macerar durante varias horas en la nevera.
3. Antes de servir, agregar el cava, que estará bien frío, revolviendo con suavidad para que no se escape todo el gas, y el hielo.

LIMÓN PILÉ *

Ingredientes

- *5 limones*
- *150 gr. de azúcar*
- *1 kg. de hielo en cubitos*

Preparación

1. Rallar la corteza de un limón. Pelar los demás limones a lo vivo, partirlos en trozos y eliminar cuidadosamente todas las pipas y telillas gruesas. Recoger todo el zumo que se desprenda.
2. Pasar a velocidad máxima en la trituradora los limones con todo su zumo, con la ralladura y el azúcar. Sin parar de triturar, ir agregando uno a uno los cubitos de hielo.
3. Servir inmediatamente en copas anchas de cristal, con cuchara.

EPÍLOGO

MI CHOCOLATE HECHO *

Un atardecer en vacaciones, dorado y tibio. Hierba, tilos y castaños frondosos, un macizo de hortensias (alternativo: una tarde lluviosa de domingo a fines de noviembre, en casa, con la chimenea encendida) un mantel de hilo

- 12 tazas y platos de loza inglesa
  abuelos, hermanos, sobrinos, las niñas, Pablo y yo
- 1 Tarta Sevillana, según receta
- 1 Gâteau Basque, según receta
- 1 Brioche Kuggelhoff, según receta
- pan tostado, abundante
- 500 gr. de mantequilla
- 250 r. de mermelada de fresas
- 250 gr. de confitura de albaricoques
- 3 l. de agua helada en vasos de cristal
- 3 l. de granizado de limón

Ingredientes

- *2,5 l. de leche*
- *500 gr. de chocolate fondant*
- *7 dl. de crema chantilly*

Preparación

1. Calentar hasta ebullición la leche y apartar del fuego.
2. Partir el chocolate en trozos, agregarlo a la leche, revolver con

la cuchara de madera, volver el puchero al fuego y batir con la trituradora manual hasta que esté bien espumoso y se vea que el chocolate ha quedado totalmente disuelto. No dejar hervir.

3. Servir en las tazas con una cucharada de nata flotando en la superficie, acompañando con el agua helada y los demás ingredientes, excepto el granizado de limón.

Tomar charlando animadamente de cosas intrascendentes.

Después de dos horas, servir el granizado.

ÍNDICE DE RECETAS POR ORDEN ALFABÉTICO